JN112112

Office 2019 ・ Office 365 対応

The Best Guide to Microsoft Excel
for Beginners and Learners.

一冊に凝縮

# Excel 2019

やさしい教科書

わかりやすさに自信があります！

門脇 香奈子

SB Creative

## 本書の掲載内容

本書は、2020年2月3日の情報に基づき、Excel 2019の操作方法について解説しています。また、本書ではWindows版のExcel 2019の画面を用いて解説しています。ご利用のExcelのOSのバージョン・種類によっては、項目の位置などに若干の差異がある場合があります。あらかじめご了承ください。

## 本書に関するお問い合わせ

この度は小社書籍をご購入いただき誠にありがとうございます。小社では本書の内容に関するご質問を受け付けております。本書を読み進めていただきます中でご不明な箇所がございましたらお問い合わせください。なお、ご質問の前に小社Webサイトで「正誤表」をご確認ください。最新の正誤情報を下記のWebページに掲載しております。

**本書サポートページ** https://isbn2.sbcr.jp/04837/

上記ページに記載の「正誤情報」のリンクをクリックしてください。
なお、正誤情報がない場合、リンクをクリックすることはできません。

### ご質問送付先

ご質問については下記のいずれかの方法をご利用ください。

#### Webページより

上記のサポートページ内にある「この商品に関する問い合わせはこちら」をクリックすると、メールフォームが開きます。要綱に従ってご質問をご記入の上、送信ボタンを押してください。

#### 郵送

郵送の場合は下記までお願いいたします。

〒106-0032
東京都港区六本木2-4-5
SBクリエイティブ　読者サポート係

# はじめに

　本書は、Excelがゼロから理解できるようにExcelの基本操作を紹介したものです。Excelとは、実に高性能で多機能な表計算ソフトです。表を作ったり、表を基にグラフを作ったり、データをリスト形式に集めてそれを基に集計表を瞬時に作ったりするなど、さまざまな機能があります。しかし、初めてExcelを使う方は、「Excelを使うと何ができるのか？」「何から始めればよいのか？」よくわからないという方も多いでしょう。また、Excelを知りたいけれど、「パソコンは苦手」「算数は苦手」など、不安に思う方もいるでしょう。

　見やすい表やグラフを手早く作るためには、知っておきたいルールがあります。また、単純に表を作ると言っても、Excelでは、表を作る過程で、データを正確に素早く入力するための「時短ワザ」や、100万円以上の数値を自動的に目立たせるなどの人的ミスを防ぐ「自動化のワザ」をうまく活用することがとても重要です。

　本書では、「Excelって何？」というところから、表やグラフを作る過程に沿って、基本的なルールや、その場に応じて知っておきたい「時短ワザ」や「自動化のワザ」を紹介しています。各章の冒頭では、「表を作る手順を知る」「計算式って何？」「書式って何？」のように、その章で扱うテーマの概要を、用語の説明を交えて紹介しています。これから何を知ろうとしているのかイメージしてから読み進められるようにしました。

　Excelを初めて使う方は、ぜひ第1章から順に見てください。難しい操作はありません。また、算数が苦手という方も安心してください。Excelでは、難しい計算式を作らなくても簡単に計算ができる機能がたくさん用意されています。サンプルファイルをダウンロードして、初めから順番に操作していけば、本書を読み終えるころには、Excelの基本的な知識が身についていることと思います。

　Excelのすべての機能を手当たり次第に理解しようとする必要はありません。まずは、よく使われる機能には、どんなものがあるのかを知りましょう。そして、基本操作を効率よく行うための「時短ワザ」や「自動化のワザ」を身につけましょう。そうすれば自然と、Excelを実際の業務で便利に活用できるようになるでしょう。何も知らないところから、最短でそこに到達できるよう、本書が少しでも役立てば幸いです。

2020年2月
門脇香奈子

# 本書の使い方

- 本書では、Excel 2019をこれから使う人を対象に、基本的な表の作り方から、効率的なデータ入力、関数を使った計算、さまざまなグラフの作成、データの集計・分析、印刷機能まで、画面をふんだんに使用して、とにかく丁寧に解説しています。

- Excelの機能の中でも、よく使われる機能、仕事で役立つ便利な機能、基本操作を効率よく行うための「時短ワザ」「自動化のワザ」を紹介しています。本書を通してExcelを実務で使える力が自然と身につきます。

- 本編以外にも、MemoやHintなどの関連情報やショートカットキー一覧、用語集など、さまざまな情報を多数掲載しています。お手元に置いて、必要なときに参照してください。

## 紙面の構成

### 練習用ファイル

セクションで使用するファイルの名前です。ファイルのダウンロード方法などはP.6で解説しています。

### 解説

各項目の操作の内容を解説しています。操作手順の画面とあわせてお読みください。

### Memo

セクションで解説している機能・操作に関連する知識を掲載しています。

# 効率よく学習を進める方法

| | |
|---|---|
| **1** まずは概要をつかむ | 各章の冒頭では、その章で扱うテーマの概要を、用語の説明を交えて紹介しています。その章で何を知ろうとしているのかを確認して、学習を進めていきましょう。 |
| **2** 実際にやってみる | 本書の各項目では、練習用ファイルとしてサンプルを用意しています。紙面を見ながら実際に操作手順を実行して、結果を確認しながら読み進めてください。 |
| **3** リファレンスとして活用 | 一通り学習し終わった後も、本書を手元に置いてリファレンスとしてご活用ください。MemoやHintなどの関連情報もステップアップにお役立てください。 |

**操作手順**

具体的な操作内容の説明です。番号順に操作してください。

**Hint**

セクションで解説している機能・操作を、より使いこなすヒントを掲載しています。

本書では他にも以下の情報を用意しています。

**使えるプロ技！** 基本を超えた知識や活用ワザ

**Key word** 用語の解説

**注意** 操作を実行する際の注意点

**時短のコツ** 作業の効率化に役立つワザ

# 練習用ファイルの使い方

学習を進める前に、本書の各項目で使用する練習用ファイルをダウンロードしてください。以下のWebページからダウンロードできます。

## 練習用ファイルのダウンロード

https://www.sbcr.jp/support/48974/

## ▶▶ 練習用ファイルの内容

練習用ファイルの内容は下図のようになっています。ファイルの先頭の数字がセクション番号を表します。なお、セクションによっては練習用ファイルがない場合もあります。

各セクションの手順を実行後の状態のファイルが入っています。必要に応じて参照してください。

各セクションで使用するファイルが入っています。

## ▶▶ 使用時の注意点

練習用ファイルを開こうとすると、画面の上部に警告が表示されます。これはインターネットからダウンロードしたファイルには危険なプログラムが含まれている可能性があるためです。本書の練習用ファイルは問題ありませんので、[編集を有効にする]をクリックして、各セクションの操作を行ってください。

クリックして編集を有効にしてください。

### クリック

画面上のものやメニューを選択
したり、ボタンをクリックした
りするときに使います。

左ボタンを 1 回押します。　　　　　左ボタンを 1 回押します。

### 右クリック

操作可能なメニューを表示する
ときに使います。

右ボタンを 1 回押します。　　　　　右ボタンを 1 回押します。

### ダブルクリック

ファイルやフォルダーを開いた
り、アプリを起動したりすると
きに使います。

左ボタンを素早く 2 回押します。　　左ボタンを素早く 2 回押します。

### ドラッグ

画面上のものを移動するときに
使います。

左ボタンを押したままマウスを移動し、
移動先で左ボタンを離します。

左ボタンを押したままタッチ
パッドを指でなぞり、移動先
で左ボタンを離します。

## ▶▶ よく使うキー

Esc（エスケープ）キー
操作を取り消すときに使います。

半角 / 全角キー
日本語入力モードと半角英数モードを切り替えます。

Delete（デリート）キー
カーソルの右側の文字を削除します。

テンキー
電卓のように数字や演算記号が集まったキーです。

BackSpace（バックスペース）キー
カーソルの左側の文字を削除します。

Shift（シフト）キー
他のキーと組み合わせて使います。

スペースキー
空白の入力や漢字への変換に使います。

Enter（エンター）キー
文字の確定や改行入力で使います。

矢印キー
カーソルを上下左右に移動します。

Ctrl（コントロール）キー
他のキーと組み合わせて使います。

 ショートカットキー　複数のキーを組み合わせて押すことで、特定の操作を素早く実行することができます。
本書中では ◯◯ + △△ キーのように表記しています。

▶ Ctrl + A キーという表記の場合

2つのキーを
同時に押します。

▶ Ctrl + Shift + Esc キーという表記の場合

3つのキーを
同時に押します。

# ≫ CONTENTS

## 第11章 表やグラフを綺麗に印刷する 285

# Excel 2019の
# 基本操作を知る

この章では、Excelを使ううえで知っておきたい基本的な事柄を紹介します。Excelの画面構成や、Excel全体の設定画面などを知りましょう。

目標は、Excelを使うとどんなことができるのかイメージできるようになることと、ファイルを開くなどの基本操作を覚えることです。

# Section

# 01

# Excelって何?

## ここで学ぶのは

▶ 表計算ソフト
▶ Excelでできること
▶ ファイルとブック

Excelとは、計算表を作ったり、表を基にグラフを作ったり、集めたデータを活用・集計したりすることが得意な表計算ソフトです。

この章では、Excelでできることをイメージしましょう。また、Excelの起動方法など、最初に知っておきたい基本操作を紹介します。

## 1 表計算ソフトとは

### Key word  Microsoft Office（Office）

Officeとは、マイクロソフト社の複数のソフトをセットにしたパッケージソフトです。セットの内容によってOfficeにはいくつか種類があります。Excelは、どのOfficeにも入っているソフトです。

### Memo  Excelのバージョン

Officeは、数年に一度、新しいバージョンのものが発売されます。2020年時点で一番新しいOfficeは、Office 2019です。Office 2019のExcelは、Excel 2019というバージョンです。

### Key word  Office 365

Officeを使う方法の中には、Office 365サービスを利用する方法があります。これは、1年や1カ月契約などでOfficeを使う権利を得るサブスクリプション契約のことです。

### Excelの主な機能

小さなマス目を使って表を作れます。

表を基にグラフを作れます。

データを集めて活用できます。

## 2 表を作れる

### Memo 表を作る

Excelでは、「セル」というマス目にデータを入力して表を作れます。また、表のデータを基に計算できます。表のデータが変更された場合、計算結果も自動的に変わります。主に、第2章から第4章で紹介します。

| | A | B | C | D | E | F | G |
|---|---|---|---|---|---|---|---|
| 1 | オンラインショップ売上集計表 | | | | | | |
| 2 | | | | | | | |
| 3 | | 1月 | 2月 | 3月 | 合計 | 構成比 | |
| 4 | キッチン家電 | 258,560 | 298,650 | 312,560 | 869,770 | 36% | |
| 5 | キッチン用品 | 326,540 | 315,230 | 325,820 | 967,590 | 41% | |
| 6 | 生活雑貨 | 189,530 | 179,850 | 179,560 | 548,940 | 23% | |
| 7 | 合計 | 774,630 | 793,730 | 817,940 | 2,386,300 | | |
| 8 | | | | | | | |

表のデータを使って計算できます。

### Memo 表を見やすくする

表を作った後は、見やすいように線を引いたり、文字の大きさを調整したりしましょう。また、表のデータを強調するには、指定した条件に一致するデータを自動的に目立たせる機能を使うと便利です。主に、第5章から第6章で紹介します。

| | A | B | C | D | E | F | G |
|---|---|---|---|---|---|---|---|
| 1 | オンラインショップ売上集計表 | | | | | | |
| 2 | | | | | | | |
| 3 | | 1月 | 2月 | 3月 | 合計 | 構成比 | |
| 4 | キッチン家電 | 258,560 | 298,650 | 312,560 | 869,770 | 36% | |
| 5 | キッチン用品 | 326,540 | 315,230 | 325,820 | 967,590 | 41% | |
| 6 | 生活雑貨 | 189,530 | 179,850 | 179,560 | 548,940 | 23% | |
| 7 | 合計 | 774,630 | 793,730 | 817,940 | 2,386,300 | | |
| 8 | | | | | | | |

指定した数値より大きい数値を自動的に強調できます。

### Hint 複数のシートを使える

Excelでは、1つのブックに複数のシートを追加できます（ブックについては下のKeyword参照）。たとえば、シートを12枚用意して、1月～12月までの集計表をまとめて作ることもできます。主に、第10章で紹介します。

| A1 | | : | × | ✓ | fx | 研修プログラム参加者試験結果一覧（1月） | | |
|---|---|---|---|---|---|---|---|---|

| | A | B | C | D | E | F | G | H | I |
|---|---|---|---|---|---|---|---|---|---|
| 1 | 研修プログラム参加者試験結果一覧（1月） | | | | | | | | |
| 2 | | | | | | | | | |
| 3 | 社員番号 | 氏名 | 学科 | 実践 | | | | | |
| 4 | 3421 | 石井渉 | 85 | 79 | | | | | |
| 5 | 2984 | 山下美代 | 78 | 85 | | | | | |
| 6 | 3512 | 松本大輔 | 71 | 88 | | | | | |
| 7 | 3045 | 田中翼 | 89 | 97 | | | | | |
| 8 | 2978 | 松田友佳 | 75 | 91 | | | | | |
| 9 | | 平均 | 79.6 | 88 | | | | | |
| 10 | | | | | | | | | |
| 11 | | | | | | | | | |
| 12 | | | | | | | | | |
| 13 | | | | | | | | | |
| 14 | | | | | | | | | |
| 15 | | | | | | | | | |
| 16 | | | | | | | | | |
| 17 | | | | | | | | | |
| 18 | | | | | | | | | |
| 19 | | | | | | | | | |

複数のシートを追加して使えます。

1月 | 2月 | 3月 | ⊕

### Key word ファイルとブック

パソコンで作ったデータは、ファイルという単位で保存します。Excelでは、ファイルのことをブックとも言います。「ファイル」＝「ブック」と思ってかまいません。

# 3 グラフを作れる

## Memo グラフを作る

表のデータを基に、さまざまなグラフを簡単に作れます。グラフに表示する内容も自由に選択できます。また、わかりやすいように色を付けたりもできます。主に、第7章で紹介します。

## Hint 表とグラフの関係

グラフは、表のデータを基に作ります。表のデータが変わった場合は、グラフにもその変更が反映されるしくみになっています。

## Hint 小さなグラフで推移を表示する

スパークラインの機能を使うと、行ごとのデータの大きさの推移を行の横に表示したりできます。P.180で紹介しています。

Excelではさまざまな種類のグラフを作れます。

表を基に簡単にグラフを作れます。グラフに追加する要素も指定できます。

グラフの種類を変更したり、表示内容を変更したりできます。

# 4 データを活用できる

データを集めたリストを作り、簡単に活用できる状態に変換できます。

## Memo データを活用する

決められたルールに沿ってデータを集めると、データを活用できます。データの並べ替え、絞り込み表示なども簡単に実行できます。主に、第8章で紹介します。

上図のリストから、データを自動的に集計できます。

## Hint データを集計する

集めたデータを基に、集計表を自動的に作ったりできます。主に、第9章で紹介します。

集計表と連動するグラフを作成できます。

# 02 Excelを起動／終了する

練習用ファイル：なし

**ここで学ぶのは**

▶ Excelの起動
▶ Excelの終了
▶ スタート画面

早速、Excelを起動してみましょう。Excelを起動すると最初にスタート画面が表示されます。スタート画面でこれからすることを選べます。
また、Excelの操作が終わったら、Excelを終了してExcelのウィンドウを閉じましょう。

## 1 Excelを起動する

**解説　Excelを起動する**

スタートメニューからExcelを起動します。Excelを起動すると最初にスタート画面が表示されます。ここでは、スタート画面から白紙のブックを開きます。

**1** スタートボタンをクリックし、

**2** ここをスクロールして[Excel]の項目を探します。

**3** [Excel]をクリックします。

**Memo　Excel 2013の場合**

Excel 2013の場合、スタートメニューに[Excel]の項目がない場合は、スタートメニューから[Microsoft Office 2013] → [Excel 2013]をクリックします。

**4** Excelが起動し、スタート画面が表示されます。

**5** [空白のブック]をクリックします。

**6** 空白のブックが表示されます。

## 2 Excel を終了する

### 解説 Excel を終了する

Excelの操作が終わったら、Excelを終了します。編集中のブックがある場合は、ブックを保存してから終了します。ブックの保存方法は、P.32で紹介します。

**1** [閉じる] をクリックします。

**2** Excelが終了してデスクトップ画面に戻ります。

### Memo 終了時のメッセージ

Excelを終了したときに、保存していないブックがある場合は、下図のメッセージが表示されます。[保存] をクリックすると、ブックが上書保存されます。ブックを一度も保存していない場合は、ブックに名前を付けて保存をする画面に切り替わります（P.32）。

### 時短の コツ Excel を簡単に 起動できるようにする

スタートメニューの [Excel] の項目を右クリックし、[スタートにピン留めする] をクリックすると、Excelがスタートメニューのタイルに追加されます。タイルをクリックすると、Excelが起動します。

**1** 右クリックし、

**2** クリックします。

**3** タイルが表示されます。

# 03 Excelの画面構成を知る

練習用ファイル：なし

**ここで学ぶのは**

▶ Excel の画面構成
▶ シートについて
▶ セル番地

Excelの画面を見てみましょう。各部の名称は、操作手順の解説の中でも紹介するので一度に覚える必要はありません。
なお、画面の上部に表示されるタブの表示は、お使いのパソコンによって違う場合もあります。

## 1 Excel の画面を見る

下図はExcelで新しいブックを用意したときの画面です。ここでは、[ホーム] タブが選択されている状態の画面を例に紹介しています。
なお、パソコンの画面の解像度やExcel画面のウィンドウの大きさなどによって、リボンのボタンの表示内容は異なります。また、お使いのExcelの種類によってボタンの絵柄は若干異なります。

②クイックアクセスツールバー
①タイトルバー
④ [最小化]
③リボンの表示オプション
⑤ [最大化] ／ [元に戻す (縮小)]
⑦タブ
⑧リボン
⑥ [閉じる]
⑨名前ボックス
⑩数式バー
⑪列番号
⑫行番号
⑭シート
⑬セル
⑮表示モード
⑯ズーム

## 各部の役割を知る

| 名称 | 役割 |
|------|------|
| ①タイトルバー | 開いているブックの名前が表示されます。タイトルバーをダブルクリックすると、Excel画面の最大化と縮小表示が交互に切り替わります。 |
| ②クイックアクセスツールバー | よく使うボタンを配置しておくところです。ボタンを追加することもできます（P.312参照）。 |
| ③リボンの表示オプション | リボンやタブを表示するかどうか指定するときに使います。リボンやタブが消えてしまったら、ここをクリックして[タブとコマンドの表示]をクリックします。 |
| ④[最小化] | ウィンドウをタスクバーに折りたたんで表示します。タスクバーのExcelのアイコンをクリックすると、ウィンドウが再び表示されます。 |
| ⑤[最大化]／[元に戻す（縮小）] | Excel画面の最大化と縮小表示を切り替えます。画面が小さく表示されている場合は[最大化]が表示されます。画面を最大化しているときは、[元に戻す（縮小）]が表示されます。 |
| ⑥[閉じる] | クリックすると、Excelを終了してウィンドウを閉じます。 |
| ⑦タブ | タブをクリックすると、リボンの表示内容が変わります。タブをダブルクリックすると、リボンの表示／非表示が切り替わります。 |
| ⑧リボン | さまざまな機能のボタンが表示されます。 |
| ⑨名前ボックス | アクティブセルのセル番地が表示されます。セルに名前を付けるときなどにも使います。 |
| ⑩数式バー | アクティブセルに入力されているデータの内容が表示されます。 |
| ⑪列番号 | 列を区別するための番号です。 |
| ⑫行番号 | 行を区別するための番号です。 |
| ⑬セル | 表の項目や数値などを入力する枠です。太枠で囲まれているセルは、現在選択しているセルです。アクティブセルと言います。 |
| ⑭シート | 表やグラフを作る作業用のシートです。 |
| ⑮表示モード | Excelの表示モードを切り替えます（P.39参照）。 |
| ⑯ズーム | 表示倍率を変更します（P.38参照）。 |

---

**Memo** シートの数

Excel 2013以降では、新しいブックを開くと1つのシートを含むブックが表示されます。1つのブックには、複数のシートを追加できます。複数のシートの扱いについては、第10章で紹介します。

---

**Hint** シートの大きさ

シートの大きさは、16384列、1048576行もあります。白紙のブックを用意したときは、シートの左上隅のほんの一部分が見えている状態です。

---

**Memo** セルの場所の言い方

シートには、たくさんのセルが並んでいます。個々のセルを区別するためには、セルの位置を列番号と行番号で表すセル番地を使います。たとえば、B列の3行目のセルは、「セルB3」「B3セル」のように言います。

# 04 Excelブックを保存する

練習用ファイル：なし

### ここで学ぶのは

▶ 名前を付けて保存
▶ 上書き保存
▶ フォルダー

Excelで作った表やグラフを繰り返し使えるようにするには、データをブックという単位で保存しておきます。

なお、一度保存したブックは、上書き保存をすると、最新の状態に更新されて保存されます。

## 1 ブックを保存する

**解説　ブックを保存する**

Windowsのドキュメントフォルダーに「練習」という名前のブックを保存します。保存するときは、保存する場所とブックの名前を指定します。手順 **5** で[ドキュメント]が見えない場合は、[PC]の左の[▶]をクリックして表示を展開します。

**Key word　フォルダー**

フォルダーとは、ファイルを入れて整理する箱のようなものです。ドキュメントフォルダーは、Windowsに最初からあるフォルダーで、ファイルを保存するときによく使う場所です。

**ショートカットキー**

● [名前を付けて保存] ダイアログの表示
　保存するブックが開いている状態で、
　F12

**1** 保存するブックが開いていることを確認します。

**2** [ファイル] タブをクリックします。

**3** [名前を付けて保存] をクリックし、

右ページ上のHint参照

**4** [参照] をクリックします（Excel 2013は [コンピュータ] → [参照] をクリックします）。

**5** ここをクリックしてブックの保存先を選択し、

**6** ブックの名前を入力して、

**7** [保存] をクリックします。

8 [練習] という名前のブックが保存されます。 練習

**Hint** 最近使った場所に
保存する

ブックを保存するとき、[最近使ったアイテム]
をクリックすると、最近使ったフォルダーが表
示されます。フォルダーをクリックし、ブック
の名前を指定して保存することもできます。

## 2 ブックを上書き保存する

**解説** 上書き保存する

ここでは、ドキュメントフォルダーに保存した
「練習」ブックに文字を入力し、最新の状態
に更新して保存します。[上書き保存]をクリッ
クしても、画面は何も変わりませんが、これ
で上書き保存が完了しています。ブックの編
集中は、万が一に備えてこまめに上書き保
存をしましょう。

なお、一度も保存していないブックを編集中
に、クイックアクセスツールバーの[上書き
保存]をクリックすると、名前を付けて保存す
る画面に切り替わります。

**ショートカットキー**

● 上書き保存
上書き保存するブックが開いている
状態で、[Ctrl]+[S]

**Hint** 元のブックとは別に
保存する

現在開いているブックはそのままで、別のブッ
クとしてブックを保存する場合は、ブックに名
前を付けて保存します（P.32参照）。

1 セルA1をクリックして「123」と入力し、[Enter]キーを押します。

2 [上書き保存] をクリックします。

3 ブックが上書き
保存されます。

4 ここでは、[閉じる]をクリックして
Excelを終了します。

上書き保存しても画面表示は変わりません。

**Hint** ブックを閉じる

Excelを終了せずに開いているブックを閉じるには、P.42の方法
でBackstageビューを表示して、[閉じる]をクリックします。

# 05 Excelブックを開く

練習用ファイル：なし

### ここで学ぶのは

- ブックを開く
- 新規ブック
- テンプレート

保存したブックを使うには、ブックを開きます。ブックを開くときは、保存されている場所とブックの名前を指定します。

また、新しいブックを用意することもできます。白紙のブック以外に、テンプレートを使って新しいブックを作ることもできます。

## 1 ブックを開く

### 解説 ブックを開く

前のセクションでドキュメントフォルダーに保存した「練習」ブックを開きます。ブックを開くときは、ブックの保存先とブック名を指定します。手順 5 で [ドキュメント] が見えない場合は、[PC] の左の [▶] をクリックして表示を展開します。

**1** Excelを起動しておきます。

**2** [ファイル] タブをクリックします。

前のセクションから続けて操作します。

**3** [開く] をクリックし、

左のHint参照

**4** [参照] をクリックします（Excel 2013は [コンピュータ] → [参照] をクリックします）。

### Hint 最近使ったブックを開く

最近使ったブックを開くときは、[最近使ったアイテム] をクリックします。すると、最近使ったブックの一覧が表示されます。ブックをクリックすると、ブックが開きます。

## ショートカットキー

● ブックを開く画面に切り替え
[Ctrl] + [O]

### Hint スタート画面から
ブックを開く

Excelを起動した直後に表示されるスタート
画面からファイルを開くには、スタート画面の
[開く]をクリックします。[最近使ったアイテ
ム]をクリックすると、最近使ったブックが表
示されます。ブックの項目をクリックするとブッ
クが開きます。

**5** ここをクリックしてブックの保存先を選択し、

**6** 開くブックをクリックして、

**7** [開く]をクリックします。

**8** ドキュメントフォルダーに保存してある
「練習」ブックが開きます。

### 時短の コツ ブックをピン留めする

[最近使ったアイテム]をクリックすると、最近使っ
たブックの一覧が表示されます。頻繁に使うブッ
クは、ブックの右側の[このアイテムを一覧にピン
留めする]をクリックします。すると、ブックの項目
が一覧の上部に固定されます。ブックの項目をク
リックすると簡単にブックを開けます。

**1** クリックします。

**2** ブックがピン留め
されます。

## 2 新しいブックを用意する

### 解説 新しいブックを用意する

白紙のブックを用意します。それには、[空白のブック]を選択します。白紙のブックを開くと、「Book1」「Book2」のような仮の名前が付いたブックが表示されます。

### ショートカットキー

● 新しいブックを開く
[Ctrl] + [N]

### Memo スタート画面から用意する

Excelを起動した直後に表示されるスタート画面からも、白紙のブックを用意できます。[空白のブック]をクリックします。

---

**1** [ファイル]タブをクリックします。

**2** [新規]をクリックし、

**3** [空白のブック]をクリックします。

**4** 新しいブックが開きます。

# 3 テンプレートを利用する

## 解説 テンプレートからブックを作る

Excelには、Excelでよく使われるようなブックのテンプレートがいくつも用意されています。新しくブックを作るとき、テンプレートを元に作ることもできます。テンプレートを元にブックを作ると、「テンプレート名1」のような仮の名前が付いた新しいブックが用意されます。ブックを保存するには、P.32の方法で保存します。

## Keyword テンプレート

テンプレートとは、Excelで作るさまざまなブックのお手本のようなものです。お手本のブックは、原本として保存されています。一般的に原本を修正することはしません。原本を元にしたコピーを開き、コピーを編集してブックを作ります。

なお、この原本は、自分で作ることもできます。たとえば、請求書を作るための原本を用意して使ったりできます。P.280で紹介しています。

## Memo テンプレートを探す

テンプレートには、さまざまなものがあります。テンプレートのカテゴリを指定するには、上部の項目名をクリックします。

**1** [ファイル] タブをクリックします。

**2** [新規] をクリックし、

**3** ここを下にスクロールして、

**4** 使うテンプレートを選びクリックします。

**5** [作成] をクリックします。

プロジェクト管理シート1

**6** テンプレートを元に新しいブックが作成されます。

# Excelの表示方法を指定する

06

## ここで学ぶのは

▶ 拡大／縮小表示

▶ ズーム

▶ 表示モード

Excelの画面は、通常100%の表示倍率で表示されますが、表示倍率は変更できます。見やすいように拡大／縮小する方法を覚えましょう。

また、表やグラフを編集するときの表示モードについて知っておきましょう。通常は、標準ビューで操作します。

## 1 表を拡大／縮小する

### 解説　拡大／縮小する

画面右下のズームの[拡大]をクリックすると、拡大されます。[縮小]をクリックすると縮小されます。中央のバーをドラッグして拡大／縮小することもできます。

### 時短のコツ　マウス操作で拡大／縮小する

[Ctrl] キーを押しながらマウスのホイールを手前に回転すると、縮小表示になります。[Ctrl] キーを押しながら、マウスのホイールを奥に回転すると、拡大表示になります。

### Hint　[表示] タブで指定する

[表示] タブ→ [ズーム] をクリックすると、[ズーム] ダイアログが表示されます。[ズーム]ダイアログで表示倍率を指定することもできます。

1 [拡大] を何度かクリックします。

2 拡大して表示されます。

## 2 表示モードとは？

### 解説 表示モードを変更する

画面右下のボタンを使うと表示モードを切り替えられます。表やグラフを編集するとき、通常は標準ビューを使います。ページレイアウトビューは、シートの印刷イメージを見ながら編集ができる表示モードです。改ページプレビューは、印刷時の改ページ位置を調整するときなどに使います（P.296参照）。

標準ビュー

**1** [標準]をクリックします。

### Memo [表示] タブで操作する

表示モードを変更するには、[表示] タブのボタンを使う方法もあります。[改ページプレビュー]や[ページレイアウト]をクリックすると、表示モードが切り替わります。

ページレイアウトビュー

**1** [ページレイアウト]をクリックします。

### Hint ページの区切りの線

標準ビューからページレイアウトビューや改ページプレビューに切り替えた後、再び、標準ビューに切り替えると、シートを印刷したときのページの区切り位置を示す点線が表示されます。この点線自体は印刷されません。

改ページプレビュー

**1** [改ページプレビュー]をクリックします。

# Section

## 07 わからないことを調べる

練習用ファイル：なし

### ここで学ぶのは

▶ 操作アシストボックス

▶ ヘルプを見る

▶ 作業ウィンドウ

Excelの操作中に操作方法がわからない場合などは、ヘルプ機能を使って調べられます。

Excel 2016以降では、操作アシストボックスを使って、実行したい操作を入力すると、その機能を呼び出したりできます。

## 1 わからないことを調べる

### 解説 操作アシストボックスを使う

Excel 2016以降では、操作アシストボックスを使えます。ここでは、「拡大する」と入力し、[ズーム] ダイアログ（P.38参照）を表示します。

実行したい内容を入力するとき、機能名がわかっている場合は機能名を入力すると目的の項目が見つかりやすいでしょう。機能名がわからない場合は、実行したい内容を簡潔に入力しましょう。

### Hint ヘルプを表示する

操作アシストボックスに入力した内容によっては、[?] マークが付いたヘルプを表示する項目が表示されます。その項目をクリックすると、右側に [ヘルプ] 作業ウィンドウが表示されて内容を確認できます。

**1** 操作アシストボックスをクリックします。

**2** 実行したい内容を入力すると、

**3** 操作のヒントや機能を呼び出す項目が表示されます。

**4** ここをクリックすると、[ズーム] ダイアログが表示されます。

## 2 ヘルプの内容を確認する

**解説 ヘルプを表示する**

ヘルプの項目から、わからないことを調べてみましょう。ここでは、ブックを作る方法を調べています。Excel 2013の場合は、画面右上の [?] をクリックしてヘルプ画面を表示して操作します。

**1** [ヘルプ] タブをクリックし、

**2** [ヘルプ] をクリックします。

**ショートカットキー**

● [ヘルプ] 作業ウィンドウの表示
`F1`

**3** [ヘルプ] 作業ウィンドウが表示されます。

**Key word 作業ウィンドウ**

ブックの編集中に画面の右側に表示されるウィンドウを作業ウィンドウと言います。作業ウィンドウの幅を調整するには、作業ウィンドウの左の境界線をドラッグします。また、作業ウィンドウを閉じるには、右上の [閉じる] をクリックします。

**4** 見たい項目をクリックします。

クリックするとウィンドウが閉じます。

ドラッグしてウィンドウの幅を調整できます。

**5** ヘルプの内容が表示されます。

# Excelのオプション画面を知る

練習用ファイル：なし

## ここで学ぶのは

▶ Excel の設定画面

▶ Excel のオプション

▶ Backstage ビュー

Excelに関するさまざまな設定を変更するには [Excel のオプション] ダイアログを使います。

[Excelのオプション] ダイアログを開く方法を知っておきましょう。左側の項目を選択すると、右側の設定項目が切り替わります。

## 1 オプション画面を開く

### 解説 設定画面を開く

[Excelのオプション]ダイアログを表示します。[Excelのオプション] ダイアログは、本書の中でも、さまざまな場面で使います。設定を変更後に [OK] をクリックすると、設定が変更されて [Excel のオプション] ダイアログが閉じます。

**1** [ファイル] タブをクリックします。

**2** [オプション] をクリックします。

### Key word Backstage ビュー

[ファイル] タブをクリックすると表示される画面をBackstage (バックステージ) ビューと言います (下図)。Backstageビューは、ブックを開く、保存するなど、ブックに関する基本的な操作を行うときなどに使います。

**3** [Excelのオプション] ダイアログが表示されます。

# 第 2 章

# 表作りの基本を
# マスターする

この章では、基本的な表の作り方を覚えましょう。Excelでは、主に文字や日付、数値を入力して表の項目やデータを入力します。

目標は、データのコピーや置換などの機能を利用しながら、効率よくデータを入力できるようになることです。

# Section 09

# 表を作る手順を知る

### ここで学ぶのは
- ▶ 表の作成
- ▶ データの入力
- ▶ 移動やコピー

Excelで計算表を作るには、文字や数値、日付などのデータを入力したり、計算結果を表示するための計算式を入力したりします。

この章では、データを入力する方法を紹介します。データをコピーしたり、置き換えたりしながら効率よく入力しましょう。

## 1 表を作るには？

### Memo 表を作る

表を作るには、セルに文字や日付、数値などを入力し、必要に応じて計算式を入力します。また、表が見やすいように文字の配置や文字の色などを変更します。

| | A | B | C | D | E | F | G |
|---|---|---|---|---|---|---|---|
| 1 | 出店用メニューリスト | | | 更新日 | 12月15日 | | |
| 2 | | | | | | | |
| 3 | 商品番号 | 商品名 | 分類 | 価格 | 販売予定数 | | |
| 4 | F01 | チキンピザ | 食品 | 550 | 150 | | |
| 5 | F02 | エビピザ | 食品 | 650 | 100 | | |
| 6 | D01 | 緑茶 | 飲料 | 150 | 150 | | |
| 7 | D02 | 紅茶 | 飲料 | 150 | 100 | | |
| 8 | | | | | | | |

文字や日付、数値を入力します。

### Hint 文字の配置について

文字を入力すると、通常は文字がセルの左に詰めて表示されます。これに対して日付や数値はセルの右に詰めて表示されます。数値は、数値の桁がわかりやすいように通常は、右詰めのままにしておきます。

| | A | B | C | D | E | F | G |
|---|---|---|---|---|---|---|---|
| 1 | 出店用メニューリスト | | | 更新日 | 12月15日 | | |
| 2 | | | | | | | |
| 3 | 商品番号 | 商品名 | 分類 | 価格 | 販売予定数 | | |
| 4 | F01 | チキンピザ | 食品 | 550 | 150 | | |
| 5 | F02 | エビピザ | 食品 | 650 | 100 | | |
| 6 | D01 | 緑茶 | 飲料 | 150 | 150 | | |
| 7 | D02 | 紅茶 | 飲料 | 150 | 100 | | |
| 8 | | | | | 合計 | 500 | |
| 9 | 商品数 | | 4 | | | | |

必要に応じて計算式を作って計算結果を表示します。

| | A | B | C | D | E | F |
|---|---|---|---|---|---|---|
| 1 | 出店用メニューリスト | | | 更新日 | 12月15日 | |
| 2 | | | | | | |
| 3 | 商品番号 | 商品名 | 分類 | 価格 | 販売予定数 | |
| 4 | F01 | チキンピザ | 食品 | 550 | 150 | |
| 5 | F02 | エビピザ | 食品 | 650 | 100 | |
| 6 | D01 | 緑茶 | 飲料 | 150 | 150 | |
| 7 | D02 | 紅茶 | 飲料 | 150 | 100 | |
| 8 | | | | 合計 | 500 | |
| 9 | 商品数 | | 4 | | | |

文字やセルの色を変えたり、線を引いたりして見栄えを整えます。

# 2 データの入力方法を知る

## Memo データの入力

表にデータを入力するときは、効率よく入力したいものです。この章では、複数のセルに同じデータをまとめて入力する方法や、選択したセル範囲の中でアクティブセルを移動させる方法などを紹介します。

### 同じデータをまとめて入力

複数のセルに同じデータをまとめて入力できます。

### 指定したセル範囲に連続して入力

指定したセル範囲に連続して入力できます。

## Memo データの移動やコピー

入力したデータを移動したりコピーしたりする方法を覚えましょう。キー操作やドラッグ操作を覚えると便利です。

### データを移動／コピー

データを移動したりコピーしたりして効率よく入力できます。

## Memo 検索や置換

入力したデータを検索したり、指定した文字を別の文字に置き換えたりできます。検索や置換の機能を紹介します。

### データを検索／置換

文字を検索したり置き換えたりできます。

# セルを選択する

練習用ファイル：なし

## ここで学ぶのは

▶ セルの選択

▶ セル範囲の選択

▶ 複数セルの選択

Excelでセルを操作するときは、最初に、対象のセルやセル範囲を正しく選択します。

まずは、Excel操作の最も基本となるセルの選択方法を覚えましょう。離れた場所にあるセルを同時に選択することもできます。

## 1 セルやセル範囲を選択する

### 解説 セルを選択する

現在選択されているセルをアクティブセルと言います。たとえばセルB3をクリックすると、セルB3がアクティブセルになります。また、キーボードの ← → ↑ ↓ キーを押しても、アクティブセルを移動できます。

続いて、セルB2からセルD4までの複数セルを選択してみましょう。範囲で選択されたセルを、セル範囲と言います。本書では、セル範囲を「B2:D4」のように「:」（コロン）で区切って表します。

### Hint 名前ボックスを使う

名前ボックスにセル番地を入力して Enter キーを押しても、アクティブセルを移動できます。たとえば、名前ボックスに「C5」と入力して Enter キーを押すと、セルC5がアクティブセルになります。

名前ボックス

**1** セルB3をクリックします。

アクティブセルの周囲には太枠が付きます。

**2** これでセルB3が選択されます。

**3** セルB2からセルD4までドラッグします。

複数のセルを選択すると、選択されたセルはグレーの色が表示されます。

**4** これでセル範囲B2:D4が選択されます。

## 2 複数のセルを選択する

### 解説 複数セルを選択する

複数のセルやセル範囲を選択するときは、1つ目のセルやセル範囲を選択後、Ctrlキーを押しながら同時に選択するセルやセル範囲を選択します。また、セルの選択を解除するには、いずれかのセルをクリックします。

### Memo 行や列を選択する

行や列単位でセルを選択するには、選択する行番号や列番号をクリックします。複数行、複数列を選択するには、行番号を縦方向にドラッグ、列番号を横方向にドラッグします。

### Hint セルに名前を付ける

セルには、独自の名前を付けられます。名前を付けるには、名前を付けるセルやセル範囲を選択し、名前ボックスに名前を入力してEnterキーを押します。名前の登録後は、名前ボックスの[▼]をクリックして名前を選択すると、その名前のセルを選択できます。また、名前は、計算式の中でも使えます（P.130）。

| | A | B | C | D |
|---|---|---|---|---|
| 1 | 商品リスト | | | |
| 2 | | | | |
| 3 | 商品番号 | 商品名 | 価格 | |
| 4 | 101 | お茶 | 120 | |
| 5 | 102 | コーヒー | 150 | |
| 6 | 103 | 水 | 100 | |

名前ボックス：商品リスト　101

**1** セルA2をクリックします。

**2** 続いてCtrlキーを押しながら、セルB4をクリックします。

**3** これでセルA2とセルB4が選択されます。

**4** 続いてCtrlキーを押しながら、セルD2からセルE3までドラッグします。

**5** これでセルA2とセルB4、セル範囲D2:E3が選択されます。

**6** いずれかのセルをクリックすると、セルの選択が解除されます。

# Section

# 11 表の見出しを入力する

練習用ファイル： 11_出店用メニューリスト.xlsx

セルに文字を入力するには、まずは、入力するセルをアクティブセルにします。続いて文字を入力します。

なお、Excelを起動した直後は、日本語入力モードがオフになっています。日本語を入力するときは、日本語入力モードをオンにします。

## 1 セルに文字を入力する

**解説 文字を入力する**

表のタイトルや表の内容を入力します。セルを選択してから文字を入力しましょう。文字を確定した後、Enter キーを押すと、セルの中にデータが入ります。

**1** セルA1をクリックして、セルA1をアクティブセルにします。

**2** 半角/全角 キーを押して日本語入力モードをオンにします。

**Memo 入力中に文字が表示されたら**

上のセルに入力してあるデータと同じデータを入力しようとすると、オートコンプリート機能が働き、同じデータが自動的に表示されます（下図参照）。同じデータを入力する場合は、そのまま Enter キーを押します。違うデータを入力する場合は、表示されたデータを無視してデータを入力します。

**3** 表のタイトルを入力して確定し、

**4** Enter キーを押します。

**5** 同様の方法で、左図のように文字を入力してみましょう。

ここは「前年度開催日」と入力します。

# 2 同じ文字をまとめて入力する

## 解説　同じ文字を入力する

複数のセルに同じデータを入力するときは、データをコピーしたりする必要はありません。同じデータを入力するセルをすべて選択してデータを入力後、[Ctrl]キーを押しながら[Enter]キーを押します。

| ▲ | A | B | C | D | E | F |
|---|---|---|---|---|---|---|
| 1 | 出店用メニューリスト | | | 更新日 | | |
| 2 | | | | | | |
| 3 | 商品番号 | 商品名 | 分類 | 価格 | 販売予定数 | |
| 4 | F01 | チキンドグ | | | | |
| 5 | F03 | エビドック | | | | |
| 6 | D01 | 緑茶 | | | | |
| 7 | D02 | 紅茶 | | | | |
| 8 | | | | | | |
| 9 | 前年度開催前年度来場者数 | | | | | |

**1** 同じ文字を入力するセルを選択します。

## Memo　データをコピーする

既存のデータと同じデータを入力するときは、データをコピーする方法があります（P.58）。

| ▲ | A | B | C | D | E | F |
|---|---|---|---|---|---|---|
| 1 | 出店用メニューリスト | | | 更新日 | | |
| 2 | | | | | | |
| 3 | 商品番号 | 商品名 | 分類 | 価格 | 販売予定数 | |
| 4 | F01 | チキンド食料 | | | | |
| 5 | F03 | エビドック | | | | |
| 6 | D01 | 緑茶 | | | | |
| 7 | D02 | 紅茶 | | | | |
| 8 | | | | | | |
| 9 | 前年度開催前年度来場者数 | | | | | |

**2** 文字を入力して確定し、

**3** [Ctrl]キーを押しながら[Enter]キーを押します。

## Hint　[Enter]キーを押した後の移動方向

文字を入力して[Enter]キーを押すと、アクティブセルがすぐ下のセルに移動します。文字の入力後にセルを右にずらしたい場合などは、[Excelのオプション]ダイアログ（P.42）を表示し、[詳細設定]をクリックし、[Enterキーを押したら、セルを移動する]の[方向]欄で移動する方向を指定します。

| ▲ | A | B | C | D | E | F |
|---|---|---|---|---|---|---|
| 1 | 出店用メニューリスト | | | 更新日 | | |
| 2 | | | | | | |
| 3 | 商品番号 | 商品名 | 分類 | 価格 | 販売予定数 | |
| 4 | F01 | チキンド | 食料 | | | |
| 5 | F03 | エビドック | 食料 | | | |
| 6 | D01 | 緑茶 | |  | | |
| 7 | D02 | 紅茶 | | | | |
| 8 | | | | | | |
| 9 | 前年度開催前年度来場者数 | | | | | |

**4** 選択していたセルに同じ文字がまとめて入力されます。

| ▲ | A | B | C | D | E | F |
|---|---|---|---|---|---|---|
| 1 | 出店用メニューリスト | | | 更新日 | | |
| 2 | | | | | | |
| 3 | 商品番号 | 商品名 | 分類 | 価格 | 販売予定数 | |
| 4 | F01 | チキンド | 食料 | | | |
| 5 | F03 | エビドック | 食料 | | | |
| 6 | D01 | 緑茶 | 飲料 | | | |
| 7 | D02 | 紅茶 | 飲料 | | | |
| 8 | | | | | | |
| 9 | 前年度開催前年度来場者数 | | | | | |

**5** 同様の方法で、左図のように文字を入力してみましょう。

# 12 数値や日付を入力する

練習用ファイル：📁 12_出店用メニューリスト.xlsx

### ここで学ぶのは

▶ 数値の入力

▶ 日付の入力

▶ 連続データ

数値や日付を入力するときは、日本語入力モードをオフにしてから入力しましょう。表の数値を連続して効率よく入力するには、入力するセル範囲を選択してから操作します。

## 1 数値を入力する

### 解説 数値を入力する

数値を入力します。数値は、セルの幅に対して右揃えで表示されます。なお、「1,500」のように桁区切りの「,」（カンマ）を表示する場合、「,」（カンマ）を入力する必要はありません。表示方法は、後で設定します（P.150）。

また、セルに「####」と表示される場合は、数値や日付が表示しきれずに隠れてしまっていることを意味します。列幅を広げて表示します（P.56）。

### Memo 日本語入力モード

数値や日付を入力するとき、日本語入力モードがオンになっていると、数値や日付を入力するのに Enter キーを1回ではなく2回押す手間が発生します。そのため、数値や日付を続けて入力するときは、日本語入力モードをオフにしておくとよいでしょう。

**1** 数値を入力するセルをクリックします。

**2** 半角/全角 キーを押して日本語入力モードをオフにします。

**3** 数値を入力して Enter キーを押します。

**4** 数値が入力されます。

## 解説 数値を連続して入力する

表の数値を効率よく続けて入力するには、最初にセル範囲を選択し、左上から順に入力します。そうすると、選択したセル範囲内でアクティブセルがぐるぐると回るので、アクティブセルを移動する手間が省けて便利です。

## Memo 同じ数値を入力する

複数セルに同じ数値を入力するには、まずは複数のセルを選択します。続いて、数値を入力後、Ctrl キーを押しながら Enter キーを押します。

## Hint 0 から始まる数字の入力方法

数字を入力すると、通常は計算の対象になる数値として入力されます。計算対象ではない「050」などの数字を入力すると、先頭の0が消えてしまいます。0から始まる数字を入力するには、「'050」のように先頭に「'」（アポストロフィ）を付けて数字を文字として入力する方法があります。なお、数字を文字として入力すると、エラーインジケーター（P.104）が表示されます。

| B2 | ▼ | : | × | ✓ | fx | '050 |
|---|---|---|---|---|---|---|

| | A | B | C | D |
|---|---|---|---|---|
| 1 | | | | |
| 2 | ! | 050 | | |
| 3 | | | | |

---

**1** 数値を入力するセル範囲をドラッグして選択します。

**2** 数値を入力して、Enter キーを押します。

**3** アクティブセルが下に移動したら、続けて数値を入力していきます。

**4** 左端の最終行に数値を入力したら Enter キーを押します。

**5** アクティブセルが隣の列の上に移動します。

**6** 続けて、数値を入力します。

**7** 指定したセル範囲に数値を一気に入力できました。

## 3 今年の日付を入力する

**解説 今年の日付を入力する**

日付を入力するには、「/」（スラッシュ）または「-」（ハイフン）で区切って入力します。年を省略して月と日を入力すると今年の日付が入力されます。

**Memo 入力した日付を確認する**

月と日を入力すると、「7月8日」のように表示されますが、実際は、今年の日付が入力されています。日付を入力したセルをクリックすると、実際のデータを数式バーで確認できます。

**1** 日付を入力するセルをクリックします。

**2** 月と日を「/」（スラッシュ）で区切って入力します。

**3** Enter キーを押します。

**4** 日付が入力されます。

**使えるプロ技！ 今日の日付を自動で入力する**

今日の日付を入力するには、Ctrl + ; キーを押す方法があります。この場合、「2019/12/12」のように年から表示されます。

**1** セルをクリックして、Ctrl + ; キーを押します。

**2** 今日の日付が自動で入力されます。

# 4 過去の日付を入力する

 **解説** 過去の日付を入力する

日付を入力するときに年の入力を省略すると、今年の日付が入力されます。今年以外の日付を入力するときは、年月日を入力しましょう。年、月、日を「/」（スラッシュ）または「-」（ハイフン）で区切って入力すると、「2019/7/8」のように表示されます。日付をどのように表示するかは、後で指定できます（P.154）。

 **Memo** 日付の表示方法

「2019/8/1」の日付は、「2019年8月1日」「8月1日(木)」「令和1年8月1日」「R1.8.1」などさまざまな表示方法があります。日付をどのように表示するかは、後で指定します（P.154）。曜日などを直接入力してしまうと、Excelが日付として正しく認識してくれないため注意が必要です。

**Hint** 連続した日付を入力する場合

今日、明日、明後日など連続した日付を入力するときは、1つずつ入力する必要はありません。オートフィル機能を使って簡単に入力できます（P.81）。

---

**1** 日付を入力するセルをクリックします。

| | A | B | C | D | E | F |
|---|---|---|---|---|---|---|
| 1 | 出店用メニューリスト | | | 更新日 | 12月15日 | |
| 2 | | | | | | |
| 3 | 商品番号 | 商品名 | 分類 | 価格 | 販売予定数 | |
| 4 | F01 | チキンドッ | 食料 | 550 | 150 | |
| 5 | F03 | エビドック | 食料 | 600 | 100 | |
| 6 | D01 | 緑茶 | 飲料 | 150 | 150 | |
| 7 | D02 | 紅茶 | 飲料 | 150 | 100 | |
| 8 | | | | | | |
| 9 | 前年度開催前年度来場者数 | | | | | |
| 10 | | 5000 | | | | |

**2** 年月日を「/」（スラッシュ）で区切って入力します。

| | A | B | C | D | E | F |
|---|---|---|---|---|---|---|
| 1 | 出店用メニューリスト | | | 更新日 | 12月15日 | |
| 2 | | | | | | |
| 3 | 商品番号 | 商品名 | 分類 | 価格 | 販売予定数 | |
| 4 | F01 | チキンドッ | 食料 | 550 | 150 | |
| 5 | F03 | エビドック | 食料 | 600 | 100 | |
| 6 | D01 | 緑茶 | 飲料 | 150 | 150 | |
| 7 | D02 | 紅茶 | 飲料 | 150 | 100 | |
| 8 | | | | | | |
| 9 | 前年度開催日 前年度来場者数 | | | | | |
| 10 | 2018/12/16 | 5000 | | | | |

**3** Enter キーを押します。

**4** 日付が入力されます。

| | A | B | C | D | E | F |
|---|---|---|---|---|---|---|
| 1 | 出店用メニューリスト | | | 更新日 | 12月15日 | |
| 2 | | | | | | |
| 3 | 商品番号 | 商品名 | 分類 | 価格 | 販売予定数 | |
| 4 | F01 | チキンドッ | 食料 | 550 | 150 | |
| 5 | F03 | エビドック | 食料 | 600 | 100 | |
| 6 | D01 | 緑茶 | 飲料 | 150 | 150 | |
| 7 | D02 | 紅茶 | 飲料 | 150 | 100 | |
| 8 | | | | | | |
| 9 | 前年度開催日 前年度来場者数 | | | | | |
| 10 | 2018/12/16 | 5000 | | | | |
| 11 | | | | | | |

## Section

# 13 データを修正する

練習用ファイル： 13_出店用メニューリスト.xlsx

入力したデータを修正するには、データを上書きしてまるごと変更する方法と、データの一部を修正する方法があります。
上書きして修正する場合はセル、データの一部を修正する場合はセルか数式バーを使って修正します。

### ここで学ぶのは

▶ データの修正
▶ データの消去
▶ 数式バー

## 1 データを上書きして修正する

### 解説 データを上書きする

データを上書きして修正するには、修正するセルをクリックしてデータを入力します。すると、前に入力されていたデータが新しく入力したデータに変わります。

**1** データを書き換えるセルをクリックします。

**2** データを入力し、Enter キーを押します。

**3** データが修正されます。

### Memo データを消す

セルに入力されているデータを消すには、削除するデータが入っているセルやセル範囲を選択して Delete キーを押します。

# 2 データの一部を修正する

 **解説 データの一部を修正する**

入力されているデータの一部だけを修正したい場合は、修正したいデータが入っているセルをダブルクリックして、セル内にカーソルを表示して操作します。カーソルを移動するには、←→キーを押すか、マウスで移動先をクリックします。

また、文字を消すときには、Deleteキー、または、Back spaceキーを使います。カーソル位置の右の文字を消すにはDeleteキー、左の文字を消すにはBack spaceキーを押します。

| | A | B | C | D | E | F |
|---|---|---|---|---|---|---|
| 1 | 出店用メニューリスト | | | 更新日 | 12月15日 | |
| 2 | | | | | | |
| 3 | 商品番号 | 商品名 | 分類 | 価格 | 販売予定数 | |
| 4 | F01 | チキンドッ食料 | | 550 | 150 | |
| 5 | F03 | エビドック食料 | | 650 | 100 | |
| 6 | D01 | 緑茶 | 飲料 | 150 | 150 | |
| 7 | D02 | 紅茶 | 飲料 | 150 | 100 | |
| 8 | | | | | | |
| 9 | 前年度開催日 | 前年度来場者数 | | | | |
| 10 | 2018/12/16 | 5000 | | | | |

 **1** データを修正するセルをダブルクリックします。

| | A | B | C | D | E | F |
|---|---|---|---|---|---|---|
| 1 | 出店用メニューリスト | | | 更新日 | 12月15日 | |
| 2 | | | | | | |
| 3 | 商品番号 | 商品名 | 分類 | 価格 | 販売予定数 | |
| 4 | F01 | チキンドッ食料 | | 550 | 150 | |
| 5 | F03 | エビドック食料 | | 650 | 100 | |
| 6 | D01 | 緑茶 | 飲料 | 150 | 150 | |
| 7 | D02 | 紅茶 | 飲料 | 150 | 100 | |
| 8 | | | | | | |
| 9 | 前年度開催日 | 前年度来場者数 | | | | |
| 10 | 2018/12/16 | 5000 | | | | |

**2** セル内にカーソルが表示されます。

 **ショートカットキー**

● セル内にカーソルを表示
カーソルを表示するセルをクリックし、F2

| | A | B | C | D | E | F |
|---|---|---|---|---|---|---|
| 1 | 出店用メニューリスト | | | 更新日 | 12月15日 | |
| 2 | | | | | | |
| 3 | 商品番号 | 商品名 | 分類 | 価格 | 販売予定数 | |
| 4 | F01 | チキンドッ食料 | | 550 | 150 | |
| 5 | F02 | エビドック食料 | | 650 | 100 | |
| 6 | D01 | 緑茶 | 飲料 | 150 | 150 | |
| 7 | D02 | 紅茶 | 飲料 | 150 | 100 | |
| 8 | | | | | | |
| 9 | 前年度開催日 | 前年度来場者数 | | | | |
| 10 | 2018/12/16 | 5000 | | | | |

**3** カーソルを移動して修正したい文字を入力し、

 **4** Deleteキーを押して不要な文字を消します。

**5** Enterキーを押します。

**Hint 数式バーを使う**

修正したいデータの入っているセルをクリックすると、データの内容が数式バーに表示されます。数式バーをクリックすると、数式バーにカーソルが表示されますので、数式バーでデータを修正することもできます。

| A5 | ▼ | : | × | ✓ | fx | F03 |

数式バー

| | A | B | C | D |
|---|---|---|---|---|
| 1 | 出店用メニューリスト | | | |
| 2 | | | | |
| 3 | 商品番号 | 商品名 | 分類 | 価格 |
| 4 | F01 | チキンドッ食料 | | 550 |
| 5 | F03 | エビドック食料 | | 650 |
| 6 | D01 | 緑茶 | 飲料 | 150 |

| | A | B | C | D | E | F |
|---|---|---|---|---|---|---|
| 1 | 出店用メニューリスト | | | 更新日 | 12月15日 | |
| 2 | | | | | | |
| 3 | 商品番号 | 商品名 | 分類 | 価格 | 販売予定数 | |
| 4 | F01 | チキンドッ食料 | | 550 | 150 | |
| 5 | F02 | エビドック食料 | | 650 | 100 | |
| 6 | D01 | 緑茶 | 飲料 | 150 | 150 | |
| 7 | D02 | 紅茶 | 飲料 | 150 | 100 | |
| 8 | | | | | | |
| 9 | 前年度開催日 | 前年度来場者数 | | | | |
| 10 | 2018/12/16 | 5000 | | | | |

 **6** データが修正されます。

# Section

# 14

# 列幅や行の高さを調整する

練習用ファイル： 14_出店用メニューリスト.xlsx

## ここで学ぶのは

▶ 列幅や行の高さ

▶ 列幅の調整

▶ 列幅の自動調整

セルに入力した文字の長さや大きさなどに合わせて、列幅や行の高さを調整しましょう。

列幅や行の高さは、ドラッグ操作で調整する方法、文字の長さや大きさに合わせて自動調整する方法、数値で指定する方法があります。

## 1 列幅を調整する

### 解説 列幅や行の高さを変更する

列幅を変更するには、列の右側境界線を左右にドラッグします。ここでは、A列とB列の列幅を同時に変更するため、最初にA列とB列を選択します。行の高さを変更するには、行の下境界線を上下にドラッグします。

なお、セルに「####」と表示される場合は、数値や日付が隠れてしまっていることを意味します。列幅を広げて表示しましょう。

### Hint 列幅や行の高さを数値で指定する

列幅や行の高さを数値で指定するには、列幅や行の高さを変更する列や行を選択後、選択した列番号や行番号を右クリックし、[列の幅]または[行の高さ]をクリックします。次に、表示される画面（下図）で数値を入力します。列の場合は半角文字の文字数、行の場合はポイント単位で指定します。

1 A列からB列の列番号をドラッグして、A列からB列を選択します。

| | A | B | C | D | E | F |
|---|---|---|---|---|---|---|
| 1 | 出店用メニューリスト | | | 更新日 | 12月15日 | |
| 2 | | | | | | |
| 3 | 商品番号 | 商品名 | 分類 | 価格 | 販売予定数 | |
| 4 | F01 | チキンドッ | 食料 | 550 | 150 | |
| 5 | F02 | エビドッグ | 食料 | 650 | 100 | |
| 6 | D01 | 緑茶 | 飲料 | 150 | 150 | |
| 7 | D02 | 紅茶 | 飲料 | 150 | 100 | |
| 8 | | | | | | |
| 9 | 前年度開催日 | 前年度来場者数 | | | | |

2 A列またはB列の右側の境界線にマウスポインターを移動して、マウスポインターの形が ✛ に変わったらドラッグします。

| | A | B | C | D | E | F |
|---|---|---|---|---|---|---|
| 1 | 出店用メニューリスト | | | 更新日 | 12月15日 | |
| 2 | | | | | | |
| 3 | 商品番号 | 商品名 | 分類 | 価格 | 販売予定数 | |

| | A | B | C | D | E |
|---|---|---|---|---|---|
| 1 | 出店用メニューリスト | | | 更新日 | 12月15日 |
| 2 | | | | | |
| 3 | 商品番号 | 商品名 | 分類 | 価格 | 販売予定数 |
| 4 | F01 | チキンドッグ | 食料 | 550 | 150 |
| 5 | F02 | エビドッグ | 食料 | 650 | 100 |
| 6 | D01 | 緑茶 | 飲料 | 150 | 150 |
| 7 | D02 | 紅茶 | 飲料 | 150 | 100 |
| 8 | | | | | |
| 9 | 前年度開催日 | 前年度来場者数 | | | |
| 10 | 2018/12/16 | 5000 | | | |

3 A列とB列の列幅が変わります。

# 2 列幅を自動調整する

💬 **解説** 列幅を自動調整する

列幅を自動的に調整するには、列の右側境界線をダブルクリックします。ここでは、C列からE列の列幅を同時に変更するため、最初にC列からE列を選択しておきます。

**1** C列からE列の列番号をドラッグして、C列からE列を選択します。

| | A | B | C | D | E | F |
|---|---|---|---|---|---|---|
| 1 | 出店用メニューリスト | | | 更新日 | 12月15日 | |
| 2 | | | | | | |
| 3 | 商品番号 | 商品名 | 分類 | 価格 | 販売予定数 | |
| 4 | F01 | チキンドッグ | 食料 | 550 | 150 | |
| 5 | F02 | エビドッグ | 食料 | 650 | 100 | |
| 6 | D01 | 緑茶 | 飲料 | 150 | 150 | |
| 7 | D02 | 紅茶 | 飲料 | 150 | 100 | |
| 8 | | | | | | |
| 9 | 前年度開催日 | 前年度来場者数 | | | | |
| 10 | 2018/12/16 | 5000 | | | | |

**2** 選択した列のいずれかの右側境界線部分をダブルクリックします。

| | A | B | C | D | E | F |
|---|---|---|---|---|---|---|
| 1 | 出店用メニューリスト | | | 更新日 | 12月15日 | |
| 2 | | | | | | |
| 3 | 商品番号 | 商品名 | 分類 | 価格 | 販売予定数 | |
| 4 | F01 | チキンドッグ | 食料 | 550 | 150 | |

📝 **Memo** 行の高さを自動調整する

行の高さを文字の大きさに合わせて自動調整するには、行の下境界線をダブルクリックします。

**3** 文字数に合わせて列幅が自動調整されます。

| | A | B | C | D | E | F |
|---|---|---|---|---|---|---|
| 1 | 出店用メニューリスト | | | 更新日 | 12月15日 | |
| 2 | | | | | | |
| 3 | 商品番号 | 商品名 | 分類 | 価格 | 販売予定数 | |
| 4 | F01 | チキンドッグ | 食料 | 550 | 150 | |
| 5 | F02 | エビドッグ | 食料 | 650 | 100 | |
| 6 | D01 | 緑茶 | 飲料 | 150 | 150 | |
| 7 | D02 | 紅茶 | 飲料 | 150 | 100 | |
| 8 | | | | | | |
| 9 | 前年度開催日 | 前年度来場者数 | | | | |
| 10 | 2018/12/16 | 5000 | | | | |
| 11 | | | | | | |

💡 **Hint** 表のタイトル文字の長さを無視する

表のタイトルを除いて、表の内容部分を対象に列幅を調整するには、最初に表部分のセルを選択します。続いて、[ホーム]タブ→[書式]→[列の幅の自動調整]をクリックします。

**1** 表部分を選択し、

**2** [列の幅の自動調整]をクリックします。

# Section

# 15 データを移動／コピーする

練習用ファイル：■ 15_出店用メニューリスト.xlsx

## ここで学ぶのは

▶ データの移動
▶ データのコピー
▶ 貼り付け

表の内容を効率よく編集するために、セルに入力したデータを移動したりコピーしたりする方法を覚えましょう。

ボタン操作、マウス操作、ショートカットキーで行う3つの方法を知り、状況に応じて使い分けられるようにしましょう。

## 1 データを移動／コピーする

### 解説　セル範囲を移動／コピーする

セル範囲を移動したりコピーしたりする方法は複数あります（下表参照）。ここでは、[ホーム] タブのボタンを使って移動します。この方法は、移動先が離れているときでも失敗なく移動できます。

セル範囲をコピーするときは、セルやセル範囲を選択した後、[ホーム]タブ→[コピー] 📋 をクリックします。その後は、コピー先を選択して[ホーム]タブ→[貼り付け]をクリックします。

| 方法 | 参照 |
|---|---|
| [貼り付け] | P.58 |
| キー操作 | P.58 |
| マウス操作 | P.59 |
| フィルハンドル | P.78 |

### ⌨ ショートカットキー

● 選択しているセルやセル範囲を切り取る
　[Ctrl]+[X]

● 選択しているセルやセル範囲をコピー
　[Ctrl]+[C]

● コピーしたセルやセル範囲を貼り付け
　移動先やコピー先セルを選択して、
　[Ctrl]+[V]

**1** 移動するセルやセル範囲を選択し、

データの移動を行います

**2** [ホーム] タブ→ [切り取り] をクリックします。

**3** 移動先のセルをクリックし、

**4** [ホーム]タブ→[貼り付け]をクリックします。

**5** セルのデータが移動します。

## 2 データをドラッグで移動／コピーする

### 解説　セル範囲をドラッグで移動する

ドラッグ操作でセル範囲を移動します。ドラッグするときに、セルやセル範囲の外枠にマウスポインターを移動し、マウスポインターの形が↖に変わったことを確認してから操作します。この方法は、移動先が近いときに使うと手早く移動できて便利です。

**データの移動を行います**

**1** 移動するセルやセル範囲を選択します。

**2** 選択したセルやセル範囲の外枠にマウスポインターを移動します。

### Memo　セル範囲をドラッグでコピーする

セル範囲をコピーするときは、コピーするセルやセル範囲を選択した後、Ctrl キーを押しながら、セルやセル範囲の外枠部分をドラッグします。マウスポインターの横に表示される「＋」のマークを確認しながら操作します。

**3** マウスポインターの形が↖に変わったら移動先にドラッグします。

### Hint　右ドラッグ

選択したセルやセル範囲の外枠を移動先やコピー先に向かって右ドラッグすると、ドラッグ先で移動するかコピーするか選択できます。

**4** セルのデータが移動します。

# 3 行や列を移動／コピーする

解説 **行や列を移動する**

行や列単位で移動するには、行や列を選択
してから操作します。ここでは、行を入れ替
えるため、行を切り取った後に、表の途中
に切り取ったセルを挿入します。

Memo **行や列をコピーする**

行や列をコピーするときは、行や列を選択して
[ホーム] タブ→ [コピー] をクリックします。
続いて、コピー先の行や列の行番頭や列番
号を右クリックして、[コピーしたセルの挿入]
をクリックします。

**1** 移動する行の行番号をドラッグして選択し、

**2** [ホーム] タブ→ [切り取り] をクリックします。

**3** 移動先の行の行番号を右クリックし、

**4** [切り取ったセルの挿入]
をクリックします。

**5** 行が移動します。

## 解説 ▶ 行や列をドラッグで移動する

ドラッグ操作で行や列を入れ替えるときは、行や列を選択してから行や列の外枠部分にマウスポインターを移動し、マウスポインターの形が ⇖ に変わったら移動先に向かって Shift キーを押しながらドラッグします。入れ替え先を示す線を確認しながら操作しましょう。

**1** 移動する行の行番号をドラッグして選択します。

| | A | B | C | D | E | F | G | H |
|---|---|---|---|---|---|---|---|---|
| 1 | 出店用メニューリスト | | | 更新日 | 12月15日 | | | |
| 2 | | | | | | | | |
| 3 | 商品番号 | 商品名 | 分類 | 価格 | 販売予定数 | | | |
| 4 | D01 | 緑茶 | 飲料 | 150 | 150 | | | |
| 5 | D02 | 紅茶 | 飲料 | 150 | 100 | | | |
| 6 | F01 | チキンドッグ | 食料 | 550 | 150 | | | |
| 7 | F02 | エビドッグ | 食料 | 650 | 100 | | | |
| 8 | | | | | | | | |
| 9 | 前年度開催日 | 前年度来場者数 | | | | | | |
| 10 | 2018/12/16 | 5000 | | | | | | |

**2** 選択した行の外枠にマウスポインターを移動すると、マウスポインターの形が ⇖ に変わります。

| | A | B | C | D | E | F | G | H |
|---|---|---|---|---|---|---|---|---|
| 5 | D02 | 紅茶 | 飲料 | 150 | 100 | | | |
| 6 | F01 | チキンドッグ | 食料 | 550 | 150 | | | |
| 7 | F02 | エビドッグ | 食料 | 650 | 100 | | | |
| 8 |  | | | | | | | |
| 9 | 前年度開催日 | 前年度来場者数 | | | | | | |

## Memo ▶ 行や列をドラッグでコピーする

ドラッグ操作で行や列をコピーするときは、まず、行や列を選択します。続いて、行や列の外枠部分を Shift + Ctrl キーを押しながら、コピー先に向かってドラッグします。マウスポインターの横に表示される「＋」とコピー先を示す線を確認しながら操作しましょう。

| 3 | 商品番号 | 商品名 |
|---|---|---|
| 4 | F01 | チキンドッグ |
| 4:5 5 | F02 | エビドッグ |
| 6 | D01 | 緑茶 |
| 7 | D02 | 紅茶 |

| | A | B | C | D | E | F | G | H |
|---|---|---|---|---|---|---|---|---|
| 1 | 出店用メニューリスト | | | 更新日 | 12月15日 | | | |
| 2 | | | | | | | | |
| 3 | 商品番号 | 商品名 | 分類 | 価格 | 販売予定数 | | | |
| 4 4:5 | D01 | 緑茶 | 飲料 | 150 | 150 | | | |
| 5 | D02 | | | | | | | |
| 6 | F01 | | | | | | | |
| 7 | F02 | | | | | | | |
| 8 | | | | | | | | |
| 9 | 前年度開催日 | 前年度来場者数 | | | | | | |

**3** Shift キーを押しながら、移動先にドラッグします。

**4** 行が移動します。

| | A | B | C | D | E | F | G | H |
|---|---|---|---|---|---|---|---|---|
| 1 | 出店用メニューリスト | | | 更新日 | 12月15日 | | | |
| 2 | | | | | | | | |
| 3 | 商品番号 | 商品名 | 分類 | 価格 | 販売予定数 | | | |
| 4 | F01 | チキンドッグ | 食料 | 550 | 150 | | | |
| 5 | F02 | エビドッグ | 食料 | 650 | 100 | | | |
| 6 | D01 | 緑茶 | 飲料 | 150 | 150 | | | |
| 7 | D02 | 紅茶 | 飲料 | 150 | 100 | | | |
| 8 | | | | | | | | |
| 9 | 前年度開催日 | 前年度来場者数 | | | | | | |
| 10 | 2018/12/16 | 5000 | | | | | | |

# 16 行や列を追加／削除する

練習用ファイル：■ 16_出店用メニューリスト.xlsx

## ここで学ぶのは

▶ 行や列の追加

▶ 行や列の削除

▶ 行や列の選択

表の途中に行や列を追加したり、不要になった行や列を削除したりするには行や列を操作します。

行や列を操作するときは、行番号や列番号を右クリックする操作から始めると、手早く操作できます。

## 1 行や列を追加する

### 解説 行や列を追加する

ここでは、列と列の間に列を追加します。追加先の列の列番号を右クリックすると表示されるメニューから操作を選択します。行と行の間に行を追加するには、追加先の行の行番号を右クリックし、[挿入]をクリックします。複数行、または複数列をまとめて追加するには、追加先で複数の行や列を選択し、選択しているいずれかの行または列の行番号または列番号を右クリックして、[挿入]をクリックします。

### Hint 左右の列の列幅や書式が違う場合

追加した列の左右にある列の列幅やセルの色などの書式が違う場合、列を追加した後に左右どちら側の列の列幅や書式を適用するか選択できます。追加後に表示される[挿入オプション]をクリックして選択します。

B列とC列の間に列を追加します。

**1** 追加したい場所の列の列番号を右クリックし、

**2** [挿入]をクリックします。

**3** 列が追加されます。

# 2 行や列を削除する

### 解説 列を削除する

列を削除するには、削除したい列の列番号を右クリックし、[削除]をクリックします。なお、行や列は削除するのではなく、非表示にする方法もあります。後でまた必要になる可能性があるときは、非表示にしておきましょう（P.64）。

### Memo 行を削除する

行を削除するには、削除する行の行番号を右クリックして[削除]をクリックします。

### Hint 複数の行や列を削除する

複数の行や列をまとめて削除するには、削除する複数の行や列を選択します。続いて、選択しているいずれかの行や列の行番号、列番号を右クリックして[削除]をクリックします。

---

C列を削除します。

**1** 削除したい列の列番号を右クリックし、

**2** [削除]をクリックします。

**3** 列が削除されます。

---

### Hint 列内のデータを消す

列を削除するのではなく、列に入力されている文字や数値などのデータを削除するには、列を選択して Delete キーを押します。

**1** データを削除したい列の列番号をクリックし、

**2** Delete キーを押します。

# 行や列を表示／非表示にする

練習用ファイル： 📁 17_出店用メニューリスト.xlsx

## ここで学ぶのは

▶ 行や列の表示

▶ 行や列の非表示

▶ 行や列の選択

行や列は、表示をせずに隠しておくことができます。非表示にした行や列は簡単に再表示できます。

不要な行や列は削除してもかまいませんが、後でまた使う可能性がある場合は、非表示にしておくとよいでしょう。

## 1 行を非表示にする

### 解説 行や列を非表示にする

行や列を非表示にするには、まず非表示にしたい行や列を選択します。続いて、選択しているいずれかの行や列の行番号や列番号を右クリックし、表示されるメニューから操作を選択します。

### Hint マウス操作では？

非表示にしたい行の下境界線部分を上方向に向かってドラッグしても行を非表示にできます。また、非表示にしたい列の右境界線部分を左方向に向かってドラッグしても列を非表示にできます。

**1** 左方向にドラッグすると、列が非表示になります。

**1** 非表示にしたい行の行番号をドラッグして選択します。

**2** 選択した行番号のいずれかを右クリックし、

**3** [非表示]をクリックします。

**4** 行が非表示になります。

# 2 行を再表示する

## 解説 行を再表示する

非表示にした行や列を再表示するには、非表示にした行や列を含む上下の行、または左右の列を選択します。右クリックすると表示されるメニューから操作を選択します。

## Hint マウス操作では？

非表示にした行や列をドラッグ操作で表示するには、非表示になっている行の下境界線部分にマウスポインターを合わせて、マウスポインターの形が ‡（二重線に両方向矢印）に変わったら下方向にドラッグします。列の場合は、非表示にした列の右の境界線部分にマウスポインターを合わせて、右方向にドラッグします。

ポイントは、マウスポインターの形に注意することです。‡（一重線に両方向矢印）の状態でドラッグするとうまくいかないので注意します。

### 1 マウスポインターが二重線に両方向矢印の状態でドラッグします。

| | B | | D | E | F |
|---|---|---|---|---|---|
| | スト | | 更新日 | 12月15日 | |
| | | | | | |
| | 商品名 | | 価格 | 販売予定数 | |
| | チキンドッグ | | 550 | 150 | |
| | エビドッグ | | 650 | 100 | |

### 1 非表示にした行を含む上と下の行を選択します。

| | A | B | C | D | E | F | G | H |
|---|---|---|---|---|---|---|---|---|
| 1 | 出店用メニューリスト | | | 更新日 | 12月15日 | | | |
| 2 | | | | | | | | |
| 3 | 商品番号 | 商品名 | 分類 | 価格 | 販売予定数 | | | |
| 4 | F01 | チキンドッグ | 食料 | 550 | 150 | | | |
| 5 | F02 | エビドッグ | 食料 | 650 | 100 | | | |
| 9 | 前年度開催日 | 前年度来場者数 | | | | | | |
| 10 | 2018/12/16 | 5000 | | | | | | |

### 2 選択した行番号のいずれかを右クリックし、

| | A | B | C | D | E | F | G | H |
|---|---|---|---|---|---|---|---|---|
| 1 | 出店用メニューリスト | | | 更新日 | 12月15日 | | | |
| | 游ゴシック 11 A A % 類 | | 価格 | 販売予定数 | | | | |
| | B I 料 | | 550 | 150 | | | | |
| 5 | F02 エビドッグ | | 食料 | 650 | 100 | | | |

- ✂ 切り取り(T)
- 📋 コピー(C)
- 📋 貼り付けのオプション:
- 📋
- 形式を選択して貼り付け(S)...
- 挿入(I)
- 削除(D)
- 数式と値のクリア(N)
- セルの書式設定(E)...
- 行の高さ(R)...
- 非表示(H)
- **再表示(U)**

### 3 [再表示] をクリックします。

### 4 非表示にしていた行が再表示されます。

| | A | B | C | D | E | F | G | H |
|---|---|---|---|---|---|---|---|---|
| 1 | 出店用メニューリスト | | | 更新日 | 12月15日 | | | |
| 2 | | | | | | | | |
| 3 | 商品番号 | 商品名 | 分類 | 価格 | 販売予定数 | | | |
| 4 | F01 | チキンドッグ | 食料 | 550 | 150 | | | |
| 5 | F02 | エビドッグ | 食料 | 650 | 100 | | | |
| 6 | D01 | 緑茶 | 飲料 | 150 | 150 | | | |
| 7 | D02 | 紅茶 | 飲料 | 150 | 100 | | | |
| 8 | | | | | | | | |
| 9 | 前年度開催日 | 前年度来場者数 | | | | | | |
| 10 | 2018/12/16 | 5000 | | | | | | |

## Section

# 18 セルを追加／削除する

練習用ファイル： 📄 18_出店用メニューリスト.xlsx

### ここで学ぶのは

▶ セルの追加

▶ セルの削除

▶ セルの選択

セルは後から追加できます。その際、追加した場所にあったセルをどちら側にずらすのか指定できます。

また、セル自体を削除することもできます。その際、隣接するセルがずれて、削除した部分が埋まります。

## 1 セルを追加する

### 解説 セルを追加する

セルを後から追加するときは、追加する場所にあるセルをどちらの方向にずらすか指定できます。このとき、[行全体]や[列全体]を選択すると、セルではなく、行や列が追加されます。

### Memo ボタン操作では？

セルを追加するには、セルを選択後[ホーム]タブ→[挿入]の▼→[セルの挿入]をクリックする方法もあります。

**1** 追加したいセルやセルの範囲を選択し、

**2** 選択したセルやセルの範囲のいずれかを右クリックして、[挿入]をクリックします。

**3** 追加したい場所にあるセルをどちらにずらすか選択し、

**4** [OK]をクリックします。

**5** セルが追加されて、元のセルが右にずれます。

## 2 セルを削除する

### 解説 セルを削除する

セルを後から削除するときは、隣接するセルをずらして削除したセルを埋めます。削除時にセルをどちらの方向からずらすか指定できます。また、[行全体] や [列全体] を選択すると、セルではなく、行や列が削除されます。

**1** 削除するセルやセルの範囲を選択し、

**2** 選択したセルやセルの範囲のいずれかを右クリックして、[削除] をクリックします。

### Memo ボタン操作では？

セルを削除するには、セルを選択後 [ホーム] タブ→ [削除] の▼→ [セルの削除] をクリックする方法もあります。

**3** セルを削除した後、隣接するセルをどちらにずらすか選択し、

**4** [OK] をクリックします。

### Memo データを消す

セル自体を削除するのではなく、セルに入力されているデータを削除するには、セルを選択して Delete キーを押します。また、セルに設定した飾りを消す方法は、P.137を参照してください。

**5** セルが削除されて、右側のセルが左にずれます。

削除対象のセル以外のセルは残っています。

# 19 セルにコメントを追加する

練習用ファイル： 📁 19_出店用メニューリスト.xlsx

**ここで学ぶのは**

▶ コメント

▶ コメントの表示

▶ メモ

セルに付箋のようなメモを残すには、セルにコメントを追加して文字を入力します。コメントは、マウスポインターを合わせたときだけ表示されるので、表を隠さずにメモを残すことができます。

## 1 セルにコメントを追加する

**解説** コメントを追加する

セルの内容を補足するコメントを追加します。追加したコメントの内容を変更するには、コメントが入力されているセルを右クリックし、[コメントの編集]をクリックします。
なお、コメントを追加したときに表示されるユーザー名は、[Excelのオプション]ダイアログ（P.42）の[全般]→[Microsoft Officeのユーザー設定]の[ユーザー名]で指定されているユーザー名になります。

**Hint** コメントを表示する

コメントを表示するには、赤い印の付いたセルにマウスポインターを移動します。

**Hint** Office 365 では「メモ」を追加する

Office 365を使っている場合、従来からあるコメントの機能は「メモ」という名前に変わっています。メモを追加するには、セルを右クリックして[新しいメモ]をクリックします。また、セルを右クリックして[コメント]をクリックすると、会話形式で文字をやり取りできる新しいコメント機能を追加できます。

**1** コメントを追加するセルを右クリックし、

**2** [コメントの挿入]をクリックします。

**3** コメントの枠が表示されるので、文字を入力します。

コメントの付いたセルには、右上に赤い三角の印が付きます。

**4** 他のセルをクリックすると、コメントが閉じます。

## 2 セルのコメントを削除する

### 解説 ▶ コメントを削除する

コメントを削除するには、コメントが入力されているセルを右クリックすると表示されるメニューから操作します。または、コメントを削除するセルを選択し、[校閲] タブ→ [削除] をクリックします。

### Hint ▶ コメントを常に表示する

コメントを常に画面に表示しておくには、コメントが入力されているセルを右クリックして [コメントの表示／非表示] をクリックします。すべてのコメントを表示するには、[校閲] タブ→ [すべてのコメントの表示] (Office 365 では [校閲] タブ→ [メモ] → [すべてのメモを表示]) をクリックします。

### Hint ▶ コメントをコピーする

コメントが入力されているセルをコピーすると、コメントごとセルがコピーされます。コメントのみコピーする方法は、P.160を参照してください。

**1** コメントを追加したセルを右クリックし、

**2** [コメントの削除] をクリックします。

**3** コメントが削除されます。

### Hint ▶ コメントを順に確認する

複数のコメントの内容を順番に確認するには、[校閲] タブ→ [次へ] をクリックします。コメントを確認したら [次へ] をクリックして次のコメントを確認します。[前へ] をクリックすると前のコメントが表示されます。
Office 365 では [校閲] タブ→ [メモ] → [次のメモ] をクリックします。

**1** [校閲] タブをクリックし、

**2** [次へ] をクリックしてコメントを順番に確認します。

# 20 データを検索／置換する

練習用ファイル： 20_出店用メニューリスト.xlsx

**ここで学ぶのは**

▶ データの検索

▶ データの置換

▶ ワイルドカード

表の中から特定の文字を探すには、検索機能を使って漏れなくチェックしましょう。検索する文字や検索条件を指定して検索します。

また、検索した文字を別の文字に置き換えるには置換機能を使います。検索結果を1つずつ確認しながら置き換えられます。

## 1 データを検索する

**解説 データを検索する**

文字を検索するには、検索する文字を入力して検索します。このとき、アクティブセルの位置を基準に検索されますので、最初にセルA1を選択しておくと、上から順に検索結果を確認できます。

また、[検索と置換]ダイアログの[オプション]をクリックすると、検索条件を細かく指定できます。

**ショートカットキー**

● [検索と置換]ダイアログの[検索]タブを表示

[Ctrl] + [F]

**Memo 完全に一致するデータを検索する**

[検索する文字列]に入力した文字だけが入ったセルを検索する場合は、手順 5 で[セル内容が完全に同一であるものを検索する]のチェックを付けて検索します。

表の中から「飲料」の文字を検索します。

**1** セルA1を選択し、

**2** [ホーム]タブ→[検索と選択]→[検索]をクリックします。

**3** [オプション]をクリックします。

**4** [検索する文字列]に検索する文字を入力し、

**5** 検索条件を指定して、

**6** [次を検索]をクリックすると、

**7** 文字を検索してアクティブセルが移動します。

# 2 次のデータを検索する

## 解説 次の検索結果を表示する

検索を実行した後、続けて次の検索結果を表示するには、[検索と置換]ダイアログの[次を検索]をクリックします。すると、次に検索されたセルにアクティブセルが移動します。[次を検索]をクリックするたびに、次の検索結果が表示されます。

## Hint 検索結果一覧を表示する

[検索と置換]ダイアログの[すべて検索]をクリックすると、検索結果の一覧が表示されます。一覧から表示したい項目をクリックすると、クリックした項目のセルがアクティブセルになります。

**1** 前ページの方法で文字を検索します。

**2** [次を検索]をクリックすると、

**3** 次の検索結果にアクティブセルが移動します。

## Hint 飾りが付いたセルを検索する

赤字の文字やセルの背景が薄い青のセルなど、セルの飾りを検索条件にするには、[検索と置換]ダイアログで検索するセルに設定されている書式を指定します。たとえば、赤字でデータが入力されているセルを検索するには、[検索と置換]ダイアログで[書式]をクリックして右図のように操作します。検索する文字列を空欄にして検索をした場合は、赤字でデータが入力されているすべてのセルが検索されます。

**1** [書式]をクリックします。

[検索する文字列]は空欄にしておきます。

**2** [フォント]タブを選択して、[色]を指定します。

**3** [OK]をクリックします。

**4** [次を検索]をクリックします。

# 3 データを置き換える

## 解説 データを置き換える

文字を置き換えるには、検索する文字と置き換える文字を入力して検索します。[オプション]をクリックすると検索条件を細かく指定できます。[次を検索]をクリックすると、検索結果が表示されます。[置換]をクリックすると、データが置き換わって次の検索結果が表示されます。

## ショートカットキー

● [検索と置換] ダイアログの [置換]
タブを表示
Ctrl + H

## 使えるプロ技！ ワイルドカード

ワイルドカードとは、複数の文字や何かの1文字などを表す記号のことです。たとえば、「あ」から始まる文字や「あ」で始まる3文字など、曖昧な条件でデータを検索するときに使います。
また、「*」や「?」が入力されているセル自体を探すには、「~」の記号を使います。たとえば、検索する文字列に「~*」や「~?」のように指定して検索します。

| ワイルドカード | 意味 | 指定例 |
|---|---|---|
| * | 任意の文字列 | 「あ*」「あ」から始まる文字 |
| | | 「*ら」「ら」で終わる文字 |
| | | 「*た*」「た」を含む文字 |
| ? | 任意の1文字 | 「あ??」「あ」から始まる3文字 |
| | | 「あ?た」「あ」から始まり最後が「た」で終わる3文字 |

「食料」の文字を検索して「食品」に置き換えます。

**1** セルA1を選択し、

**2** [ホーム]タブ→[検索と選択]→[置換]をクリックします。

**3** [オプション]をクリックします。

**4** [検索する文字列]に検索する文字を入力し、

**5** [置換後の文字列]に置き換える文字を入力して、

**6** [次を検索]をクリックすると、

**7** 検索結果にアクティブセルが移動します。

**8** [置換]をクリックします。

**9** データが置き換わります。

**10** 次の検索結果が表示されたら[置換]をクリックします。

**解説** いっぺんに置き換える

データを置き換えるとき、置き換える文字を確認せずにまとめて置き換えるには、検索する文字列と置換後の文字列を指定後、[すべて置換]をクリックします。すると、検索結果がすべて置き換わります。

「ドッグ」の文字を検索してすべて「ピザ」に置き換えます。

**1** 前ページの手順2で[検索と置換]ダイアログを表示します。

**2** [オプション]をクリックします。

**3** [検索する文字列]に検索する文字を入力し、

**4** [置換後の文字列]に置き換える文字を入力して、

**5** 検索条件を指定します。

**6** [すべて置換]をクリックします。

**7** 検索された文字がすべて置き換わります。

---

**Hint** 置換時に文字に飾りを付ける

検索結果を置き換えるときに、セルの文字を赤字にしたりセルの背景を薄い青にしたりするなど、セルに飾りを付けるには、[検索と置換]ダイアログの[置換後の文字列]の[書式]をクリックして指定します。たとえば、検索された文字を赤字に置き換えるには、右図のように操作します。[置換後の文字列]を空欄にして置き換えをした場合は、検索されたセルのデータの内容は変わらずに、文字が赤字になります。

**1** [書式]をクリックします。

セルのデータはそのままで飾りだけ付けるときは、[置換後の文字列]は空欄にしておきます。

**2** [フォント]タブを選択して、[色]を指定します。

**3** [OK]をクリックします。

**4** [次を検索]をクリックして、検索結果にアクティブセルが移動したら[置換]をクリックします。

# 操作をキャンセルして元に戻す

練習用ファイル：■ 21_出店用メニューリスト.xlsx

## ここで学ぶのは

▶ 元に戻す

▶ やり直す

▶ クイックアクセスツールバー

Excelを使っているときに、間違ってデータを移動してしまったり間違った操作をしてしまったりした場合は、操作を元に戻します。

最大100回前の操作まで戻すことができます。元に戻しすぎた場合は、元に戻す前の状態にも戻せます。

## 1 操作を元に戻す

### 解説 元に戻す

[元に戻す]をクリックすると、操作を行う前の状態に戻ります。何度も[元に戻す]をクリックすると、さらに前の状態に戻ります。元に戻しすぎた場合は、[元に戻す]の右の[やり直し]をクリックします。

### Memo 数回前まで戻す

何度か前の状態に戻すには、[元に戻す]の横の[▼]をクリックして、戻したい操作をクリックします。

### ショートカットキー

● 直前の操作を元に戻す
[Ctrl]+[Z]

● 直前の操作のやり直し
[Ctrl]+[Y]

---

**1** B列からD列の列番号をドラッグして、B列からD列を選択します。

| | A | B | C | D | E | F | G | H |
|---|---|---|---|---|---|---|---|---|
| 1 | 出店用メニューリスト | | | 更新日 | 12月15日 | | | |
| 2 | | | | | | | | |
| 3 | 商品番号 | 商品名 | 分類 | 価格 | 販売予定数 | | | |
| 4 | F01 | チキンピザ | 食品 | 550 | 150 | | | |
| 5 | F02 | エビピザ | 食品 | 650 | 100 | | | |
| 6 | D01 | 緑茶 | 飲料 | 150 | 150 | | | |
| 7 | D02 | 紅茶 | 飲料 | 150 | 100 | | | |
| 8 | | | | | | | | |
| 9 | 前年度開催日 | 前年度来場者数 | | | | | | |
| 10 | 2018/12/16 | 5000 | | | | | | |

**2** [Delete]キーを押します。

**3** データが消えます。

**4** [元に戻す]をクリックすると、操作が元に戻ります。

[やり直し]をクリックすると元に戻す前の状態に戻せます。

# 第 3 章

# データを速く、
# 正確に入力する

　この章では、入力をより効率化するワザを紹介します。ドラッグ操作だけで入力する方法や、入力時のルールを指定する方法などを覚えます。
　目標は、データの入力を効率化する機能にはどんな種類があるかを知り、場面によってそれらの機能を使いこなせるようになることです。

# Section

## 22

# 入力を効率化する
# 機能って何?

練習用ファイル：なし

### ここで学ぶのは

▶ オートフィル
▶ フラッシュフィル
▶ 入力規則

この章では、入力の効率化に欠かせない機能を紹介します。まずは、どのような機能があるのか見てみましょう。

これらの機能を使うと、データを素早く入力できるだけでなく、入力ミスを減らす効果もあるでしょう。

## 1 オートフィル

### Memo オートフィルを使う

オートフィルは、フィルハンドルをドラッグするだけで、さまざまな項目を自動的に入力できる機能です。たとえば、指定した間隔の数のデータ、連続する日付データ、同じ文字のデータなどを一瞬で入力できます。

連続する日付を
自動入力できます。

## 2 フラッシュフィル

### Memo フラッシュフィルを使う

フラッシュフィル機能を使うと、データの入力パターンを認識して自動的にデータを入力できます。たとえば、文字データを基に決まったパターンの文字を入力したり、日付データを基に年や月、日のデータを入力したりなどを自動で行えます。

B列の氏名には、「姓」と「名」が空白で区切って入力されています。

C列に「姓」、D列に「名」を自動入力できます。

## ③ 入力規則

### Memo　入力規則を使う

入力規則機能を使うと、データ入力時のルールを指定できます。たとえば、入力できるデータの種類を制限したり、入力候補からデータを選べるようにしたり、日本語入力モードのオンとオフを自動的に切り替えたりできます。

> A列は、リストから入力候補を選べるようにします。

> B列、C列にデータを入力するとき、日本語入力モードを自動的にオンにします。

|  | A | B | C | D | E |
|---|---|---|---|---|---|
| 1 | お勧めランチ店リスト | | | | |
| 2 | | | | | |
| 3 | 分類 | 名前 | おすすめメニュー | 平均予算 | |
| 4 | 和食 | 藤 | お好み焼き | 1,200 | |
| 5 | 和食 / 洋食 / イタリアン | ッキー | ハンバーグ | 1,800 | |
| 6 | | 食事処　風 | 定食 | 1,000 | |
| 7 | イタリアン | ローマ | パスタ | 1,500 | |
| 8 | 洋食 | フラワー | エビフライ | 2,300 | |
| 9 | 洋食 | ココ | カレー | 900 | |
| 10 | イタリアン | ナポリ | ピザ | 1,400 | |
| 11 | 和食 | 田中寿司 | ちらし寿司 | 2,800 | |
| 12 | | | | | |

> D列にデータを入力するとき、日本語入力モードを自動的にオフにします。また、D列には、5000円以下の数値しか入力できないようにします。

## ④ Office クリップボード

### Memo　Office クリップボードを使う

Officeクリップボードを表示すると、コピーしたデータを複数ためておくことができます。過去にコピーしたデータを貼り付けたりできます。

> コピーしたデータを選んで貼り付けられます。

# 23 ドラッグ操作でセルをコピーする

練習用ファイル： ■ 23_会議室スケジュール.xlsx

### ここで学ぶのは

▶ フィルハンドル

▶ オートフィル

▶ 連続データ

データを入力するとき、セルの右下のフィルハンドルをドラッグするだけで、さまざまなデータを自動入力できます。

たとえば、同じ文字や連番の数値、連続した月や曜日、日付、独自の項目リストなどを入力できます。

## 1 ドラッグ操作でデータをコピーする

 **解説** セルをコピーする

セルをコピーして同じデータを入力するには、選択したセルの右下に表示される[■]のフィルハンドルにマウスポインターを移動します。マウスポインターの形が[＋]になったら、コピーしたい方向に向かってドラッグします。

フィルハンドル

① セルD4にデータを入力します。

データが入力されている場合はクリックしてアクティブセルにします

② フィルハンドルにマウスポインターを合わせて、ドラッグします。

③ 文字データがコピーされます。

**Hint** 複数のセルをコピーする

複数のセルをコピーするには、複数のセルを選択し、選択したセルの右下のフィルハンドルをドラッグします。

① 複数のセルを選択してからドラッグ

# 23

# 2 ドラッグ操作で連番を入力する

 **解説 ▶ 連番を入力する**

「10」「11」「12」……のように連続する数値を入力するには、先頭のセルに最初の数値を入力します。フィルハンドルをドラッグすると同じ数値が入力されますが、フィルハンドルをドラッグした直後に表示される [オートフィルオプション] をクリックして [連続データ] を選択します。

**Hint 「1」「3」「5」……
を入力する**

決まった間隔の数値を連続して入力するには、最初のセルと次のセルに、指定する間隔を空けて数値を入力します。続いて、2つの数値が入ったセル範囲を選択し、フィルハンドルをドラッグします。

**Hint 「第1」「第2」……
のように入力する**

「第1回」のように、文字の一部に数字が入っている場合、フィルハンドルをドラッグすると、「第1回」「第2回」……のように1つずつ数字が増えたデータが入力されます。同じデータを入力したい場合は、フィルハンドルをドラッグした直後に表示される [オートフィルオプション] をクリックして [セルのコピー] を選択します。

同じデータにしたいときはここをクリックして [セルのコピー] をクリック

---

**1** セルA4に最初の数値のデータを入力します。

| | A | B | C | D | E | F | |
|---|---|---|---|---|---|---|---|
| 1 | 会議室スケジュール | | | | | | |
| 2 | | | | | | | |
| 3 | 管理番号 | 日付 | 予定 | 管理者 | | | |
| 4 | 101 | | | | | | |
| 5 | | | | 渡辺 | | | |
| 6 | | | | 渡辺 | | | |

データが入力されている場合はクリックしてアクティブセルにします

| 3 | 管理番号 | 日付 | 予定 | 管理者 | |
|---|---|---|---|---|---|
| 4 | 101 | | | | |
| 5 | | | | 渡辺 | |
| 6 | | | | | |
| 7 | | | | | |
| 8 | | | | | |
| 9 | | | | 渡辺 | |
| 10 | | | | 渡辺 | |

**2** フィルハンドルにマウスポインターを合わせて、ドラッグします。

| 3 | 管理番号 | 日付 | 予定 | 管理者 |
|---|---|---|---|---|
| 4 | 101 | | | 渡辺 |
| 5 | 101 | | | 渡辺 |
| 6 | 101 | | | 渡辺 |
| 7 | 101 | | | 渡辺 |
| 8 | 101 | | | 渡辺 |
| 9 | 101 | | | |
| 10 | 101 | | | |
| 11 |  | | | |
| 12 | ⊙ セルのコピー(C) | | | |
| 13 | ○ 連続データ(S) | | | |
| 14 | ○ 書式のみコピー (フィル)(F) | | | |
| 15 | ○ 書式なしコピー (フィル)(O) | | | |
| 16 | ○ フラッシュ フィル(F) | | | |

**3** [オートフィルオプション] をクリックし、

**4** [連続データ] をクリックします。

| 3 | 管理番号 | 日付 | 予定 | 管理者 |
|---|---|---|---|---|
| 4 | 101 | | | 渡辺 |
| 5 | 102 | | | 渡辺 |
| 6 | 103 | | | |
| 7 | 104 | | | |
| 8 | 105 | | | |
| 9 | 106 | | | 渡辺 |
| 10 | 107 | | | 渡辺 |
| 11 |  | | | |

**5** 最初の数値から1ずつ増えたデータが入力されます。

# 24 日付や曜日の連続データを自動入力する

練習用ファイル： 24_備忘録.xlsx

## ここで学ぶのは

▶ フィルハンドル

▶ オートフィル

▶ 連続データ

連続した月や曜日、日付を入力するときは、オートフィル機能を使って一気にまとめて入力しましょう。

3日おき、1週間おき、1カ月おきの日付なども、フィルハンドルをドラッグするだけで簡単に入力できて便利です。

## 1 曜日を連続して自動入力する

**解説** 連続した曜日を入力する

曜日のデータを入力し、オートフィル機能を使って連続した曜日のデータを入力します。曜日は、「月」「月曜日」のように入力します。「月曜」だとうまくいかないので注意します。

**Memo** 月の入力

「1月」などの月を入力したセルを選択し、フィルハンドルをドラッグすると、「1月」「2月」「3月」……などの連続した月を入力できます。

**Memo** 自動入力できるデータ

オートフィル機能で自動入力できるデータは、ユーザー設定リストというところに登録されています。ユーザー設定リストにデータを登録する方法は、P.82で紹介します。

**1** セルA4に曜日を入力します。

データが入力されている場合はクリックしてアクティブセルにします

**2** フィルハンドルにマウスポインターを合わせて、ドラッグします。

**3** 連続した曜日が入力されます。

# 2 日付を連続して自動入力する

### 解説　連続した日付を入力する

日付を入力したセルを選択し、フィルハンドルをドラッグすると、1日ずつずれた日付のデータが入力されます。先頭のセルに、最初の日付を入力してから操作します。

### Hint　1カ月おきなどの日付を入力する

1週間おき、1カ月おき、1年おきの日付を入力するには、フィルハンドルをドラッグすると表示される[オートフィルオプション]をクリックし、日付の間隔を指定します。

### Hint　1日おきなどの日付を入力する

1日おき、2日おきなどの決まった間隔の日付を連続して入力するには、最初のセルと次のセルに、指定する間隔を空けて日付を入力します。続いて、2つの日付が入ったセル範囲を選択し、フィルハンドルをドラッグします。

**1** 間隔を空けた2つの日付を入力しておき、ドラッグ

---

**1** 日付を「12/1」のように入力し、[Enter]キーを押します。

|  | A | B | C | D | E | F | G |
|---|---|---|---|---|---|---|---|
| 1 | 備忘録 | | | | | | |
| 2 | | | | | | | |
| 3 | 曜日 | やること | | 日付 | 予定 | | |
| 4 | 日曜日 | | | 12/1 | | | |
| 5 | 月曜日 | | | | | | |

⬇

|  | A | B | C | D | E | F | G |
|---|---|---|---|---|---|---|---|
| 1 | 備忘録 | | | | | | |
| 2 | | | | | | | |
| 3 | 曜日 | やること | | 日付 | 予定 | | |
| 4 | 日曜日 | | | 12月1日 | | | |
| 5 | 月曜日 | | | | | | |
| 6 | 火曜日 | | | | | | |

**2** 日付を入力したセルを選択します。

⬇

|  | A | B | C | D | E | F | G |
|---|---|---|---|---|---|---|---|
| 1 | 備忘録 | | | | | | |
| 2 | | | | | | | |
| 3 | 曜日 | やること | | 日付 | 予定 | | |
| 4 | 日曜日 | | | 12月1日 | | | |
| 5 | 月曜日 | | | | | | |
| 6 | 火曜日 | | | | | | |
| 7 | 水曜日 | | | | | | |
| 8 | 木曜日 | | | | | | |
| 9 | 金曜日 | | | | | | |
| 10 | 土曜日 | | | | | | |

**3** フィルハンドルにマウスポインターを合わせて、ドラッグします。

⬇

|  | A | B | C | D | E | F | G |
|---|---|---|---|---|---|---|---|
| 1 | 備忘録 | | | | | | |
| 2 | | | | | | | |
| 3 | 曜日 | やること | | 日付 | 予定 | | |
| 4 | 日曜日 | | | 12月1日 | | | |
| 5 | 月曜日 | | | 12月2日 | | | |
| 6 | 火曜日 | | | 12月3日 | | | |
| 7 | 水曜日 | | | 12月4日 | | | |
| 8 | 木曜日 | | | 12月5日 | | | |
| 9 | 金曜日 | | | 12月6日 | | | |
| 10 | 土曜日 | | | 12月7日 | | | |
| 11 | | | | 12月8日 | | | |
| 12 | | | | 12月9日 | | | |
| 13 | | | | 12月10日 | | | |
| 14 | | | | | | | |

**4** 最初の日付から1日ずつ増えたデータが入力されます。

# Section

## 25

# 支店名や商品名などを 自動入力する

練習用ファイル：📁 25_店舗別売上表.xlsx

### ここで学ぶのは

▶ フィルハンドル

▶ オートフィル

▶ ユーザー設定リスト

規則性のないデータを、オートフィル機能を使って入力するには、入力するデータをユーザー設定リストに登録しておきます。

ユーザー設定リストに登録したデータは、並べ替えの条件として利用することもできます。

## 1 連続データを登録する

### 解説 連続データを登録する

ユーザー設定リストに、規則性のない連続データを登録します。ここでは、店舗名を登録します。入力したい順に沿ってデータを入力します。

### Hint セルに入力したデータを登録する

登録しようとしているデータがセルに入力されている場合は、データをインポートできます。[リストの取り込み元範囲]をクリックし、登録するデータのセル範囲を選択して[インポート]をクリックします。

**1** [リストの取り込み元範囲]をクリック

**2** 登録する データの セル範囲 を選択

**3** [インポート] をクリック

**1** P.42の方法で、[Excelのオプション]ダイアログを表示します。

**2** [詳細設定]をクリックし、

**3** 画面を下までスクロールして、

**4** [ユーザー設定リストの編集] をクリックします。

**5** [リストの項目]に登録するデータを改行しながら入力し、

**6** [追加]をクリックして、

**7** [OK]をクリックします。

**8** [Excelのオプション]ダイアログの[OK]をクリックします。

左のHint参照

### 解説 連続データを入力する

ユーザー設定リストに登録した連続データを
入力してみましょう。ここでは、ユーザー設定
リストに登録した店舗名を自動入力します。

### Hint 登録した連続データを削除する

ユーザー設定リストに登録した内容を削除す
るには、前ページの方法で［ユーザー設定リ
スト］ダイアログを表示し、削除したいリストを
クリックし、［削除］をクリックします。

**1 削除したいリストをクリック**

**2 ［削除］をクリック**

---

**1** 登録した連続データのいずれかの項目を入力します。

データが入力されている
場合はクリックしてアク
ティブセルにします

**2** フィルハンドルにマウス
ポインターを合わせて、
ドラッグします。

**3** 登録したデータが
入力されます。

| | A | B | C | D | E | F | G |
|---|---|---|---|---|---|---|---|
| 1 | 売上一覧 | | | | | | |
| 2 | | | | | | | |
| 3 | 店舗名 | | | | | | |
| 4 | 田中電気店 | | | | | | |
| 5 | 斉藤百貨店 | | | | | | |
| 6 | 旅の佐藤 | | | | | | |
| 7 | 生活用品モール | | | | | | |
| 8 | トラベルショップ | | | | | | |
| 9 | | | | | | | |

---

### Hint 並べ替え

ユーザー設定リストに登録した内容は、データの
並べ替えの条件としても使えます。たとえば、店
舗名でデータを並べ替えるとき、あいうえお順やあ
いうえお順の逆以外の順番でデータを並べ替えた
いときは、店舗名を並べ替えたい順に沿ってユー
ザー設定リストに登録しておきます。並べ替えの
方法は、P.224で紹介します。

並べ替えの基準として「ユーザー設定リスト」
のリストの順番を指定できる

| | A | B | C | D | E | F | G | H | I | J | K |
|---|---|---|---|---|---|---|---|---|---|---|---|
| 1 | 旅行用品売上明細リスト | | | | | | | | | | |
| 2 | | | | | | | | | | | |
| 3 | 売上番号 | 日付 | 店舗番号 | 店舗名 | 販売形態 | 商品番号 | 商品名 | 分類 | 価格 | 数量 | |
| 4 | 1001 | 2020/1/20 | 101 | 田中電気店 | 店舗 | S102 | スーツケース（L） | 旅行用品 | 28,000 | 20 | |
| 5 | 1002 | 2020/1/20 | 101 | 田中電気店 | 店舗 | G102 | 充電器 | 旅行用家電 | 4,800 | 30 | |
| 6 | 1013 | 2020/2/20 | 101 | 田中電気店 | 店舗 | S102 | スーツケース（L） | 旅行用品 | 28,000 | 20 | |
| 7 | 1014 | 2020/2/20 | 101 | 田中電気店 | 店舗 | G102 | 充電器 | 旅行用家電 | 4,800 | 30 | |
| 8 | 1025 | 2020/3/20 | 101 | 田中電気店 | 店舗 | S102 | スーツケース（L） | 旅行用品 | 28,000 | 20 | |
| 9 | 1026 | 2020/3/20 | 101 | 田中電気店 | 店舗 | G102 | 充電器 | 旅行用家電 | 4,800 | 40 | |
| 10 | 1003 | 2020/1/20 | 102 | 斉藤百貨店 | 店舗 | S101 | スーツケース（M） | 旅行用品 | 32,000 | 10 | |
| 11 | 1015 | 2020/2/20 | 102 | 斉藤百貨店 | 店舗 | S101 | スーツケース（M） | 旅行用品 | 32,000 | 10 | |
| 12 | 1027 | 2020/3/20 | 102 | 斉藤百貨店 | 店舗 | S101 | スーツケース（M） | 旅行用品 | 32,000 | 15 | |
| 13 | 1004 | 2020/1/20 | 103 | 旅の佐藤 | 店舗 | S101 | スーツケース（M） | 旅行用品 | 32,000 | 20 | |

# 入力をパターン化して自動入力する

練習用ファイル：■ 26_連絡先リスト.xlsx

すでに入力されているデータを基に、隣接するセルにデータを入力するとき、その内容に規則性がある場合は、自動入力が可能です。
Excelが入力パターンを自動的に認識して入力候補を表示するフラッシュフィルの機能を使います。

## ここで学ぶのは

▶ フラッシュフィル
▶ 入力パターン
▶ 自動入力

## 1 文字の入力パターンを指定する

解説 ▶ 文字の入力パターンを伝える

セルに入力されたデータを基に、隣接するセルにデータを入力します。ここでは、A列に名字、B列に名前が入力されています。そのデータを基に、C列に氏名を入力します。入力パターンが決まっている場合は、Excelがそれを認識して自動的にデータを入力できます。

名字と名前のデータを基に氏名を自動入力します。

**1** 氏名の欄に、A列の名字とB列の名前を空白で区切って入力します。

**2** Enter キーを押します。

**3** 次の行に同様のパターンでデータを入力します。

**4** 入力候補が表示されたら Enter キーを押します。

**5** A列、B列のデータを基に自動入力されます。

### 解説 日付の入力パターンを伝える

フラッシュフィル機能は、文字データだけでなく日付のデータを基にデータを入力するときにも使えます。ここでは、D列に入力した登録日の日付を基に、E列に年のデータを入力します。入力パターンをExcelに認識してもらえれば、データを自動入力できます。

### Memo 自動入力をキャンセルする

フラッシュフィル機能でデータを自動入力した後に、自動入力をキャンセルするには、フラッシュフィル機能が働いたときに表示される[フラッシュフィルオプション]をクリックし、[フラッシュフィルを元に戻す]を選択します。

「登録日」の年のデータを、E列に自動入力します。

**1** セルE4に、「登録日」の年のデータを入力し、Enterキーを押します。

**2** 次の行に同様のパターンでデータを入力します。

**3** 入力候補が表示されたらEnterキーを押します。

**4** D列の日付を基に自動入力されます。

### Memo 入力パターンが自動認識されないときは

入力パターンをExcelに認識してもらえないときは、入力したセルを含む自動入力したいセル範囲を選択し、[データ]タブ→[フラッシュフィル]をクリックしてみましょう。入力パターンをExcelが認識できた場合は、データが入力されます。

**1** 入力したセルを含む自動入力したいセル範囲を選択し、

**2** [データ]タブ→[フラッシュフィル]をクリックします。

## Section

# 27 入力時のルールを決める

練習用ファイル： 27_研修プログラム参加者試験結果.xlsx

### ここで学ぶのは

▶ 入力規則

▶ 入力時メッセージ

▶ エラーメッセージ

セルにデータを入力するときや他の人にデータを入力してもらうときに、間違ったデータが入力されるのを防ぐには、入力規則を決めましょう。

入力規則を指定すると、セルに入力できるデータを制限したり、入力時に補足メッセージを表示したりできます。

## 1 指定できるルールとは？

### Memo 入力規則

入力規則の機能を使うと、セルに入力ルールを指定できます。入力できるデータの種類を限定したり、入力する値をリストから選択する方法にしたりできます。

### Memo 日本語入力モード

入力規則機能を使うと、セルを選択したときに日本語入力モードのオン／オフを自動的に切り替えられます。日本語入力モードを指定しておくと、手動で日本語入力モードを切り替える手間が省けて便利です。P.91で紹介します。

セルに入力できるデータの種類を選択します（下表参照）。

入力時に表示するメッセージを指定します。

セルを選択したときに、日本語入力モードの状態をどうするか指定します。

ルールに合わないデータが入力されたときに表示するメッセージを指定します。

### ● 入力値の種類

| 入力値の種類 | 内容 |
| --- | --- |
| すべての値 | すべてのデータを入力できる。入力値の種類を指定しない場合はこれが選択される |
| 整数 | 整数を入力できる。「1から10までの数値」「10以上の数値」など入力できる数値の範囲を細かく指定できる |
| 小数点数 | 整数や小数を入力できる。「1から10までの数値」「10以上の数値」など入力できる数値の範囲を細かく指定できる |
| リスト | 入力候補を表示して、入力候補からデータを選択できるようにする |
| 日付 | 日付を入力できる。「いつからいつまで」「いつ以降」など、入力できる日付の範囲を細かく指定できる |
| 時刻 | 時刻を入力できる。「何時から何時まで」「何時以降」など、入力できる時刻の範囲を細かく指定できる |
| 文字列 | 文字を入力できる。「何文字」「何文字から何文字まで」「何文字以上」など、入力できる文字の長さを指定できる |
| ユーザー設定 | 数式を指定して、入力できる内容を限定するときに使う |

# 2 入力規則を設定する

## 解説 入力規則を設定する

セルに対して、入力時のルールを指定します。ここでは、指定したセル範囲に「0」から「100」までの数値だけが入力できるようなルールを指定します。

入力規則の設定後は、セルにデータを入力してみましょう。入力規則に合わないデータを入力すると、メッセージが表示されます。

## Hint 入力規則をコピーする

セルに設定した入力規則だけをコピーするには、貼り付ける形式を指定します。P.160で紹介します。

## Memo 入力規則を削除する

入力規則を削除してすべてのデータを入力できるようにするには、入力規則が設定されているセルやセル範囲を選択し、[データ]タブ→[データの入力規則]をクリックします。[データの入力規則]ダイアログで[すべてクリア]をクリックします。

**1** 入力規則を指定するセルやセル範囲を選択し、

**2** [データ]タブ→[データの入力規則]をクリックします。

**3** [入力値の種類]をクリックし、入力するデータの種類を選択します。

**4** [次の値の間]が選択されていることを確認します。

**5** [最小値]を指定します。

**6** [最大値]を指定します。

**7** [OK]をクリックします。

**8** 入力規則を指定したセルにルール違反のデータを入力すると、

**9** エラーメッセージが表示されます。

# 28

# ルールに沿ってデータを効率よく入力する

練習用ファイル：■ 28_研修プログラム参加者試験結果.xlsx

### ここで学ぶのは

▶ 入力規則

▶ メッセージ

▶ 日本語入力モード

セルにデータを入力するとき、入力候補を表示してそこから入力するデータを選んでもらうには入力規則を使います。

ここでは、入力時に表示するメッセージやルールに合わないデータが入力されたときに表示するメッセージも指定します。

## 1 入力候補を登録する

💬 **解説** ▶ 入力候補を登録する

セルに入力する値を入力候補から選べるようにします。入力規則の設定で[入力値の種類]から[リスト]を選択し、リストの内容を指定します。[元の値]に入力候補として表示するデータを半角「,」（カンマ）で区切って入力するか、[元の値]欄をクリックして、入力候補が入力されているセル範囲をドラッグして指定します。

1 入力規則を指定するセルやセル範囲を選択し、

2 [データ]タブ→[データの入力規則]をクリックします。

3 [入力値の種類]から[リスト]を選択します。

4 [元の値]に入力候補を半角「,」（カンマ）で区切って入力します。

5 [OK]をクリックします。

6 入力時に入力候補が表示されるようになります。

# 2 入力時のメッセージを設定する

## 解説 メッセージを設定する

入力時メッセージを設定すると、セルを選択したときにメッセージを表示できます。セルにどのような入力ルールが設定されているか表示すると親切です。

**1** 入力規則を指定するセルやセル範囲を選択し、

**2** [データ] タブ→ [データの入力規則] をクリックします。

**3** [入力時メッセージ] タブをクリックし、

## Memo メッセージを確認する

メッセージの設定後は、入力規則を設定したセルをクリックして入力時メッセージが表示されることを確認します。

**4** メッセージのタイトルを入力して、

**5** メッセージの内容を入力します。

**6** [OK] をクリックします。

## Hint メッセージを消す

入力時のメッセージが表示されたとき、メッセージを非表示にするには、[Esc] キーを押します。

**7** 入力時にメッセージが表示されるようになります。

## 3 ルール違反のメッセージを設定する

### 解説 メッセージを設定する

入力規則に合わないデータが入力されたとき
に表示する、エラーメッセージを設定します。

### Memo メッセージを確認する

メッセージの設定後は、リスト以外の項目を
入力しようとして、エラーメッセージが表示さ
れることを確認します。

### Memo エラーメッセージの スタイル

エラーメッセージを指定するときは、入力ルー
ルをどの程度厳しくするかに合わせて [停止]
[注意] [情報] のいずれかのスタイルを指定
できます。[停止] を選択すると、ルールに
合わないデータは入力できなくなります。

1 入力規則を指定するセルや
セル範囲を選択し、

2 [データ] タブ→ [データの
入力規則] をクリックします。

3 [エラーメッセージ] タブをクリックし、

4 スタイルを選択し
ます。

5 メッセージのタイト
ルを入力します。

6 メッセージの内容を
入力します。

7 [OK] をクリックし
ます。

8 入力規則に合わないデータが
入力されると、

9 エラーメッセージが
表示されます。

## 4 日本語入力モードをオンにする

### 解説 日本語入力モードをオンにする

セルの入力規則を使って、セルを選択したときの日本語入力モードの状態を指定しましょう。ここでは、氏名を入力するセルをクリックすると、日本語入力モードが自動的にオンになるようにします。

### Hint オフと無効の違い

日本語入力モードの設定で[オフ（英語モード）]や[無効]にすると、セルを選択すると日本語入力モードがオフになります。[オフ（英語モード）]は、日本語入力モードを手動でオンに切り替えられますが、[無効]は、オンに切り替えることはできません。

### Hint 別々の入力規則が設定されている場合

別々の入力規則が設定されているセルを選択し、入力規則のルールを追加しようとしたりすると、下図のようなメッセージが表示されます。操作をキャンセルするには、[キャンセル]をクリックします。

**1** 別々の入力規則が設定されているセルを選択し、入力規則のルールを追加しようとすると、

**2** 注意のメッセージが表示されます。

**1** 入力規則を指定するセルやセル範囲を選択し、

**2** [データ]タブ→[データの入力規則]をクリックします。

**3** [日本語入力]タブをクリックし、

**4** 日本語入力モードの状態で[オン]を選択して、

**5** [OK]をクリックします。

**6** セルを選択すると、

**7** 日本語入力モードが自動的にオンになります。

91

# Section

## 29

# 複数のデータをコピー
# しておく場所を使う

練習用ファイル: 📁 29_駅前広場イベント一覧.xlsx

### ここで学ぶのは

- データのコピー
- クリップボード
- Office クリップボード

表を編集するときは、データをコピーしたり、コピーしたデータを貼り付けたりしながら、効率よくデータを入力しましょう。

Office クリップボードを使うと、最大24個まで前のデータをコピーして貯めておくことができます。

---

## 1 複数データをコピーする準備をする

💬 **解説** **Office クリップボード
を表示する**

Officeクリップボードを使うには、まず、Officeクリップボードを表示します。

Officeクリップボードを閉じるには、Officeクリップボードの右上の [×] をクリックします。

**1** [ホーム] タブをクリックし、

**2** ここをクリックします。

💡 **Hint** **Office クリップボード
を素早く表示する**

Officeクリップボードの [オプション] をクリックして [Ctrl＋Cを2回押してOfficeクリップボードを表示] を選択すると、Ctrl を押しながらC キーを2回押すと、Officeクリップボードが表示されるようになります。また、[自動的にOfficeクリップボードを表示]を選択すると、データのコピーの操作を2回すると、自動的にOfficeクリップボードが表示されます。

**3** Officeクリップボードが表示されます。

左のHint参照

# 2 データをコピーする

## 解説 データをコピーする

データをコピーして、Officeクリップボードに
コピーしたデータを貯めましょう。ここでは、
セルに入力されているデータの一部をコピー
します。セルに入力されている内容すべてを
コピーするには、セルを選択して[コピー]を
クリックします。

なお、データは、最大24個まで貯められます。
24個を超えると、古いデータから削除されま
す。

## Memo コピーしたデータを削除する

Officeクリップボードにコピーしたデータを
Officeクリップボードから削除するには、削
除する項目にマウスポインターを移動して
[▼]をクリックし、[削除]をクリックします。

**1** コピーしたいデータが入っているセルをダブルクリックし、

**2** コピーするデータを選択します。

**3** [ホーム]タブ→[コピー]をクリックします。

**4** Officeクリップボードにデータがコピーされます。

**5** 同様にデータをコピーすると、Officeクリップ
ボードにデータが貯まります。

# 3 コピーしたデータを使う

**解説 > データを貼り付ける**

Officeクリップボードにコピーしたデータを貼り付けます。ここでは、指定したセルにデータを貼り付けます。

**Hint > Excel以外のデータもコピーされる**

Officeクリップボードには、Excel以外のデータもコピーされます。たとえば、Wordのアプリに切り替えて文字をコピーしたり、Edge（ブラウザー）に切り替えてインターネットのデータをコピーしたりしても、Officeクリップボードに貯まります。

**1 データを貼り付けたいセルをクリックします。**

**2 貼り付けたいデータをクリックします。**

**3 データが貼り付けられます。**

**Memo > 文字の途中に貼り付ける**

セルに入力されているデータの途中にコピーしたデータを貼り付けるには、セルをダブルクリックします。データを貼り付ける場所にカーソルを移動してから貼り付けます。

**1 データを貼り付ける位置にカーソルを移動して、**

**2 貼り付けたいデータをクリックします。**

# 第 4 章

# 計算式や関数を使って計算する

　この章では、計算式の作り方を紹介します。セルのデータを参照するときの書き方、四則演算、関数を使った計算の仕方などを覚えましょう。

　目標は、表のセルのデータを使って簡単な計算式を作れるようになることと、計算式をコピーして使えるようになることです。

# 30 計算式って何?

練習用ファイル：なし

**ここで学ぶのは**

▶ 計算式
▶ データの参照
▶ 関数

この章では、いよいよExcelで計算式や関数を使った式を入力して目的のデータを得る方法を紹介します。

計算式というと数値を扱うように思うかもしれませんが、Excelでは、文字や日付のデータを基に目的のデータを得たりもできます。

## 1 計算式を作る

### 計算式の入力

計算式は、必ず「＝」の記号から入力し始めます。計算結果はセルに表示されます。計算式の内容を確認するには、計算式が入っているセルを選択して、数式バーを見ます。

計算式の内容

計算式は、「＝」の記号から入力します。

計算式によってセルA1とセルA2のデータを足した結果が表示されます。

### 参照元のセル

一般的に計算式は、データが入っているセルを参照する形で作ります。参照元のセルのデータが変わると、計算結果も自動的に変わります。

セルA3には、セルA1とA2セルを足した結果を表示する計算式が入力されています。

計算元のセルのデータを変更すると、計算結果も自動的に変わります。

## Memo 計算式について

計算式というと、一般的には数値の計算をするものですが、Excelでは、文字や日付データを扱って目的の文字や日付を求める計算式もあります。また、他のセルの値を参照して、その値を表示する計算式もあります。計算式は、「=」の記号から入力します。

## Memo 四則演算

足し算、引き算、掛け算、割り算などの四則演算の計算式を入力するには、「+」「-」「*」「/」などの算術演算子を使います（P.100）。

## Memo データの参照

他のセルのデータを参照して同じデータを表示するには、セルを参照する計算式を入力します。参照元のセルのデータが変更されると、参照先のセルのデータも変わります。

## Key word 関数

Excelでは、計算の目的に応じて使う関数という公式のようなものが数百種類用意されています。関数には、数値や日付、文字のデータを基に目的のデータを得るもの、条件に一致する場合とそうでない場合とで別々の操作をするもの、別表から該当するデータを探してそのデータを表示するものなど、さまざまなものがあります。

四則演算

四則演算の計算式を作れます。

データの参照

他のセルのデータを参照して表示できます。

関数

関数を使うと、目的別のさまざまな計算ができます。

# 31 他のセルのデータを参照して表示する

練習用ファイル：なし

**ここで学ぶのは**

▶ 計算式

▶ データの参照

▶ 数式バー

他のセルのデータを参照してそのセルと同じデータを表示するには、セルを参照する計算式を入力します。

参照元のセルのデータが変更された場合は、計算式を入力しているセルに表示されるデータも自動的に変わります。

4

計算式や関数を使って計算する

## 1 セルのデータを参照する

**解説** セルのデータを参照する

セルを参照する計算式を入力します。計算式を入力するには、まず、「=」の記号を入力します。次に、参照元のセルをクリックします。すると、「=C3」などの計算式が入力されます。

計算式を削除するには、計算式が入力されているセルをクリックし、Delete キーを押します。

**Memo** 計算式の内容を見る

計算式を入力すると、セルには、計算結果が表示されます。計算式の内容を表示するには、計算式を入力したセルをクリックします。数式バーを見ると、計算式の内容が表示されます。

**Hint** 他のシートのセルを参照する

他のシートのセルのデータを参照するには、「=」を入力した後、他のシートのシート見出しをクリックしてシートを切り替え、セルをクリックします。すると、「=シート名！セル番地」のような計算式が入力されます。Enter キーを押すと、計算式が確定します。

**1** セルC3に文字データを入力しておきます。

**2** 計算式を入力するセルをクリックし、

**3** 「=」を入力して、

**4** 参照元のセルをクリックします。

**5** クリックしたセルのセル番地が入力されます。

**6** Enter キーを押します。

**7** 計算式を入力したセルに、セルC3のデータが表示されます。

## 2 参照元のデータを変更する

### 解説 参照元のデータを変更する

前のページでは、セルを参照する計算式を入力しましたが、ここでは、参照元のセルのデータを変更してみましょう。データを変更すると、そのセルを参照しているセルに表示される内容もすぐに変わります。

**1** 参照元のセルをクリックします。

セルA2はセルC3のデータを参照しています。

**2** データを上書きして修正します。

**3** Enter キーを押します。

### Hint 参照元セルを変更する

計算式が入力されているセルをダブルクリックすると、計算元のセルに枠が付きます。外枠部分にマウスポインターを移動して、外枠をドラッグすると参照元セルを変更できます。

**1** 計算式が入力されているセルをダブルクリックします。

**2** 外枠をドラッグして参照元セルを変更できます。

**4** セルを参照する式を入力している側の表示も自動的に変わります。

計算式が入力されているセルをクリックすると、計算式の内容を確認できます。

## Section 32

# 四則演算の計算式を入力する

練習用ファイル：なし

### ここで学ぶのは

▶ 計算式の入力
▶ 演算子の優先順位
▶ 比較演算子

足し算、引き算、掛け算、割り算など四則演算の基本的な計算式を入力してみましょう。

四則演算の計算式を入力するには、算術演算子を使います。また、比較演算子についても知っておきましょう。

## 1 四則演算の計算式を作る

解説　**四則演算の計算式を入力する**

セルC1に計算式を入力し、セルA1とセルB1のデータを足した結果を表示します。同様にセルC2に、セルA2からセルB2のデータを引いた結果を表示します。セルC3には、セルA3とセルA3のデータを掛けた結果を表示します。セルC4には、セルA4のデータをセルB4のデータで割った結果を表示します。

Memo　**算術演算子**

Excelで足し算、引き算、掛け算、割り算をするには、次のような算術演算子の記号を使います。

| 記号 | 内容 |
|------|------|
| + | 足し算 |
| - | 引き算 |
| * | 掛け算 |
| / | 割り算 |

**1** セル範囲A1:B4に数値を入力します。

| | A | B | C | D | E |
|---|---|---|---|---|---|
| 1 | 10 | 5 | = | | |
| 2 | 10 | 5 | | | |
| 3 | 10 | 5 | | | |
| 4 | 10 | 5 | | | |
| 5 | | | | | |
| 6 | | | | | |
| 7 | | | | | |

**2** 計算式を入力するセルをクリックし、

**3** 「=」を入力します。

| | A | B | C | D | E |
|---|---|---|---|---|---|
| 1 | 10 | 5 | =A1 | | |
| 2 | 10 | 5 | | | |
| 3 | 10 | 5 | | | |
| 4 | 10 | 5 | | | |
| 5 | | | | | |
| 6 | | | | | |
| 7 | | | | | |

**4** セルA1をクリックすると、

**5** クリックしたセルのセル番地が入力されます。

| | A | B | C | D | E |
|---|---|---|---|---|---|
| 1 | 10 | 5 | =A1+B1 | | |
| 2 | 10 | 5 | | | |
| 3 | 10 | 5 | | | |
| 4 | 10 | 5 | | | |
| 5 | | | | | |
| 6 | | | | | |
| 7 | | | | | |

**6** 続けて「+」を入力し、

**7** セルB1をクリックして、

**8** Enter キーを押します。

## Hint 数値を使った計算

計算式を作るときは、一般的に「=A1+A2」のように計算するデータが入っているセルを参照しますが、数値を直接指定して「=2+3」のように作ることもできます。ただし、数値を直接指定した場合は、計算するデータを変更するには、計算式を書き換える必要があります。

## Hint べき乗の計算

2の4乗などのべき乗の計算をするには、「^」の記号を使います。たとえば、「=A1^A2」のように入力します。

計算式「=A1^A2」を入力

**9** 計算式が入力され、計算結果が表示されます。

計算式「=A1+B1」が入力されています。

**10** 同様の方法で、その他の計算式を入力します。

計算式「=A2-B2」を入力
計算式「=A3*B3」を入力
計算式「=A4/B4」を入力

**11** 計算元のセルのデータを書き換えると、

**12** 計算結果が自動的に変わります。

## Hint 計算式を修正する

計算式が入力されているセルをダブルクリックすると、計算式で参照しているセルに色の枠が付きます。色の外枠にマウスポインターを移動してドラッグすると、参照元のセルを変更できます。また、計算式が入力されているセルをクリックし、数式バーをクリックしても同様に操作できます。

**1** ダブルクリックします。

**2** 色付きの外枠をドラッグします。

**3** 参照元を変更できます。

## 2 算術演算子の優先順位を知る

### 解説 算術演算子の優先順位

複数のセルを使って計算をするとき、同じ演算子を使う場合は左から右に順番に計算されます。しかし、違う演算子を使う場合は、演算子の優先順位に注意します。演算子の優先順位は算数と同じで、「*（掛け算）」「/（割り算）」は、「+（足し算）」「-（引き算）」より優先されます。「=A4+B4*C4」の計算式で、足し算を優先したい場合は「=(A4+B4)*C4」のように()で囲みます。

### Hint 参照元セルの表示

計算式が参照しているセルを表示するには、計算式が入力されているセルをクリックし、[数式]タブ→[参照元のトレース]をクリックします。すると、参照元セルがわかるように矢印が表示されます。矢印を消すには、[トレース矢印の削除]をクリックします。

1日目の来場者数と2日目の来場者数を足して、入場料を掛けた金額を表示します。

**1** 表の見出しや数値を入力します。

**2** セルD4をクリックして、「=」と「(」を入力し、

**3** セルA4をクリックします。

**4** 続けて「+」を入力し、

**5** セルB4をクリックします。

**6** 続けて「)」と「*」を入力し、

**7** セルC4をクリックして、

**8** Enter キーを押します。

**9** 計算結果が表示されます。

# 3 比較演算子を使う

## 解説 大きさを比較する

データの大きさを比較するには、比較演算子を使います。比較演算子では「TRUE（合っている）」「FALSE（合っていない）」のいずれかの答えが返ります。これらの答えは、指定した条件に合うかどうかで操作を分ける計算式などで使います（P.126）。
使用できる比較演算子は下のMemoを参照してください。

## Hint 指数表記と有効桁数

Excelでは、12桁以上の数値を入力すると、「○×10の○乗」のような指数表記になります。たとえば、「123456789012」は、「1.23457×10の11乗」となって「1.23457E+11」のように表示されます。指数表記を通常の表示に戻したい場合は、数値の表示形式を［数値］にします（P.149）。なお、Excelでは、計算対象の数値として扱える有効桁数は15桁までです。

**セルA1のデータがセルA2のデータ以下かどうかを判定します。**

**1** セル範囲A1:A2に数値を入力しておきます。

**2** 計算式を入力するセルをクリックして、「=」を入力し、

**3** セルA1をクリックします。

**4** 続けて「<=」を入力し、

**5** セルA2をクリックして、

**6** Enter キーを押します。

**7** 判定結果が表示されます。

## Memo 比較演算子

比較演算子には、右の表のようなものがあります。

| 比較演算子 | 内容 | 指定例 | 意味 |
|---|---|---|---|
| = | 等しい | =A1=A2 | セルA1のデータとセルA2のデータが同じ場合は「TRUE」、そうでない場合は「FALSE」を返す |
| <> | 等しくない | =A1<>A2 | セルA1のデータとセルA2のデータが違う場合は「TRUE」、そうでない場合は「FALSE」を返す |
| > | より大きい | =A1>A2 | セルA1のデータがセルA2のデータより大きい場合は「TRUE」、そうでない場合は「FALSE」を返す |
| >= | 以上 | =A1>=A2 | セルA1のデータがセルA2のデータ以上の場合は「TRUE」、そうでない場合は「FALSE」を返す |
| < | より小さい | =A1<A2 | セルA1のデータがセルA2のデータより小さい場合は「TRUE」、そうでない場合は「FALSE」を返す |
| <= | 以下 | =A1<=A2 | セルA1のデータがセルA2のデータ以下の場合は「TRUE」、そうでない場合は「FALSE」を返す |

# Section 33 計算結果がエラーになった！

練習用ファイル： 33_会議室レンタル料計算.xlsx

正しい計算式を入力していない場合や、計算式の参照元のセルに計算に必要なデータが見つからない場合などは、エラーになります。

ここでは、エラーの種類について紹介します。また、エラーを修正する方法も知っておきましょう。

## ここで学ぶのは

- エラー値
- エラーの種類
- エラーチェックルール

## 1 エラーとは？

Excelでは、さまざまなエラーを自動的にチェックしています。エラーが疑われるとエラーの可能性を示す緑色のエラーインジケーターが表示されます。エラーを確認して必要に応じて修正します。どのようなエラーをチェックするかは、下のHintを参照してください。

| 3 | レンタル料 | 50000 |
|---|---|---|
| 4 | 人数 | 10 |
| 5 | 参加費 | #DIV/0! |
| 6 | | |
| 7 | 連絡先 | |
| 8 | 郵便番号 | 0300846 |
| 9 | 住所 | 青森県青森市青葉X-X-X |

エラーの可能性があるセルには、緑の印が表示されます。

### Hint エラーチェックルール

どのようなエラーをチェックするかは、[Excelのオプション]ダイアログ（P.42）で指定できます。[数式]をクリックし、[エラーチェックルール]で確認しましょう。

エラーチェックルール

| エラーの種類 | 内容 |
|---|---|
| エラー結果となる数式を含むセル | 計算結果にエラー値が表示されたセルなどに表示される |
| テーブル内の矛盾した集計列の数式 | テーブルの列に計算式を入力した場合、他の計算式のパターンと違う計算式が入力されたセルなどに表示される |
| 2桁の年が含まれるセル | 文字列として入力した日付の年が2桁のセルなどに表示される |
| 文字列形式の数値、またはアポストロフィで始まる数値 | 文字列として入力した数字が含まれるセルなどに表示される |
| 領域内の他の数式と矛盾する数式 | 横方向や縦方向に同じパターンの計算式が入力されているとき、隣接するセルの計算式とは違うパターンの計算式が入力されたセルなどに表示される |
| 領域内のセルを除いた数式 | 合計を表示する計算式などで、明細データが入力されていると思われるセル範囲が計算対象になっていない場合などに表示される |
| 数式を含むロックされていないセル | 計算式が入力されているセルにもかかわらず、セルのロックが外れているセルなどに表示される |
| 空白セルを参照する数式 | 空白セルを参照した計算式が入力されたセルなどに表示される |
| テーブルに入力されたデータが無効 | テーブルの列に入力されている内容と矛盾する入力規則などが設定されているセルなどに表示される |
| 誤解を招く数値の書式 | セルを参照する計算式などに、参照元のセルとは違う表示形式が設定されているなど誤解を招く可能性があるセルなどに表示される |

# 2 エラー値について

## 解説 エラーの内容を確認する

[エラーのトレース] をクリックしてエラーの内容を確認します。ここでは、セルB3のレンタル料をセルB4の人数で割るはずの計算式が、セルC4（空白のセル）で割り算する計算式になっているためエラーになっています。

**セルB5には数式「=B3/C4」が入力されています。**

**1** エラーインジケーターが表示されているセルをクリックします。

**2** [エラーのトレース] にマウスポインターを移動するとヒントが表示されます。

**3** [エラーのトレース] をクリックします。

**4** エラーの内容を確認します。

---

## Memo エラーとして表示される値

エラーとして表示される値には、右の表のような種類があります。

● エラー値

| エラー値 | 内容 |
|---|---|
| #DIV/0! | 0で割り算したり、空白セルを参照して割り算したりすると表示される |
| #N/A | 参照元セルが計算の対象として使えない場合などに表示される |
| #NAME? | 関数の名前が間違っている場合などに表示される |
| #NULL! | 参照元のセルやセル範囲の指定が間違っている場合などに表示される |
| #NUM! | 関数などで答えが見つからない場合などに表示される |
| #REF! | 参照元セルを削除してしまって計算ができない場合などに表示される |
| #VALUE! | 計算対象のデータが参照元セルに入力されていない場合などに表示される |

# 3 エラーを修正する

## 解説 エラーを修正する

［エラーのトレース］アイコンをクリックしてエラーを修正しましょう。ここでは、セルB3のレンタル料をセルC4ではなくセルB4の人数で正しく割り算するようにしましょう。数式バーで修正します。

## Memo ［エラーのトレース］で修正する

エラーの内容によっては、［エラーのトレース］をクリックすると、エラーを修正する項目が表示されます。その場合、エラーを修正する項目を選択すると、エラーが修正されます。

## Hint 循環参照エラー

計算式を入力しているセル自体を参照して計算式を作ると、循環参照エラーが表示されます。循環参照エラーが表示されたら、［数式］タブ→［エラーチェック］の［▼］→［循環参照］からエラーの原因のセルをクリックして計算式を修正しましょう。

> このエラーを修正してエラーを消します。

**1** エラーが表示されているセルをクリックします。

**2** ［エラーのトレース］をクリックし、

**3** ［数式バーで編集］をクリックします。

**4** 数式バーにカーソルが表示されます。

**5** 計算式を修正して、

**6** Enter キーを押します。

**7** エラーが修正されます。

## 解説 エラーを無視する

数字を数値としてではなく文字のデータとして入力している場合は、エラーインジケーターが表示されます。ここでは、郵便番号として0から始まる数字を入力するため、数字を文字として入力しています（P.51）。エラーの可能性がない場合は、エラーを無視すると、エラーインジケーターが消えます。

**このエラーを無視してエラーの印を消します。**

| | A | B | C | D | E |
|---|---|---|---|---|---|
| 1 | 会議室レンタル料計算 | | | | |
| 2 | | | | | |
| 3 | レンタル料 | 50000 | | | |
| 4 | 人数 | 10 | | | |
| 5 | 参加費 | 5000 | | | |
| 6 | | | | | |
| 7 | 連絡先 | | | | |
| 8 | 郵便番号 | 0300846 | | | |
| 9 | 住所 | 青森県青森市青葉X-X-X | | | |

**1** エラーが表示されているセルをクリックします。

**2** [エラーのトレース] をクリックして、

| | A | B | C | D | E |
|---|---|---|---|---|---|
| 1 | 会議室レンタル料計算 | | | | |
| 2 | | | | | |
| 3 | レンタル料 | 50000 | | | |
| 4 | 人数 | 10 | | | |
| 5 | 参加費 | 5000 | | | |
| 6 | | | | | |
| 7 | 連絡先 | | | | |
| 8 | 郵便番 ! ▾ | 0300846 | | | |
| 9 | 住所 | 数値が文字列として保存されています | | | |
| 10 | | 数値に変換する(C) | | | |
| 11 | | このエラーに関するヘルプ | | | |
| 12 | | エラーを無視する | | | |
| 13 | | 数式バーで編集(F) | | | |
| 14 | | エラー チェック オプション(O)... | | | |
| 15 | | | | | |

**3** [エラーを無視する] をクリックします。

## Hint エラーを再表示する

エラーを無視してエラーインジケーターを消した後、再度、エラーインジケーターを表示するには、[Excelのオプション] ダイアログ（P.42）を表示し、[数式] を選択して [エラーチェック] の [無視したエラーのリセット] をクリックします。

| | A | B | C | D | E |
|---|---|---|---|---|---|
| 1 | 会議室レンタル料計算 | | | | |
| 2 | | | | | |
| 3 | レンタル料 | 50000 | | | |
| 4 | 人数 | 10 | | | |
| 5 | 参加費 | 0 | | | |
| 6 | | | | | |
| 7 | 連絡先 | | | | |
| 8 | 郵便番号 | 0300846 | | | |
| 9 | 住所 | 青森県青森市青葉X-X-X | | | |

**4** エラーが無視され、エラーの印が消えます。

# 34 計算式をコピーする

練習用ファイル： 34_Book1.xlsx

### ここで学ぶのは

▶ 計算式のコピー

▶ フィルハンドル

▶ 相対参照

同じ行や列に似たような計算式を作るときは、計算式をコピーして作ると効率よく入力できます。

計算式をコピーすると、計算式で参照しているセルの位置も自動的に変わります。その様子を確認しながら入力しましょう。

## 1 計算式をコピーする

### 解説　計算式をコピーする

セルC1に「=A1+B1」の計算式を入力して下方向にコピーします。計算式が入力されているセルをクリックし、フィルハンドルをコピーしたい方向に向かってドラッグします。

### 時短のコツ　ダブルクリックでコピーする

計算式を下方向にコピーするとき、フィルハンドルをダブルクリックすると、隣接するセルにデータが入力されている最終行まで一気に計算式をコピーできます。

**1** フィルハンドルをダブルクリック

**2** 計算式が一気にコピーされる

セルC1に入力した計算式をセル範囲C2:C5にコピーします。

**1** セルC1をクリックし、

**2** セルA1とセルB1のデータを足し算する計算式を入力して、

**3** Enter キーを押します。

**4** 計算式を入力したセルをクリックし、

**5** フィルハンドルをドラッグします。

**6** 計算式がコピーされます。

## 2 コピーした計算式を確認する

**解説** 計算式を確認する

セルC1に入力した計算式は、セルA1とセルB1のデータを足し算するものです。その下のセルC2の計算式は、セルC1の計算式をコピーしたものですが、セルA2とセルB2のデータを足し算するものに自動的に変更されています。このように、計算式をコピーすると、コピー先に合わせて参照元のセルの場所がずれます。こうして、正しい結果が表示されるしくみになっています。

**Key word** 相対参照

セルの参照方法には、相対参照、絶対参照（P.111）、複合参照（P.113）があります。相対参照とは、セルを参照するときに「A1」などのようにセル番地だけを指定する方法です。相対参照で指定されたセルは、計算式をコピーすると、コピー先に応じて自動的にセルの位置がずれるようになっています。

セル範囲C2:C5にコピーした計算式の内容を確認します。

**1** セルC1をクリックし、 **2** 元の計算式の内容を確認します。

**3** 続いてセルC2をクリックし、 **4** コピーした計算式の内容を確認します。

**5** セルC3、セルC4、セルC5を順番にクリックして計算式の内容を確認します。

# 計算式をコピーしたらエラーになった！

練習用ファイル： 35_映画館来場者数.xlsx

## ここで学ぶのは

▶ エラー値

▶ 相対参照

▶ 絶対参照

前のセクションで紹介したように、計算式をコピーすると参照元のセルの位置がずれることで、正しい計算結果が表示されます。

ただし、中には、参照元のセルの位置がずれると困るケースもあります。ここでは、その対処方法を知りましょう。

4

計算式や関数を使って計算する

## 1 エラーになるケースとは？

**解説** コピーした計算式がエラーになるケース

ここでは、セルに入力した計算式を下方向にコピーします。セルC4には、小学生の来場者数の割合を表示するために小学生の人数を全体の人数で割り算する計算式を入力します。この計算式を下方向にコピーして、中学生と大人の比率も求めようとすると、エラーになります。

**1** 計算式を入力して、

**2** Enter キーを押します。

**3** 計算式を入力したセルをクリックし、

**4** フィルハンドルをドラッグします。

**Memo** エラーの原因

コピーした計算式のエラーの原因を確認しましょう。原因は、中学生、大人の来場者数それぞれを、全体の人数のセルで割り算したいのに、全体の人数を参照するセルがずれてしまっているためです。たとえば、セルC5の計算式を見ると、本来は「=B5/B7」としたいのに、「=B5/B8」になっています。空欄のセルB8のデータで割り算しているためエラーが表示されます。

**5** エラーが表示されます。

計算式をコピーするとエラーになることがあります。
エラーの原因を知りましょう。

## 2 セルの参照方法を変更する

### 解説 参照方法を変更する

計算式をコピーしても、参照元のセルの位置をずらさないようにするには、セルの参照方法を絶対参照にします。ここでは、セルC4に、小学生の人数を全体の人数で割り算する計算式「=B4/B7」を入力しています。この計算式を下方向にコピーしても、常にセルB7のデータで割られるようにセルB7の参照方法を変更します。

### Memo セルB4は？

小学生の人数を参照しているセルB4は、計算式をコピーしたときに中学生の人数、大人の人数が参照されるように（参照元のセルの位置がずれるように）します。そのため、参照方法は変更せずに相対参照（P.109）のままにします。

### Key word 絶対参照

セルの参照方法には、相対参照（P.109）、絶対参照、複合参照があります。絶対参照は、セルを参照するときに「$A$1」などのようにセル番地の列と行の前に「$」を付けて指定する方法です。絶対参照で指定されたセルは、計算式を縦方向や横方向にコピーしてもセル番地がずれません。

前ページの操作に続けて、セルC4の計算式を修正して、計算式をコピーしてもエラーにならないようにします。

**1** 間違った計算式が入力されているセルの計算式を消します。

**2** コピー元の計算式が入力されているセルをダブルクリックします。

**3** 参照方法を変更するセル番地の文字「B7」をクリックします。

**4** F4 キーを押します。

**5** 「$B$7」と表示されます。

**6** Enter キーを押します。

**7** 計算式が修正されました。

$B$7と指定すると、計算式をコピーしても常にセルB7のデータを参照するようになります。

# 3 計算式をコピーする

## 解説 計算式をコピーする

前のページで、計算式をコピーしてもセル
B7は参照元がずれないようにセルの参照方
法を変更しました。変更した計算式を下方
向にコピーします。コピーした計算式の内容
を確認しましょう。常にセルB7のデータで割
る式になっています。

## Hint パーセント表示

数値をパーセント表示にする方法は、P.151
で紹介します。

前ページの操作に続けて、計算式をコピーして
正しい結果になるか確認します。

**1** セルC4をクリックし、

**2** フィルハンドルをドラッグ
します。

**3** 計算式がコピーされます。

**4** セルC5をクリックして、

**5** 計算式の内容を確認します。

## 使えるプロ技！ 複合参照

複合参照とは、セルを参照するときに「$A1」「A$1」などのようにセル番地の列または行のいずれかの前に「$」を付けて指定する方法です。

複合参照は、計算式を横方向と縦方向の両方にコピーする場合などに知っておくと便利な参照方法です。使う頻度はあまり高くないので、一度にすべて理解する必要はありません。ここでは、こういう参照方法もあるのか、という程度に知っておきましょう。

下の例は、セル B4 に入力した計算式をコピーして、ギフト券の購入代金（価格×枚数）金額一覧を表示します。

● 複合参照の指定方法

| 意味 | 参照方法 | 内容 |
|---|---|---|
| 列のみ固定 | $A1 | 列番号の前だけに「$」を付けます。この場合、計算式を横方向にコピーしても、参照元セルの列の位置がずれません |
| 行のみ固定 | A$1 | 行番号の前だけに「$」を付けます。この場合、計算式を下方向にコピーしても、参照元セルの行の位置がずれません |

## 失敗例

**1 計算式を横方向にコピーします。**

=A4*B3

ギフト券の購入金額を計算します。セル B4 には、100 円のカードを 1 枚購入するときの料金を表示します。セル A4 の価格とセル B3 の枚数を掛けた金額を計算します。

**2 計算式を縦方向にコピーします。**

=B4*C3　　=C4*D3

価格のセルは、セル A4 を参照したいのにセル番地がずれてしまい正しい結果になりません。
たとえば、セル D4 は、100 円のギフト券が 3 枚でいくらかを表示したいのに、答えが「600」になってしまっています。

=B4*C3　　=C6*D5

価格のセルは A 列、枚数のセルは 3 行目を参照したいのにセル番地がずれてしまい正しい結果になりません。なお、「4E+06」などの表示は、数値が指数表記で表示されたものです（P.103）。

## 成功例

**1 計算式を横方向にコピーします。**

=$A4*B$3

価格を参照するときは、参照元のセルの A 列の位置がずれないように列のみ固定します。枚数を参照するときは、参照元の 3 行目の位置がずれないように行のみ固定します。

**2 計算式を縦方向にコピーします。**

=$A4*C$3　　=$A4*D$3

価格のセルの参照元は常に A 列と固定されているので正しい結果が表示されます。

=$A5*C$3　　=$A6*D$3

価格のセルの参照元は常に A 列、枚数のセルの参照元は常に 3 行目を参照するよう固定されているので正しい結果が表示されます。

# 36 関数って何？

練習用ファイル：なし

**ここで学ぶのは**

▶ 関数の入力方法

▶ 関数の書式

▶ 引数

関数を使うと、指定したセルの合計を表示したり漢字のふりがなを表示したりするなど、難しそうな計算も簡単に行えます。

関数の書き方は関数の種類によって違いますので、すべて覚える必要はありません。必要なときにヘルプや関数の解説書などを利用しましょう。

## 1 関数とは？

関数とは、計算の目的に応じて使う公式のようなものです。Excelには、数百種類もの関数が用意されています。単純な計算だけでなく、条件に一致する場合とそうでない場合とで別々の操作をするもの（P.126）、別表から該当するデータを探してそのデータを表示するものなど（P.128）、さまざまなタイプのものがあります。

**合 計**

| | A | B | C | D | E | F |
|---|---|---|---|---|---|---|
| 1 | オンラインショップ売上集計表 | | | | | |
| 2 | | | | | | |
| 3 | | 1月 | 2月 | 3月 | 合計 | |
| 4 | キッチン家電 | 258560 | 298650 | 312560 | 869770 | |
| 5 | キッチン用品 | 326540 | 315230 | 325820 | 967590 | |
| 6 | 生活雑貨 | 189530 | 179850 | 179560 | 548940 | |
| 7 | 合計 | 774630 | 793730 | 817940 | 2386300 | |

合計を表示するには、SUM関数を使います。

**ふりがな**

| | A | B | C | D |
|---|---|---|---|---|
| 1 | 連絡先リスト | | | |
| 2 | | | | |
| 3 | 氏名 | フリガナ | 登録日 | |
| 4 | 太田　大輔 | オオタ　ダイスケ | 2018/5/8 | |
| 5 | 渋谷　優佳 | シブヤ　ユウカ | 2018/7/15 | |
| 6 | 中島　遼太郎 | ナカジマ　リョウタロウ | 2019/1/10 | |
| 7 | 上野　美里 | ウエノ　ミサト | 2019/7/2 | |

漢字のふりがなを表示するには、PHONETIC関数を使います。

**条件分岐**

| | A | B | C | D | E | F | G | H | I | J | K |
|---|---|---|---|---|---|---|---|---|---|---|---|
| 1 | 来場者数一覧（上期） | | | | | | | | | | |
| 2 | | | | | | | | | | | |
| 3 | | 目標 | 4月 | 5月 | 6月 | 7月 | 8月 | 9月 | 合計 | 達成 | |
| 4 | BBQパーク | 450 | 62 | 89 | 68 | 98 | 120 | 59 | 496 | ○ | |
| 5 | アウトドアガーデン | 600 | 80 | 105 | 78 | 115 | 138 | 76 | 592 | × | |
| 6 | 海風キャンプ場 | 450 | 72 | 95 | 70 | 103 | 129 | 68 | 537 | ○ | |
| 7 | みなと公園 | 500 | 52 | 78 | 70 | 88 | 108 | 80 | 476 | × | |
| 8 | 川の公園 | 400 | 64 | 70 | 61 | 80 | 90 | 88 | 453 | ○ | |

合計のデータが目標以上なら「○」、そうでない場合は「×」を表示するには、IF関数を使います。

関数を使って計算式を作るときは、計算に必要な引数という情報を指定します。

関数によって引数の数や指定方法は違います。

### [ホーム] タブ

[ホーム] タブ → [オートSUM] から入力できます。

---

**Memo　関数の入力方法**

関数を入力する方法は、いくつもあります。たとえば、よく使う関数は、[ホーム] タブから入力できます。また、関数を入力するのを手伝ってくれる [関数の挿入] ダイアログから入力できます。また、[数式] タブのボタンからも入力できます。

---

### [関数の挿入] ダイアログ

[関数の挿入] ダイアログで入力できます。

---

**Memo　関数の書式**

関数を入力するときは、「＝」の後に関数名を入力して()で囲って引数を指定します。

＝関数名 (引数)

---

### [数式] タブ

[数式] タブからも入力できます。

# 37 合計を表示する

練習用ファイル：📁 37_オンラインショップ売上表.xlsx 　📁 37_来場者数一覧.xlsx

ここで学ぶのは

▶ SUM 関数
▶ 合計を求める
▶ ステータスバー

合計を求めて表示するSUM関数は、[ホーム]タブ→[オートSUM]から簡単に入力できます。

SUM関数の引数には、合計をするセルやセル範囲を指定します。セルやセル範囲は、ドラッグ操作で簡単に指定できます。

4

計算式や関数を使って計算する

## 1 合計を表示する

### 💬 解説 合計を表示する

[ホーム]タブ→[オートSUM]をクリックすると、SUM関数が入力され、合計を求めるセル範囲に色枠が付きます。ここでは、「=SUM(B4:B6)」の計算式が入力されます。これは、セル範囲B4:B6の合計を表示するというものです。

合計を求めるセル範囲が認識されない場合や、セル範囲が意図と違う場合は、[Enter]キーを押す前に、合計を求めるセル範囲を直接ドラッグして選択し直します。

### ✍️ Memo 計算式をコピーする

関数を使って作った計算式もコピーすることもできます。たとえば、右図の操作で入力した計算式をコピーするには、次のように、フィルハンドルをドラッグします。

1 計算式を入力するセルをクリックし、

2 [ホーム]タブ→[オートSUM]をクリックします。

3 SUM関数が入力されます。

4 [Enter]キーを押します。

合計を求めるセル範囲に色枠が付きます。

5 1月の売上合計が表示されます。

116

### 解説 まとめて計算する

縦横の合計を表示するときは、合計を求めるセル範囲と合計を表示するセルを選択してから[ホーム]タブ→[オートSUM]をクリックします。すると、縦横の合計が一気に表示されます。

**1** 「合計を求めるセル範囲」と「計算結果を表示するセル」を含むセル範囲を選択します。

**2** [ホーム]タブ→[オートSUM]をクリックします。

### Hint 計算式を入力せずに結果を表示する

セルやセル範囲を選択すると、選択したセル範囲のデータの合計や平均、データの数などが画面下部のステータスバーに表示されます。計算式を入力しなくてもそれらの計算結果を確認できます。また、ステータスバーにどんな内容を表示するかは、右クリックして表示されるメニューで指定できます。

**3** 縦横の合計が表示されます。

4

計算式や関数を使って計算する

● SUM関数の書式

| 書式 | =SUM(セル範囲) | |
|------|------|------|
| 引数 | セル範囲 | 合計を求めるセル範囲を入力します。 |
| 説明 | SUM関数では、引数に合計を求めるセル範囲を入力します。たとえば、セル範囲A1:A5の合計を求める場合は、「=SUM(A1:A5)」と入力します。セル範囲は「,」(カンマ)で区切って複数指定できます。たとえば、セルA1とセルA3の合計を求めるには、「=SUM(A1,A3)」と入力します。 | |

# ❸ 複数のセルの合計を表示する

💬 **解説** | **複数のセルの合計を計算する**

合計を求めるセル範囲は、複数指定することもできます。ここでは、セルE4とセルI4のデータの合計を表示します。セルJ4を選択して[ホーム]タブ→[オートSUM]をクリックすると、「=SUM(I4,E4)」の計算式が入力されます。これは、セルI4とセルE4のデータの合計を表示するものです。

上期合計に、4月〜6月の合計と7月〜9月の合計を足した結果を表示します。

4月〜6月の合計　　　7月〜9月の合計

**1** 計算式を入力するセルをクリックし、

**2** [ホーム]タブ→[オートSUM]をクリックします。

**4**

計算式や関数を使って計算する

💡 **Hint** | **横か縦だけ合計する**

横の合計、または縦の合計をまとめて計算するときは、合計を表示するセル範囲を選択して操作します。たとえば、ここで紹介した表の場合、上期合計を表示する範囲を選択して[ホーム]タブ→[オートSUM]をクリックします。

**1** 合計を表示するセル範囲を選択します。
**2** クリックします。

**3** SUM関数が入力されます。

合計を求めるセル範囲に色枠が付きます。

**4** [Enter]キーを押します。

**5** 2つの合計を足した結果が表示されます。

| | A | B | C | D | E | F | G | H | I | J | K | L |
|---|---|---|---|---|---|---|---|---|---|---|---|---|
| 1 | 来場者数一覧（上期） | | | | | | | | | | | |
| 2 | | | | | | | | | | | | |
| 3 | | 4月 | 5月 | 6月 | Q1 | 7月 | 8月 | 9月 | Q2 | 上期合計 | | |
| 4 | BBQパーク | 62 | 89 | 68 | 219 | 98 | 120 | 59 | 277 | 496 | | |
| 5 | アウトドアガーデン | 80 | 105 | 78 | 263 | 115 | 138 | 76 | 329 | | | |
| 6 | 海風キャンプ場 | 72 | 95 | 70 | 237 | 103 | 129 | 68 | 300 | | | |
| 7 | | | | | | | | | | | | |

# 4 関数の計算式を修正する

## 解説 引数を修正する

合計を求めるセル範囲を変更して、4月〜6月、7月〜9月のデータの合計を表示します。関数が入力されているセルをダブルクリックすると、引数に指定されているセルに色枠が付きます。色枠の外枠部分をドラッグするとセルをずらせます。四隅のハンドルをドラッグすると、セル範囲を広げたり縮めたりできます。ここでは、前のページにあった4月〜6月の合計が表示されているE列と、7月〜9月の合計が表示されているI列の計算式を消した場合を想定して、計算式を修正します。

前ページに続けて、SUM関数の計算式を修正して、各月のデータを個別に足した結果が表示されるようにします。

**1** 関数が入力されているセルをダブルクリックします。

**2** 合計を求めるセル範囲に色枠が付きます。

**3** セルE4に表示されている枠にマウスポインターを移動し、セルB4へドラッグします。

**4** 枠の右下隅にマウスポインターを移動して、ドラッグしてセルD4まで枠を広げます。

**5** 同様に、青い色枠の位置と大きさを変更します。

**6** Enter キーを押します。

## Hint セルやセル範囲を選択する

合計を求めたいセル範囲をうまく指定できないときは、指定されているセル範囲を削除します。続いて、合計を求めるセルやセル範囲を選択します。たとえば、セル範囲A1:B1をドラッグ、Ctrl キーを押しながらセルA3、セルB5をクリックすると、「=SUM(A1:B1,A3,B5)」が指定され、セル範囲A1:B1とセルA3、セルB5の合計が表示されます。

**7** 各月のデータを足した結果が表示されます。

# 38 平均を表示する

練習用ファイル: 38_研修プログラム参加者試験結果.xlsx

## ここで学ぶのは

▶ AVERAGE 関数

▶ 平均を求める

▶ 関数のヘルプ

平均を表示するには、平均を求めるセルの合計をセルの数で割り算する方法がありますが、AVERAGE関数を使うともっと簡単に表示できます。

AVERAGE関数の書き方は、SUM関数と同じです。引数には、平均を求めるデータが入っているセル範囲を指定します。

## 1 平均を表示する

### 解説 平均を表示する

平均を表示するにはAVERAGE関数を入力します。[ホーム]タブ→[オートSUM]の[▼]→[平均]をクリックすると、Excelが平均を求めるセル範囲を認識して、そのセル範囲に色枠が付きます。セル範囲が意図と違う場合は、平均を求めるセル範囲を直接ドラッグして選択し直します。

**1** 計算式を入力するセルをクリックし、

**2** [ホーム]タブ→[オートSUM]の[▼]をクリックして、[平均]をクリックします。

**3** AVERAGE関数が入力され、平均を求めるセル範囲が認識されます。

**4** Enterキーを押します。

**5** 学科の平均点が表示されます。

**6** P.108の方法で計算式をコピーして、実践の平均点を表示します。

# 2 平均を一度に表示する

## 解説　まとめて入力する

平均を表示する計算式をまとめて入力します。計算式を入力するセルを選択してから操作します。計算式を入力した後は、計算式の内容が間違っていないか必ず確認しましょう。

## Hint　空白セルと「0」の扱い

AVERAGE関数では、平均を求めるセル範囲に空白セルが含まれる場合、そのセルは平均を求める対象から外れて無視されます。また、平均を求めるセル範囲に「0」が含まれる場合は、「0」は計算対象になるので注意してください。

## Memo　関数のヘルプ

関数の引数の指定方法などを調べるには、関数のヘルプを表示しましょう。入力した計算式からヘルプのページを表示できます。関数が入力されているセルをクリックし、数式バーで関数名をクリックし、表示される関数名をクリックします。

**1** 平均を表示するセルを選択し、

**2** [ホーム]タブ→[オートSUM]の[▼]をクリックして、[平均]をクリックします。

**3** 学科と実践の平均点が一度に表示されます。

● AVERAGE関数の書式

| 書式 | =AVERAGE(セル範囲) | |
|---|---|---|
| 引数 | セル範囲 | 平均を求めるセル範囲を入力します。 |
| 説明 | AVERAGE関数では、引数に平均を求めるセル範囲を入力します。たとえば、セル範囲A1:A5の平均を求める場合は、「=AVERAGE (A1:A5)」と入力します。セル範囲は「,」(カンマ)で区切って複数指定できます。たとえば、セルA1とセルA3の平均を求めるには、「=AVERAGE (A1,A3)」と入力します。 | |

# 39 氏名のふりがなを表示する

練習用ファイル: 📁 39_連絡先リスト.xlsx

**ここで学ぶのは**

▶ PHONETIC 関数

▶ ふりがなの表示

▶ ふりがなの修正

漢字のふりがなの情報を他のセルに表示するには、PHONETIC 関数を使う方法があります。

PHONETIC 関数では、ふりがながカタカナで表示されますが、ひらがななどに変更することもできます。

## 1 漢字のふりがなを表示する

**解説** ▶ **ふりがなを表示する**

PHONETIC 関数を使って漢字のふりがなを表示します。引数には、漢字が入力されているセルを指定します。ここでは、氏名のセルを選択します。

なお、PHONETIC 関数で表示されるのは、Excelに入力したときの漢字の読みです。詳しくは右ページ下のHintも参照してください。

 **ショートカットキー**

● [関数の挿入] ダイアログの表示
関数を入力するセルをクリックし、
[Shift] + [F3]

 **時短の コツ** ▶ **関数を素早く見つける**

[関数の挿入]ダイアログで関数を見つけるときは、[関数名]欄のいずれかの関数をクリックした後、探したい関数名の先頭数文字のキーを押します。すると、探したい関数を素早く見つけられます。

**1** 計算式を入力するセルをクリックし、

**2** 数式バーの [関数の挿入] をクリックします。

| | A | B | C | D |
|---|---|---|---|---|
| 1 | 連絡先リスト | | | |
| 2 | | | | |
| 3 | 氏名 | フリガナ | 登録日 | |
| 4 | 太田　大輔 | | 2018/5/8 | |
| 5 | 渋谷　優佳 | | 2018/7/15 | |
| 6 | 中島　遼太郎 | | 2019/1/10 | |
| 7 | 上野　美里 | | 2019/7/2 | |
| 8 | 原　健斗 | | 2019/8/25 | |
| 9 | 佐々木　彩 | | 2020/1/5 | |
| 10 | 藤田　進太郎 | | 2020/1/18 | |

**3** 関数の分類の [すべて表示] を選択し、

**4** [関数名] から [PHONETIC] を探してクリックします。

**5** [OK] をクリックします。

## Hint ひらがなで表示する

PHONETIC関数で表示したふりがなをひらがなで表示するには、下図の方法で漢字が入力されているセルのふりがなの表示方法を変更します。ポイントは、漢字が入力されているセルに対して設定を変更することです。

1 選択

2 クリック

3 クリック

6 [参照]欄をクリックし、セルA4をクリックします。

7 [OK]をクリックします。

8 氏名のふりがなが表示されます。

9 P.108の方法で、計算式をコピーします。

## Hint ふりがなを修正する

PHONETIC関数を使うと漢字の読みを表示できますが、漢字を入力するときに本来の読みと違う読みで変換した場合は正しい読みが表示されません。また、データを他のアプリからコピーして貼り付けした場合などは、ふりがなの情報がない場合もあります。その場合は、右図の方法でふりがなを編集します。

1 漢字を選択

2 クリック

3 修正

● PHONETIC関数の書式

| 書式 | =PHONETIC( 文字列 ) | |
| --- | --- | --- |
| 引数 | 文字列 | ふりがなを表示する文字列を指定します。 |
| 説明 | PHONETIC関数の引数には、漢字が入力されているセルを指定します。 | |

## Section

# 40

# 数値を四捨五入する

練習用ファイル: 📁 40_お土産お菓子価格表.xlsx

▶ ROUND 関数

▶ ROUNDUP 関数

▶ ROUNDDOWN 関数

計算をした結果、小数点以下の桁数が表示されるような場合、数値を指定した桁数で四捨五入して処理するには、ROUND 関数を使います。

また、数値を指定した桁数で切り捨てて処理するには ROUNDDOWN 関数、切り上げて処理するには ROUNDUP 関数を使います。

## 1 四捨五入した結果を表示する

### 解説 ▶ 四捨五入する

数値を指定した桁数で四捨五入するには、ROUND 関数を使います。ここでは、価格に割引率を掛けた割引額の小数点以下第1位で四捨五入した結果を表示します。

### Memo ▶ 他の方法で小数点以下の桁数を変える

小数点以下のデータが入力されているセルを選択して [ホーム] タブ→ [小数点以下の表示桁数を増やす] 、または [小数点以下の表示桁数を減らす] をクリックすると、小数点以下の桁数を四捨五入して、小数点以下何桁まで表示するか見た目を調整できます。ただし、この方法は、あくまで見た目の調整です。実際のデータは変わりません。そのため、計算結果が間違っているように見えることもあるので注意が必要です。端数のある数値の実際のデータを四捨五入してきっちりと処理するには、ROUND 関数などを使います。

1 計算式を入力するセルをクリックし、

2 数式バーの [関数の挿入] をクリックします。

3 [関数の分類] で [すべて表示] を選択し、

4 [関数名] で [ROUND] を探してクリックします。

5 [OK] をクリックします。

6 [数値] 欄をクリックし、セルD4をクリックします。

7 [桁数] 欄に四捨五入する桁数を入力します。ここでは、「0」を入力します。

8 [OK] をクリックします。

**9** 割引額の小数点以下の端数を四捨五入した結果を表示します。

**10** P.108の方法で、計算式をコピーします。

| | A | B | C | D | E | F |
|---|---|---|---|---|---|---|
| 1 | お土産お菓子価格表 | | | | | |
| 2 | | | | | | |
| 3 | 商品名 | 価格 | 割引率 | 割引額 | 割引額（四捨五入） | |
| 4 | ミニチョコレート | 130 | 8% | 10.4 | 10 | |
| 5 | ミニクッキー | 120 | 8% | 9.6 | 10 | |
| 6 | レモンキャンディ | 100 | 5% | 5 | 5 | |
| 7 | オレンジキャンディ | 90 | 5% | 4.5 | 5 | |
| 8 | | | | | | |
| 9 | | | | | | |
| 10 | | | | | | |

## ● ROUND 関数の書式

| 書式 | =ROUND( 数値 , 桁数 ) | | | |
|---|---|---|---|---|
| | **数値** | 端数を四捨五入する数値を指定します。 | | |
| | **桁数** | 四捨五入した結果の桁数を指定します。以下の表を参照してください。 | | |
| 引数 | 桁数 | 内容 | 入力例 | 結果 |
| | 2 | 小数点以下第3位で四捨五入する | =ROUND(555.555,2) | 555.56 |
| | 1 | 小数点以下第2位で四捨五入する | =ROUND(555.555,1) | 555.6 |
| | 0 | 小数点以下第1位で四捨五入する | =ROUND(555.555,0) | 556 |
| | -1 | 1の位で四捨五入する | =ROUND(555.555,-1) | 560 |
| | -2 | 10の位で四捨五入する | =ROUND(555.555,-2) | 600 |

## ● ROUNDDOWN 関数／ ROUNDUP 関数の書式

| 書式 | =ROUNDDOWN( 数値 , 桁数 )／=ROUNDUP( 数値 , 桁数 ) | | | |
|---|---|---|---|---|
| | **数値** | 端数を切り捨てる(切り上げる) 数値を指定します。 | | |
| | **桁数** | 切り捨てた(切り上げた) 結果の桁数を指定します。以下の表を参照してください。 | | |
| 引数 | 桁数 | 内容 | 入力例 | 結果 |
| | 2 | 小数点以下第3位以下を切り捨て／切り上げ | =ROUNDDOWN(999.999,2) | 999.99 |
| | | | =ROUNDUP(111.111,2) | 111.12 |
| | 1 | 小数点以下第2位以下を切り捨て／切り上げ | =ROUNDDOWN(999.999,1) | 999.9 |
| | | | =ROUNDUP(111.111,1) | 111.2 |
| | 0 | 小数点以下を切り捨て／切り上げ | =ROUNDDOWN(999.999,0) | 999 |
| | | | =ROUNDUP(111.111,0) | 112 |
| | -1 | 1の位以下を切り捨て／切り上げ | =ROUNDDOWN(999.999,-1) | 990 |
| | | | =ROUNDUP(111.111,-1) | 120 |
| | -2 | 10の位以下を切り捨て／切り上げ | =ROUNDDOWN(999.999,-2) | 900 |
| | | | =ROUNDUP(111.111,-2) | 200 |

# 条件に合うデータを判定する

練習用ファイル：■ 41_来場者数一覧.xlsx

### ここで学ぶのは

▶ 条件分岐

▶ IF 関数

▶ 比較演算子

セルのデータが指定した条件に一致するかどうかを判定し、判定結果に応じて別々の操作をしたりするにはIF関数を使います。

IF関数は、最初は難しいと感じるかもしれませんが、さまざまな場面で役立つとても便利な関数です。ぜひ覚えましょう。

## 1 条件分岐とは？

IF関数を使うと、条件分岐を利用した計算式を作成できます。条件分岐とは、指定したセルのデータが指定した条件に一致するかどうかを判定し、その結果によって表示する文字や実行する操作などを変えることです。条件分岐をするには、条件の指定方法がポイントです。多くの場合は、比較演算子（P.103）を使って「TRUE」か「FALSE」の答えを求めて条件に合うかを判定します。

● IF 関数の書式

| 書式 | =IF( 論理式 , 値が真の場合 , 値が偽の場合 ) | |
|---|---|---|
| 引数 | 論理式 | 条件判定に使う条件式を指定します。 |
| | 値が真の場合 | 論理式の結果がTRUEの場合に行う内容を指定します。 |
| | 値が偽の場合 | 論理式の結果がFALSEの場合に行う内容を指定します。 |
| 説明 | IF関数には、3つの引数があります。最初に条件を指定します。次に、条件に合う場合に行う内容を書きます。続いて、条件に合わない場合に行う内容を書きます。 | |

# 2 条件に合うデータを判定する

## 解説 データを判定する

セルJ4に計算式を入力します。ここでは、B列に入力した目標とI列の合計を比較し、セルI4のデータがセルB4のデータ以上だったら「○」と表示し、そうでない場合は「×」を表示します。

論理式 I4>=B4
値が真の場合 "○"
値が偽の場合 "×"

## Memo 文字を表示する

計算式の中で文字列を指定するときは、文字列を「"」(ダブルクォーテーション)で囲みます。今回の計算式の例では、「=IF(I4>=B4,"○","×")」となっていて、表示する○と×が「"」で囲まれています。なお、[関数の引数]ダイアログで文字を指定した場合は、文字の前後に自動的に「"」が表示されます。

## Hint 空欄にする

条件に合う場合や合わない場合に、セルを空欄にするには、「"」(ダブルクォーテーション)を2つ連続して入力します。たとえば、「=IF(I4>=B4,"","×")」のように指定すると、条件に合う場合は空欄、合わない場合は「×」が表示されます。

合計が目標以上なら「○」、それ以外は「×」と表示します。

**1** 計算式を入力するセルをクリックし、

**2** 数式バーの [関数の挿入] をクリックします。

**3** [関数の分類] で [すべて表示] を選択し、

**4** [関数名] で [IF] を探してクリックします。

**5** [OK] をクリックします。

**6** [論理式] 欄に条件を入力します。

**7** [値が真の場合] に条件に合う場合に行う内容を書きます。

**8** [値が偽の場合] に条件に合わない場合に行う内容を書きます。

**9** [OK] をクリックします。

**10** 合計が目標以上なら「○」、それ以外は「×」と表示されます。

**11** P.108の方法で、計算式をコピーします。

127

## Section

# 42

# 商品番号に対応する 商品名や価格を表示する

練習用ファイル：■ 42_暮らしのセミナー申込一覧.xlsx

### ここで学ぶのは

▷ VLOOKUP 関数

▷ 別表

▷ IF 関数

表に商品番号などを入力すると、商品名や価格などが自動的に表示されるようにするには、VLOOKUP関数を使います。

この関数を使うには、IDやコード、商品名や価格などの情報をまとめた別表を準備する必要があります。

## 1 別表を準備する

VLOOKUP関数を使って、セミナーIDを基にセミナー名や価格が表示されるようにします。それらの情報をまとめた表は別途作成しておきます。別表では、一番左の列に検索のキーワードとして使うIDやコードなどの内容を入力します。ここでは、セミナーIDを左端に入力しておきます。

| | A | B | C | D | E | F | G | H | I | J | K | L |
|---|---|---|---|---|---|---|---|---|---|---|---|---|
| 1 | 暮らしのセミナー申込一覧 | | | | | | | | | | | |
| 2 | | | | | | | | | | | | |
| 3 | 申込番号 | 名前 | セミナーID | セミナー名 | | 価格 | 人数 | 計 | | セミナーID | セミナー名 | 価格 |
| 4 | 101 | 遠藤大和 | S101 | | | | 2 | 0 | | S101 | マイホーム購入セミナー | 1000 |
| 5 | 102 | 渡辺沙織 | S102 | | | | 1 | 0 | | S102 | 住まいの安心セミナー | 0 |
| 6 | 103 | 吉田陽翔 | S101 | | | | 1 | 0 | | S103 | リノベーションセミナー | 1000 |
| 7 | 104 | 小笠原絵里 | S104 | | | | 2 | 0 | | S104 | 別荘購入セミナー | 1500 |
| 8 | 105 | 伊藤和也 | S102 | | | | 2 | 0 | | | | |
| 9 | 106 | 幸田悠人 | S101 | | | | 1 | 0 | | | | |
| 10 | 107 | 本田麻美 | S103 | | | | 3 | 0 | | | | |

セミナー IDを入力するだけで、セミナー名や価格が自動的に表示されるようにします。

情報をまとめた別表はあらかじめ準備しておきます。

● VLOOKUP 関数の書式

| 書式 | | =VLOOKUP( 検索値 , 別表の範囲 , 列番号 , 検索方法 ) |
|---|---|---|
| 引数 | 検索値 | 検索のキーワードとして使うデータを指定します。 |
| | 別表の範囲 | 別表の範囲を指定します。 |
| | 列番号 | 検索値に合うデータが見つかったとき、別表の左から何列目のデータを返すか指定します。 |
| | 検索方法 | 近似一致の場合は「TRUE」、完全一致の場合は「FALSE」を指定します。省略時は「TRUE」と見なされます。「TRUE」を指定した場合、別表に完全に一致するデータがない場合は、検索値未満で最も大きなデータが検索結果とみなされます。 |
| 説明 | | VLOOKUP関数は、引数の検索方法に「TRUE」または「FALSE」を指定することで2通りの目的で使われます。商品コードを基に商品名や価格などを表示する場合は、完全一致の「FALSE」を指定します。数値の大きさによって成績評価を付ける場合などは近似一致の「TRUE」を指定します。本書では、「FALSE」を指定する方法を紹介します。 |

## 2 商品名や価格を表示する

### 解説 データを判定する

C列に入力されているセミナーIDを基に、別表からそのセミナーIDに対応するセミナー名を表示します。VLOOKUP関数の引数の[検索値]には、セミナーIDのセルを指定します。[範囲]は別表の範囲を指定します。このときのポイントは、後で計算式をコピーしても別表の範囲がずれないように絶対参照で指定することです。続いて、[列番号]を指定します。セミナー名は別表の左から2列目なので「2」を指定します。[検索方法]は、「FALSE」です。検索方法については、P.128を参照してください。

**1** 計算式を入力するセルをクリックし、

**2** 数式バーの[関数の挿入]をクリックします。

**3** [関数の分類]で[すべて表示]を選択し、

**4** [関数名]で[VLOOKUP]を探してクリックします。

**5** [OK]をクリックします。

### Hint エラーが表示される場合

VLOOKUP関数では、[検索値]として指定したセルに検索値が入力されていない場合、エラーになります。エラーにならないようにする方法は、P.130を参照してください。また、VLOOKUP関数を入力した計算式をコピーしたらエラーが表示される場合は、別表の範囲を絶対参照で指定しているか確認しましょう。

**6** [検索値]欄をクリックし、別表からデータを探すために使う項目(ここではセルC4)を指定します。

**7** [範囲]欄をクリックし、別表の範囲をドラッグして指定します。範囲が入力されたら F4 キーを押して絶対参照にします。

**8** [列番号]に番号を入力します。ここでは別表の左から2列目のセミナー名を表示したいので、「2」を入力します。

**9** [検索方法]に「FALSE」と入力します(完全一致)。

**10** [OK]をクリックします。

## Hint　別表に名前を付ける

セル範囲に独自の名前を付けておくと、計算式の中で使えます。たとえば、VLOOKUP関数を使うとき、別表に「セミナー表」という名前を付けていた場合、別表の範囲を名前で指定できます。セル範囲に付けた名前は、計算式をコピーしてもそのセル範囲がずれないので、別表部分の参照方法を絶対参照にする手間が省けます。

=IF(C4="","",VLOOKUP(C4,
　　セミナー表,2,FALSE))　　※1行で入力

**11** 結果が表示されます。

**12** 同様に価格の計算式を指定します。列番号に「3」を入力すること以外は先ほどと同様です。
=VLOOKUP(C4,$I$4:$K$7,3,FALSE)

**13** セル範囲D4:E4を選択し、

**14** フィルハンドルをドラッグして計算式をコピーします。

**15** セミナーIDを基に、別表から対応するセミナー名や価格が表示されます。

## 使えるプロ技！　商品名や価格が表示されない場合

セミナーIDが未入力の場合は、右の画面のようにエラーが表示されます。
VLOOKUP関数の計算式を、検索値が入力されていない場合もエラーにならないように修正しましょう。ここでは、IF関数と組み合わせて計算式を作ります。IF関数で検索値のセルが空欄の場合は空欄を表示し、空欄でない場合は、VLOOKUP関数で求めた結果を表示します。また、「計」の計算式も修正します。セミナーIDが未入力の場合は空欄にして、データが入力されている場合は「価格×人数」の計算結果を表示します。

**1** 計算式をそれぞれ次のように修正します。
「セミナー名」の計算式
=IF(C4="","",VLOOKUP(C4,$I$4:$K$7,2,FALSE))
「価格」の計算式
=IF(C4="","",VLOOKUP(C4,$I$4:$K$7,3,FALSE))

**2** 計算式をコピーします。

**3** 「計」の計算式を次のように修正します。
=IF(C4="","",E4*F4)

**4** 計算式をコピーします。

# 第 5 章

# 表全体の見た目を
# 整える

この章では、表全体の見た目を整える方法を紹介します。セルに飾りを付けたり、数値や日付の表示の仕方を変えたりする方法を覚えます。

目標は、セルの書式とは何かを理解することです。数値に桁区切りカンマを付けたり、日付の曜日を表示したりできるようになりましょう。

# 43 書式って何?

練習用ファイル：なし

| ここで学ぶのは |
| --- |
| ▶ 書式を知る |
| ▶ 書式の種類 |
| ▶ セルの書式設定 |

この章では、セルに書式を設定する方法を紹介します。書式とは、文字やセルの飾り、データの表示方法などを指定するものです。
セルをコピーするときは、データではなく書式情報だけをコピーすることもできます（P.158）。

## 1 書式とは？

セルに対して設定できるものは、データ以外にもさまざまなものがあります。たとえば、コメント（P.68）や入力規則（P.86）、書式などです。
書式とは、文字の形や色、大きさ、配置、セルの色や罫線などの飾りのことです。また、数値や日付をどのように表示するかを指定するものです。

**セルのデータと各種設定**

データ 2019/12/5　　　書式 太字・文字の色・セルの色・
罫線・「○月○日（曜日）」の形式で表示

|  | A | B | C | D | E | F | G | H |
|---|---|---|---|---|---|---|---|---|
| 1 | | | | | | | | |
| 2 | | | | | | | | |
| 3 | | 12月5日（木） | 3,000 | User01:<br>特別価格 | | | | |
| 4 | | | | | | | | |
| 5 | | | | | | | | |
| 6 | | | | | | | | |
| 7 | | | | | | | | |
| 8 | | | | | | | | |
| 9 | | | | | | | | |
| 10 | | | | | | | | |
| 11 | | | | | | | | |

セルにはデータ以外にも、さまざまな書式や入力規則などが設定されています。

データ 3000　　　入力規則 日本語入力モード：オフ
書式 太字・罫線・3桁区切りの「,」（カンマ）を付ける　　コメント 特別価格

### Memo 書式の設定方法

[ホーム] タブ→ [フォント] グループには、文字やセルに飾りを付けるボタンなどがあります。[配置] グループには、文字の配置を指定するボタン、[数値] グループには、数値や日付をどのように表示するか指定するボタンなどがあります。

### Memo [セルの書式設定]

[ホーム] タブの [フォント] [配置] [数値] の [ダイアログボックス起動ツール] をクリックすると、それぞれ、[セルの書式設定] ダイアログの [フォント] タブ、[配置] タブ、[表示形式] タブが表示されます。

### Key word 表示形式

表示形式とは、セルのデータをどのように表示するかを指定するものです。主に数値や日付が入力されているセルに対して設定します。

 ショートカットキー

- [セルの書式設定] ダイアログの表示
  Ctrl + 1 （1はテンキー以外）
- [セルの書式設定]ダイアログの[フォント] タブの表示
  Ctrl + Shift + F

### よく使う書式

[ホーム]タブでよく使う書式を設定できます。

文字やセルに飾りを付ける

文字の配置を指定

数値や日付の表示方法を指定

### さまざまな書式

[セルの書式設定] ダイアログでさまざまな書式を設定できます。

ここをクリックすると、[セルの書式設定] ダイアログのそれぞれのタブが表示されます。

# 44 全体のデザインのテーマを選ぶ

練習用ファイル：■ 44_第1四半期商品売上集計表.xlsx

**ここで学ぶのは**

▶ デザインのテーマ

▶ テーマの変更

▶ 配色

テーマとは、Excelブック全体の基本デザインを決めるものです。テーマの一覧から気に入ったものを選んで指定します。

テーマによってフォントや色合いなどが変わりますので、全体のイメージが大きく変わります。

## 1 テーマとは？

テーマとは、文字の形や、文字や図形などに設定する色の組み合わせ、図形の質感などのデザイン全体を決める設定です。テーマを変えると、デザインのイメージが変わります。

テーマは、通常「Office」というテーマが指定されています。Excelを仕事で使う場合などは、このテーマのままで使うことが多いでしょう。テーマを変えると、選んだテーマによっては表やグラフなどが見づらくなることもあるので注意しましょう。

テーマ：Office

テーマ：バッジ

テーマ：
オーガニック

全体のデザインのテーマを選ぶ

**解説** テーマを変える

デザインのテーマを変えます。テーマを変えると、デザインだけでなく行の高さなども変わるため、表のレイアウトや列幅を修正したりする手間が発生する場合もあります。そのため、テーマは、なるべく早めの段階で指定するとよいでしょう。

**Memo** 色合いが変わる

テーマを変えると、文字や図形の色などを変えるときに表示される色の一覧も変わります。

テーマ：Office
で表示される色
の一覧

テーマ：ギャラ
リーで表示され
る色の一覧

**Hint** テーマの一部を変える

[ページレイアウト] タブ→ [配色] を選択するとテーマの色合いだけ変わります。[ページレイアウト] タブ→ [フォント] を選択するとテーマのフォントだけ変わります。[ページレイアウト]タブ→ [効果] を選択すると図形の質感などの効果だけ変わります。

**1** [ページレイアウト] タブ→
[テーマ] をクリックします。

変更前のテーマは「Office」が
適用されています。

**2** いずれかのテーマに
マウスポインターを
移動すると、

**3** テーマを適用した
イメージが表示さ
れます。

**4** 気に入ったテーマ
をクリックします。

**5** テーマが「ギャラリー」に変更されました。

# 45 文字やセルに飾りを付ける

練習用ファイル：■ 45_店舗別売上集計表.xlsx

## ここで学ぶのは

▶ 飾りの設定
▶ スタイルの設定
▶ スタイルの登録

表の見出しの文字やセルに飾りを付けて、他のデータと簡単に区別できるようにしましょう。

複雑な書式を設定する必要はありません。太字や色などの簡単な飾りを付けるだけで見栄えが整えられます。

## 1 文字に飾りを付ける

### 解説 文字に飾りを付ける

書式を設定するときは、最初に対象のセルやセル範囲を選択します。続いて、飾りを指定します。[ホーム]タブ→[太字]をクリックすると、太字のオンとオフを交互に切り替えられます。

文字の大きさは、[フォントサイズ]で指定します。また、[フォントサイズ]の横の[フォントサイズの拡大]A˄[フォントサイズの縮小]A˅をクリックすると、文字の大きさを少しずつ大きくしたり小さくしたりできます。

### Key word フォント

文字の形のことをフォントと言います。日本語の文字のフォントを指定するときは、通常は、日本語のフォントを選択するとよいでしょう。

### Hint 既定の文字

テーマ（P.134）を変えていない場合、文字のフォントは「游ゴシック」が指定されています。また、文字の大きさは「11ポイント」が指定されています。なお、Excelのバージョンによって、フォントの既定値は違います。

1 書式を設定するセルを選択し、

文字を太字にして、大きさを変えます。

2 [ホーム]タブ→[太字]をクリックします。

3 [フォントサイズ]の[▼]をクリックし、文字の大きさをクリックします。

4 文字が太字になり、大きくなりました。

## 解説 色を変える

文字の色やセルの色を変えます。変更した色を元に戻すには、文字の色の場合は一覧から[自動]、セルの色の場合は一覧から[塗りつぶしなし]をクリックします。

## Memo 書式をまとめて削除する

セルの書式情報だけをまとめて削除するには、下図のように対象のセルを選択し、[ホーム]タブ→[クリア]→[書式のクリア]をクリックします。すると、セルのデータはそのまま残り、書式情報だけが削除されます。

## Hint さまざまな飾りを付ける

文字の大きさや色などの複数の飾りをまとめて設定するときは、[セルの書式設定]ダイアログを表示します（P.133）。[フォント]タブでさまざまな飾りを指定できます。

---

**1** 書式を設定するセルを選択します。

**2** [ホーム]タブ→[フォントの色]の[▼]をクリックし、色をクリックします。

**3** 文字に色が付きます。

**4** [塗りつぶしの色]の[▼]をクリックし、色をクリックします。

**5** セルに色が付きます。

**6** 文字とセルの色が変更されました。

# 3 スタイルを使って飾りを付ける

**解説** スタイルを設定する

スタイルとは、複数の飾りの組み合わせが登録されたものです。スタイルを使ってセルに飾りを付けましょう。スタイルの設定を解除するには、スタイルから[標準]をクリックします。

**1** 対象のセルやセル範囲を選択し、

**2** [ホーム]タブ→[セルのスタイル]をクリックし、スタイルを選んでクリックします。

**3** スタイルが設定されます。

# 4 新しいスタイルを登録する

**解説** スタイルを登録する

セルに設定されている飾りの組み合わせをスタイルとして登録できます。ここでは、スタイルとして登録する飾りが設定されているセルを選択し、その飾りの組み合わせを「オリジナル見出し」という名前で登録します。その後、表の左の見出しのセル範囲に、登録したスタイルを適用します。

**1** スタイルとして登録する書式が設定されているセルを選択し、

**2** [ホーム]タブ→[セルのスタイル]をクリックして、

太字、フォントサイズは14、フォントの色は青、塗りつぶしの色は薄い青を設定しています。

**3** [新しいセルのスタイル]をクリックします。

5

表全体の見た目を整える

**4** スタイル名を入力し、

**5** [OK] をクリックします。

---

### Hint スタイルを削除する

スタイルを削除するには、[ホーム] タブ→ [セルのスタイル] をクリックし、削除するスタイルを右クリックして [削除] を選択します。スタイルを削除すると、そのスタイルが設定されていたすべてのセルの飾りが解除されます。ただし、セルに入力されているデータは変わりません。

**6** [スタイルを設定するセル範囲を選択し、

**7** [ホーム] タブ→ [セルのスタイル] をクリックして、設定するスタイルをクリックします。

**8** 選択していたセルにスタイルが設定されます。

---

### Hint スタイルを変更する

登録したスタイルの飾りの内容を変更するには、スタイルを変更します。右の方法で [セルの書式設定] ダイアログを表示し、飾りの内容を指定して [OK] をクリックします。スタイルを変更すると、そのスタイルが適用されているすべてのセルの見た目が変わります。

**1** [ホーム] タブ→ [セルのスタイル] をクリックし、

**2** 変更するスタイルを右クリックして、[変更] をクリックします。

**3** [書式設定] をクリックして、飾りの内容を変更します。

# 46 文字の配置を整える

練習用ファイル：■ 46_期間限定プラン宿泊料金表.xlsx

## ここで学ぶのは

▶ 文字の配置
▶ 折り返して表示
▶ 縮小して表示

表の見出しをセルの中央に配置したりするには、セルに対して文字の配置を指定します。

文字を少し右に字下げして表示するには、インデントという字下げの機能を使います。1文字ずつ文字をずらせます。

## 1 文字の配置を変更する

### 解説 横位置を指定する

文字をセルの中央に配置します。元の配置に戻すには、もう一度[中央揃え]をクリックしてボタンが押されていない状態にします。文字を字下げするには、[インデントを増やす]をクリックします。クリックするたびに少しずつ右にずれます。元に戻すには、[インデントを減らす] ≡ をクリックします。

### Memo 縦位置を指定する

行の高さが高いときに、文字を行の上揃え、中央揃え、下揃えにするには、対象のセルを選択して[ホーム]タブ→[上揃え] ≡ [上下中央揃え] ≡ [下揃え] ≡ をクリックします。

**1** 文字の配置を指定するセルやセル範囲を選択し、

**2** [ホーム]タブ→[中央揃え]をクリックします。

**3** 文字が中央揃えになります。

**4** 続いて、字下げするセルやセル範囲を選択し、

**5** [ホーム]タブ→[インデントを増やす]をクリックします。

**6** 文字が1文字、字下げされます。

| | A | B | C | D | E | F | G |
|---|---|---|---|---|---|---|---|
| 1 | 特別価格宿泊料金表 | | | | | | |
| 2 | | | | | | | |
| 3 | | 価格 | 割引率 | 特別価格 | 内容 | | |
| 4 | 通年 | | | | | | |
| 5 | 標準プラン | 9880 | 0.18 | 8102 | 1泊2日、夕朝食付き | | |
| 6 | アップグレードプラン | 12880 | 0.12 | 11334 | 1泊2日、夕朝食付き、特別ルーム | | |
| 7 | 期間限定 | | | | | | |
| 8 | ゴルフプラン | 15880 | 0.15 | 13498 | 1泊2日、夕朝食付き、ゴルフプレー代 | | |
| 9 | スキープラン | 15580 | 0.15 | 13243 | 1泊2日、夕朝食付き、1日リフト券 | | |
| 10 | | | | | | | |

## **2** 文字を折り返して表示する

### 解説 ▶ 折り返して表示する

セルからはみ出した文字をセル内に収めるには、文字を折り返して表示するか、文字を自動的に縮小して表示するか指定する方法があります。ここでは、文字を折り返して表示します。

**1** 書式を設定するセルやセル範囲を選択し、

**2** [ホーム]タブ→[折り返して全体を表示する]をクリックします。

**3** 文字が折り返してセル内に収まります。

### Memo ▶ セルの途中で改行する

セルの途中で改行して文字を入力するには、改行する箇所で Alt + Enter キーを押します。

### Memo ▶ 文字を縮小して収める

セルからはみ出した文字を自動的に縮小して収めるには、対象のセルを選択して[セルの書式設定]ダイアログ(P.133)を表示します。[配置]タブ→[折り返して全体を表示する]をオフにして[縮小して全体を表示する]をクリックします。

**1** 選択

**2** クリック

**3** チェック

**4** クリック

# セルを結合して1つにまとめる

練習用ファイル： 47_お勧めランチ店リスト.xlsx

## ここで学ぶのは

▶ セルの結合

▶ 横方向の結合

▶ 結合の解除

複雑な表を作りたい場合などは、セルとセルを1つにまとめたりしながらレイアウトを整えます。

セルにデータを入力してからレイアウトを調整すると、後でデータを修正する手間が発生してしまう可能性があるので注意します。

## 1 セルを結合する

 **解説** セルを結合する

セルを結合して1つにまとめて表示します。文字を結合したセルの中央に配置するには、[ホーム]タブ→[セルを結合して中央揃え]をクリックします。

結合しようとする複数のセルにデータが入っている場合、左上のセルのデータ以外は消えてしまうので注意します。

 **Memo** 結合を解除する

結合したセルを解除して元のようにバラバラの状態にするには、結合したセルを選択し、[ホーム]タブ→[セルを結合して中央揃え]をクリックします。

**1** 結合するセル範囲を選択し、

**2** [ホーム]タブ→[セルを結合して中央揃え]をクリックします。

**3** セルが結合して、文字が中央揃えになります。

**4** 続いて、結合するセル範囲を選択します。2つ目以降はCtrlキーを押しながら選択します。

**5** [ホーム]タブ→[セルを結合して中央揃え]の[▼]→[セルの結合]をクリックします。

**6** セルが結合します。今度は文字は左寄せのままです。

---

# 2 セルを横方向に結合する

### 解説 横方向に結合する

横長の入力欄を作る場合などは、セルを横方向のみ結合します。このとき、結合するセルを1行ずつ選択する必要はありません。セル範囲を選択して操作すると、その範囲内のセルを横方向にのみ結合できます。

複数のセル範囲を選択し、セルを横方向にのみ結合します。

**1** 結合するセル範囲を選択します。2つ目以降は [Ctrl] キーを押しながら選択します。

**2** [ホーム] タブ→ [セルを結合して中央揃え] の [▼] → [横方向に結合] をクリックします。

### Hint 文字を縦書きにする

縦方向に結合したセルの文字を縦書きにするには、セルを選択し、[ホーム] タブ→ [方向] → [縦書き] をクリックします。

**1** 選択

**2** クリック

**3** 縦書きになる

**3** セルが横方向に結合します。

143

# 48 表に罫線を引く

練習用ファイル：■ 48_店舗別売上集計表.xlsx

**ここで学ぶのは**

▶ 罫線

▶ 罫線の色

▶ 罫線の太さ

セルを区切っているグレーの線は、通常は印刷しても表示されない設定になっています。

表の文字や数値などを線で区切って表示するには、セルに罫線を引く必要があります。

## 1 表に罫線を引く

**解説 ▶ 表全体に罫線を引く**

セルに罫線を引くには、対象のセル範囲を選択して罫線の種類を指定します。表全体に線を引くには、[格子]の種類を選びます。

**Hint ▶ セル範囲を選択する**

セル範囲を選択するとき、セル範囲の端のセルを選択した後、[Shift]キーを押しながら別の端のセルを選択する方法もあります。たとえば下図のように、セルA3をクリックし、[Shift]キーを押しながらセルE8をクリックすると、セル範囲A3:E8が選択されます。

**1 クリック**

| | A | B | C | D | E |
|---|---|---|---|---|---|
| 1 | 店舗別売上集計表 | | | | |
| 2 | | | | | |
| 3 | | 1月 | 2月 | 3月 | 合計 |
| 4 | 品川店 | 315230 | 335620 | 325460 | 976310 |
| 5 | 船橋店 | 285640 | 295230 | 285260 | 866130 |
| 6 | 大宮店 | 279520 | 285230 | 298450 | 863200 |
| 7 | 札幌店 | 425610 | 456250 | 465870 | 1347730 |
| 8 | 合計 | 1306000 | 1372330 | 1375040 | 4053870 |

**2 [Shift]キーを押しながらクリック**

罫線が引かれていない状態から始めます。

**1 表全体を選択し、**

**2 [ホーム]タブ→[罫線]の[▼]→[格子]をクリックします。**

**3 表全体に黒い実線の罫線が引かれます。**

**解説** ▶ **指定した場所に引く**

罫線を引く対象のセルやセル範囲を選択し、線を引く場所を指定します。[ホーム]タブ→[罫線]の一覧に線を引く場所が表示されない場合は、[その他の罫線]をクリックして指定します。

**Memo** ▶ **罫線を消す**

罫線を消すには、対象のセルやセル範囲を選択し[ホーム]タブ→[罫線]の[▼]→[枠なし]をクリックします。

**ショートカットキー**

● 空白列や空白行で区切られていないデータが入力されている領域全体を選択
表内のいずれかのセルをクリックし、
[Ctrl]+[Shift]+[✳]
([✳]はテンキー以外)

罫線が引かれていない状態から始めます。

**1** 罫線を引くセルやセル範囲を選択し、

**2** [ホーム]タブ→[罫線]の[▼]→[下太罫線]をクリックします。

**3** 選択した範囲の下に実線の太罫線が引かれます。

**4** 続いて、罫線を引くセルやセル範囲を選択し、

**5** [ホーム]タブ→[罫線]の[▼]→[その他の罫線]をクリックします。

**6** 線の種類を
クリックし、

**7** 線を引く場所
をクリックし
て、

**8** [OK]をクリッ
クします。

**9** 選択した範囲
に点線の罫線
が引かれます。

## 3 罫線の色を変更する

解説 ▶ 線の種類を指定する

[セルの書式設定] ダイアログを使うと、線
の種類、色、太さなどを細かく指定できます。
線の種類を指定したら、線を引く場所を指定
します。

罫線が引かれていない
状態から始めます。

**1** 罫線を引くセルや
セル範囲を選択
し、

**2** [ホーム] タブ→
[罫線] の [▼] →
[その他の罫線]
をクリックします。

## Hint　対角線に引く

線を引く場所を指定する際に下図の場所をクリックすると、セルに斜めの線を引けます。表の隅の部分などに斜めの線を表示したりするときに使います。

ここで斜めの線が引けます。

**3** 線の種類をクリックし、

**4** 線の色を選択して、

**5** 線を引く場所をクリックします。

**6** [OK]をクリックします。

**7** 選択した範囲に指定した色や太さの罫線が引かれます。

## Hint　ドラッグ操作で罫線を引く

ここでは、マウスで格子状の線を引く方法を紹介します。右図の方法で、マウスポインターの形を確認しながらドラッグして罫線を引きます。罫線を引く操作が終わったら、Escキーを押して、罫線を引くモードを解除します。

また、[ホーム]タブ→[罫線]の[▼]→[罫線の作成]をクリックすると、四角形の線を引く状態になります。

マウスで罫線を引くとき、線の色やスタイルを変えるには、[ホーム]タブ→[罫線]の[▼]→[線の色]や[線のスタイル]などを選択して罫線の色やスタイルを指定します。続いて、線を引く場所をドラッグします。

**1** [ホーム]タブ→[罫線]の[▼]→[罫線グリッドの作成]をクリックします。

**2** 罫線を引く場所にマウスポインターを移動します。

**3** 斜めにドラッグします。

**4** 格子状に罫線が引かれます。

**5** Escキーを押して罫線を引く操作を終了します。

147

# 49 表示形式って何？

練習用ファイル：なし

**ここで学ぶのは**

▶ 表示形式

▶ 数式バー

▶ セルの書式設定

数値や日付をどのように表示するかは、セルの表示形式を指定することで自由に変えられます。

たとえば、「1000」を「1,000」「¥1,000」と表示したり、「2020/8/1」を「8月1日」「8/1（土）」「令和2年8月1日」と表示したりできます。

## 1 表示形式とは？

**Memo** 表示形式の指定

表示形式を指定すると、数値や日付の表示方法を指定できます。右の図は、数値や日付が入力されているセルの表示形式を変更して表示方法を変えた例です。たとえば、「1000」は「¥1,000」「1,000.00」などと表示できます。いずれも元のデータは変更せずに表示形式で表示方法を変更しています。

**Memo** 実際のデータ

表示形式を変えても実際のデータの内容は変わりません。データ内容を確認するには、セルを選択して数式バーを確認します。

正の整数

正の整数を、　カンマ区切りや通貨記号付きなどに変更できます。

負の整数

負の整数を、　▲表示や赤文字などに変更できます。

小数

小数を、　パーセント表示などに変更できます。

日付

日付を、　年の表示を省略したり、和暦などに変更できます。

### Memo ［ホーム］タブ

表示形式を設定するには、対象のセルを選択してから［ホーム］タブ→［数値］グループのボタンで指定できます。よく使う表示形式を簡単に指定できます。

### Memo 一覧から選ぶ

［ホーム］タブ→［数値の書式］から、数値や日付の表示形式を選択できます。

### Memo ［セルの書式設定］ダイアログ

［セルの書式設定］ダイアログの［表示形式］タブでは、表示形式を細かく指定できます。データの分類を選択して、表示内容を設定します。［ユーザー定義］では、記号を使って独自の表示形式を設定できます（P.153）。

### ［ホーム］タブ

よく使う表示形式は［ホーム］タブの［数値］グループで指定できます。

表示形式を一覧から選べます。

### ［セルの書式設定］ダイアログ

表示形式を細かく指定できます。

149

# 数値に桁区切りのカンマを付ける

練習用ファイル：■ 50_映画館来場者数.xlsx ■ 50_店舗別売上集計表.xlsx

## ここで学ぶのは

▶ 数値の表示形式

▶ 桁区切りカンマ

▶ ユーザー定義

表の数値を読み取りやすくするためには、適切な表示形式を設定する必要があります。数値の桁が大きい場合は、桁区切り「,」（カンマ）を付けます。割合を示す数値などは、パーセント表示にします。

## 1 数値に桁区切りカンマを表示する

 解説 「,」（カンマ）を表示する

数値に3桁ごとの区切りの「,」（カンマ）を表示します。数値が読み取りやすくなりますので、忘れずに設定しましょう。

**1** 対象のセルやセル範囲を選択し、

**2** [ホーム] タブ→ [桁区切りスタイル] をクリックします。

**3** 数値に3桁ごとの区切りのカンマが表示されます。

**4** 続いて、対象のセルやセル範囲を選択し、

**5** [ホーム] タブ→ [通貨表示形式] をクリックします。

Hint 通貨表示

数値に通貨表示形式を設定すると、通貨の記号と桁区切り「,」（カンマ）が表示されます。通貨の記号は [通貨表示形式] の [▼] をクリックして選択できます。

| | A | B | C | D | E | F |
|---|---|---|---|---|---|---|
| 1 | 店舗別売上集計表 | | | 合計 | ¥4,053,370 | |
| 2 | | | | | | |
| 3 | | 1月 | 2月 | 3月 | 合計 | |
| 4 | 品川店 | 315,230 | 335,620 | 325,460 | 976,310 | |
| 5 | 船橋店 | 285,640 | 295,230 | 285,260 | 866,130 | |
| 6 | 大宮店 | 279,520 | 285,230 | 298,450 | 863,200 | |
| 7 | 札幌店 | 425,610 | 456,250 | 465,870 | 1,347,730 | |
| 8 | 合計 | 1,306,000 | 1,372,330 | 1,375,040 | 4,053,370 | |

**6** 通貨の記号と桁区切りのカンマが表示されます。

## 2 数値をパーセントで表示する／小数点以下の桁数を揃える

**解説** パーセント表示

数値をパーセント表示にします。「1」は「100%」、「0.5」は、「50%」のように表示されます。

**1** 対象のセルやセル範囲を選択し、

**2** [ホーム] タブ→ [パーセントスタイル] をクリックします。

**3** 数値がパーセント表示になります。

**4** [ホーム] タブ→ [小数点以下の表示桁数を増やす] をクリックします。

**解説** 小数点以下の桁

小数点以下の表示桁数を調整します。この方法で調整すると、見た目が四捨五入されて桁が揃います。ただし、実際のデータは変わりません。そのため、計算結果が間違っているように見える場合もあるので注意します（P.124）。

| | A | B | C | D |
|---|---|---|---|---|
| 1 | 映画館来場者数 | | | |
| 2 | | | | |
| 3 | | 人数 | 割合 | |
| 4 | 小学生 | 30 | 46.15% | |
| 5 | 中学生 | 15 | 23.08% | |
| 6 | 大人 | 20 | 30.77% | |
| 7 | 合計 | 65 | | |

**5** 数値の小数点以下の表示桁数が増えます。

ここでは、[小数点以下の表示桁数を増やす] を2回クリックしています。

# 3 マイナスの数を赤で表示する

### 解説 負の数の表示形式

マイナスの数値の表示形式を指定します。マイナスの数値は、先頭に「-」が付いたものや赤字で表示するものなど、一覧から選択できます。

### Hint 会計表示

数値を会計表示にすると、通貨記号が左に表示されます。数値の右側に少し空白が表示されます。また、「0」は、「¥-」のように表示されます。

**1** 対象のセルやセル範囲を選択し、

**2** [ホーム]タブ→[数値]の ⌐ をクリックします。

**3** [数値]をクリックし、

**4** [桁区切り(,)を使用する]にチェックを付けて、

**5** [負の数の表示形式]からマイナスの数値の表示形式をクリックします。

**6** [OK]をクリックします。

**7** マイナスの数値が赤字で表示されます

**解説** 千円単位や百万円単位

数値の桁が大きい場合などは、千円単位や百万円単位にすると見やすくなることがあります。これらの表示形式は、ユーザー定義の書式を設定します。数値の表示形式の最後に「,」を付けると千円単位、「,,」を付けると百万円単位になります。

 **表示方法を独自に指定する**

数値の表示形式を細かく指定するには、ユーザー定義の書式を設定します。ユーザー定義の書式は、以下のような記号を使って指定します。

● **数値の書式を設定するときに使う主な記号**

| 記号 | 内容 |
|---|---|
| 0 | 数値の桁を表す。数値の桁が「0」を指定した桁より少ない場合は、その場所に「0」を表示する。小数点より左側の桁が指定した桁数より多い場合は、すべての桁が表示される |
| # | 数値の桁を表す。数値の桁が「#」を指定した桁より少ない場合は、その場所に「0」は表示しない。小数点より左側の桁が指定した桁数より多い場合は、すべての桁が表示される |
| ? | 数値の桁を表す。数値の桁が「?」を指定した桁より少ない場合は、その場所にスペースが表示される。小数点より左側の桁が指定した桁数より多い場合は、すべての桁が表示される |
| . | 小数点を表示する |
| , | 桁区切り「,」(カンマ)を表示する。また、千単位や百万円単位などで数値を表示するときに使う |

● **表示形式の指定例**

| 表示形式 | 実際のデータ | 表示される内容 |
|---|---|---|
| 0000.00 | 4.5 | 0004.50 |
| #,### | 3000 | 3,000 |
| #,### | 0 | |
| #,##0 | 0 | 0 |
| 0.?? | 1.555 | 1.56 |
| 0.?? | 1.5 | 1.5 |

**1** 対象のセルやセル範囲を選択し、

**2** [ホーム] タブ→ [数値] の ▫ をクリックします。

**3** [ユーザー定義] をクリックし、

**4** [種類] に「#,##0,」と入力して、

**5** [OK] をクリックします。

**6** 数値が千円単位で表示されます。

# 51

# 日付の表示方法を変更する

練習用ファイル： 51_会議室スケジュール.xlsx

## ここで学ぶのは

- 日付の表示形式
- シリアル値
- ユーザー定義

日付の表示方法も、「2020/8/1」「8月1日」や「令和2年8月1日」など、さまざまなものがあります。

また、ユーザー定義の書式を設定すると「8月1日（土）」のように、日付に曜日の情報を自動的に表示したりもできます。

## 1 日付の年を表示する

### 解説　日付の表示形式を選択する

日付を「8/1」のように入力すると、今年の8/1の日付が入力され、「8月1日」のように表示されます。年の情報を表示するには、日付の表示形式を選択します。

「2020/8/1」を「2020/08/01」のように、月や日を2桁で表示するには、ユーザー定義の書式を設定します（P.157）。

### Memo　実際のデータを確認する

日付の表示形式を変えても実際に入力されている日付のデータは変わりません。日付のデータを確認するには、日付が入力されているセルをクリックして数式バーを見ます。

日付を「2020/2/1」のような形式で表示します。

**1** 対象のセルやセル範囲を選択し、

**2** [ホーム] タブ→ [数値の書式] の [▼] をクリックし、[短い日付形式] をクリックします。

**3** 日付の表示形式が変わります。

## Hint　日付を和暦で表示する

日付を元号から表示するには、日付の表示形式で和暦を指定します。元号は、漢字もしくはアルファベットで表示する形式が選択できます。

1　対象のセルやセル範囲を選択し、

2　[ホーム]タブ→ [数値]の 🖿 をクリックします。

3　[日付]をクリックし、

4　[カレンダーの種類]で [和暦]を選択して、

5　[種類]で形式を選択します。

6　[OK]をクリックします。

7　日付が和暦で表示されます。

---

## シリアル値

日付や時刻のデータは、実際には、シリアル値という数値で管理されています。具体的には、1900/1/1 の日付が「1」、1900/1/2 が「2」のように、1日経過すると数値が1つずつ増えます。時刻は小数部で表示されます。

日付や時刻のデータが入力されているセルの書式を解除してしまったりすると、表示形式が「標準」に戻るので、日付や時刻が表示されていたはずのセルに、シリアル値の数値が直接表示されてしまうことがあります。この場合、日付や時刻を再入力する必要はありません。日付や時刻の表示形式を元に戻すと、正しい日付が表示されます。

日付や時刻を扱うときにシリアル値を意識する必要はありませんが、日付や時刻のセルに数値が表示されてしまった場合のトラブルに対応できるように、シリアル値の存在を知っておきましょう。

# 2 日付に曜日を表示する

## 解説 曜日を表示する

日付に曜日の情報を表示するには、ユーザー定義の表示形式を設定します。ユーザー定義は、記号を使って指定します。「m」は月を1桁または2桁で、「d」は日を1桁または2桁で表示する記号です。「aaa」は曜日の情報を「土」のように表示する記号です。記号の意味は、次ページの表を参照してください。

## Memo 「####」が表示された場合

日付が列幅内に収まらないとき、「####」と表示されることがあります。その場合は、列幅を広げると表示されます。

| | A | B | C |
|---|---|---|---|
| 1 | 会議室スケジュール | | 令和2年1月30日 |
| 2 | | | |
| 3 | 管理番号 | 日付 | 予定 |
| 4 | 101 | ###### | |
| 5 | 102 | ###### | |
| 6 | 103 | ###### | |

日付を「2月1日 (土)」のような形式で表示します。

**1** 対象のセルやセル範囲を選択し、

**2** [ホーム] タブ→ [数値] の ⌐ をクリックします。

**3** [ユーザー定義] をクリックし、

**4** [種類] に「m月d日 (aaa)」と入力して、

**5** [OK] をクリックします。

**6** 日付の表示形式が変わります。

| | A | B | C | D |
|---|---|---|---|---|
| 1 | 会議室スケジュール | | 令和2年1月30日 | |
| 2 | | | | |
| 3 | 管理番号 | 日付 | 予定 | |
| 4 | 101 | 2月1日(土) | | |
| 5 | 102 | 2月2日(日) | | |
| 6 | 103 | 2月3日(月) | | |
| 7 | 104 | 2月4日(火) | | |
| 8 | 105 | 2月5日(水) | | |
| 9 | 106 | 2月6日(木) | | |
| 10 | 107 | 2月7日(金) | | |

## 3 独自の形式で日付を表示する

日付や時刻の表示方法を独自に指定するには、ユーザー定義の表示形式を設定します。それには、ここで紹介するような記号を使って指定します。記号をすべて覚える必要はありません。必要なときは、指定例を見て設定しましょう。

● 日付の書式を設定するときに使う主な記号

| 記号 | 内容 |
| --- | --- |
| yy | 年を2桁で表示する |
| yyyy | 年を4桁で表示する |
| e | 年を年号で表示する |
| ee | 年を年号で2桁で表示する |
| g | 元号を「H」「R」のように表示する |
| gg | 元号を「平」「令」のように表示する |
| ggg | 元号を「平成」「令和」のように表示する |
| m | 月を1桁または2桁で表示する（1月～9月は1桁、10月～12月は2桁） |
| mm | 月を2桁で表示する（1月の場合は「01」のように表示） |
| mmm | 月を「Jan」「Feb」のように表示する |
| mmmm | 月を「January」「February」のように表示する |
| mmmmm | 月を「J」「F」のように表示する |
| d | 日を1桁または2桁で表示する（1日～9日は1桁、10日～31日は2桁） |
| dd | 日を2桁で表示する（1日の場合は「01」のように表示） |
| ddd | 曜日を「Sun「Mon」のように表示する |
| dddd | 曜日を「Sunday」「Monday」のように表示する |
| aaa | 曜日を「日」「月」のように表示する |
| aaaa | 曜日を「日曜日」「月曜日」のように表示する |

● 時刻の書式を設定するときに使う主な記号

| 記号 | 内容 |
| --- | --- |
| h | 時を1桁または2桁で表示する（0時～9時は1桁、10時～23時は2桁） |
| [h] | 時を経過時間で表示する |
| hh | 時を2桁で表示する（1時の場合は「01」のように表示） |
| m | 分を1桁または2桁で表示する（0分～9分は1桁、10分～59分は2桁） |
| [m] | 分を経過時間で表示する |
| mm | 分を2桁で表示する（1分の場合は「01」のように表示） |
| s | 秒を1桁または2桁で表示する（0秒～9秒は1桁、10秒～59秒は2桁） |
| [s] | 秒を経過時間で表示する |
| ss | 秒を2桁で表示する（1秒の場合は「01」のように表示） |
| AM/PM | 12時間表示で時を表示する |
| am/pm | 12時間表示で時を表示する |
| A/P | 12時間表示で時を表示する |
| a/p | 12時間表示で時を表示する |

● 日付の表示形式の指定例

| 表示形式 | 実際のデータ | 表示される内容 |
| --- | --- | --- |
| yyyy/m/d | 2019/8/1 | 2019/8/1 |
| yyyy/mm/dd | 2019/8/1 | 2019/08/01 |
| m"月"d"日"(aaaa) | 2019/8/1 | 8月1日（木曜日） |
| gee.mm.dd | 2019/8/1 | R01.08.01 |

● 時刻の表示形式の指定例

| 表示形式 | 実際のデータ | 表示される内容 |
| --- | --- | --- |
| h:mm | 2019/8/1 9:15:30 | 9:15 |
| hh:mmAM/PM | 2019/8/1 9:15:30 | 09:15AM |
| yyyy/m/dh:mm | 2019/8/1 9:15:30 | 2019/8/1 9:15 |
| h"時"mm"分"ss"秒" | 2019/8/1 9:15:30 | 9時15分30秒 |

**Memo** 表示形式の設定を
コピーする

他のセルに設定されている表示形式と同じ表示形式を適用したい場合は、P.158の方法でセルの書式をコピーできます。

## Section

# 52

# 他のセルの書式だけを
# コピーして使う

練習用ファイル：■ 52_店舗別売上集計表.xlsx

### ここで学ぶのは

▶ 書式のコピー

▶ フィルハンドル

▶ 形式を選択して貼り付け

セルには、データだけでなく書式や入力規則、コメントなどさまざまな情報を入れられます。

セルをコピーすると、通常はすべての情報がコピーされます。データはそのままで書式だけコピーしたりすることもできます。

## 1 書式のコピーとは？

書式のコピーとは、セルをコピーして他のセルに貼り付けるときに、データではなく書式情報だけを貼り付けることです。書式だけをコピーした場合は、コピー先のデータの内容は変わりません。

セルに設定されている書式をコピーして、

他のセルに貼り付けられます。

複数のセル範囲の書式をコピーして、

まとめて貼り付けることもできます。

**Memo** 　**書式コピーの方法**

書式のコピーには、右の表の方法があります。場合によって使い分けましょう。

| 方法 | 内容 |
|---|---|
| [貼り付け] | 貼り付け時に貼り付ける方法を指定する (P.159) |
| キー操作 | 貼り付けた後に貼り付ける内容を指定する (P.159) |
| [貼り付けのオプション] | 貼り付けた後に貼り付ける内容を指定する (P.159) |
| フィルハンドル | 貼り付けた後に貼り付ける内容を指定する (P.159) |
| [書式のコピー／貼り付け] | 書式のコピー先をマウスで指定する (P.160) |

# 2 他のセルの書式をコピーする

## 解説 書式をコピーする

ボタンを使って、セルの書式情報をコピーします。この方法は、離れた場所のセルに書式をコピーするときに使うと便利です。

## Hint 貼り付け後に指定する

ボタンやキー操作（P.58）でセルをコピーして貼り付けると、［貼り付けのオプション］が表示されます。［貼り付けのオプション］→［書式設定］を選択すると、データの内容は元に戻って書式情報だけが貼り付きます。

## Hint ドラッグ操作では？

セルをコピーするとき、フィルハンドルをドラッグすると、［オートフィルオプション］が表示されます。［オートフィルオプション］→［書式のみコピー（フィル）］を選択すると、セルのデータは元に戻り、書式情報だけがコピーされます。隣接するセルにコピーするときに使うと便利です。

---

**1** 書式のコピー元のセルを選択し、

**2** ［ホーム］タブ→［コピー］をクリックします。

**3** 書式のコピー先のセルやセル範囲を選択し、

**4** ［ホーム］タブ→［貼り付け］の［▼］→［書式設定］をクリックします。

**5** 書式が貼り付けられます。

**6** Esc キーを押して、書式コピーの状態を解除します。

**5** 表全体の見た目を整える

## 解説 連続してコピーする

コピーする書式が設定されているセルを選択し、[書式のコピー／貼り付け]をクリックすると、書式のコピー先を指定するモードになり、コピー先を選択すると書式情報がコピーされます。[書式のコピー／貼り付け]をダブルクリックすると、連続コピーができます。

## Hint [形式を選択して貼り付け]

セルのコメントや入力規則の設定だけを指定して貼り付けるには、P.159の方法でセルをコピーして貼り付けるときに[貼り付け]の[▼]をクリックして[形式を選択して貼り付け]をクリックします。[形式を選択して貼り付け]ダイアログが表示されるので、コピーする内容を指定して[OK]をクリックします。

## Hint データだけをコピーする

セルの書式ではなく、データだけをコピーするにはセルの値を貼り付けます。それには、P.159の方法でセルをコピーして貼り付けるときに[貼り付け]の[▼]をクリックして[値]をクリックします。

---

**1** 書式のコピー元のセルを選択し、

**2** [ホーム]タブ→[書式のコピー／貼り付け]をダブルクリックします。

文字を太字、中央揃えにして、薄いゴールドで塗りつぶしています。

**3** マウスポインターの形が �%a に変わり、書式をコピーするモードになります。

| | A | B | C | D | E | F |
|---|---|---|---|---|---|---|
| 1 | 店舗別売上集計表 | | | | | |
| 2 | | | | | | |
| 3 | | 1月 | 2月 | 3月 | 第1四半期合計 | |
| 4 | 品川店 | 315,230 | 335,620 | 325,460 | 976,310 | |
| 5 | 船橋店 | 285,640 | 295,230 | 285,260 | 866,130 | |
| 6 | 大宮店 | 279,520 | 285,230 | 298,450 | 863,200 | |
| 7 | 札幌店 | 425,610 | 456,250 | 465,870 | 1,347,730 | |
| 8 | 合計 | 1,306,000 | 1,372,330 | 1,375,040 | 4,053,370 | |

**4** 書式のコピー先のセルをドラッグします。

**5** 書式が貼り付けられます。

| | A | B | C | D | E | F |
|---|---|---|---|---|---|---|
| 1 | 店舗別売上集計表 | | | | | |
| 2 | | | | | | |
| 3 | | 1月 | 2月 | 3月 | 第1四半期合計 | |
| 4 | 品川店 | 315,230 | 335,620 | 325,460 | 976,310 | |
| 5 | 船橋店 | 285,640 | 295,230 | 285,260 | 866,130 | |
| 6 | 大宮店 | 279,520 | 285,230 | 298,450 | 863,200 | |
| 7 | 札幌店 | 425,610 | 456,250 | 465,870 | 1,347,730 | |
| 8 | 合計 | 306,000 | 1,372,330 | 1,375,040 | 4,053,370 | |

**6** 続けて、書式のコピー先のセルをドラッグしていきます。

**7** Esc キーを押して、書式コピーの状態を解除します。

第 **6** 章

# 表の数値の動きや
# 傾向を読み取る

この章では、指定したデータを自動的に目立たせる条件付き書式を紹介します。1万円以上の数値を自動的に強調する方法などを覚えます。
目標は、ルールに基づいてセルを強調するときは条件付き書式を使う、という鉄則を知ることです。

# データを区別する機能って何？

練習用ファイル：なし

この章では、数値の大きさや文字の内容、日付に応じて、自動的に書式を設定する機能を紹介します。
表のデータを強調するために、書式を設定するセルを自分で探して選択したりする必要はありません。

## 1 条件付き書式

条件付き書式を使うと、指定した条件に合うかどうかを判定して、条件に合うデータだけ自動的に書式が設定されるようにできます。条件は複数指定することもできます。

**Memo 書式設定との違い**

条件付き書式は、条件に一致するデータに自動的に書式が付きます。そのため、データの内容が変更されたときもその内容に応じて自動的に書式が設定されます。一方、手動でセルに設定した書式は、そのセルのデータが変わっても変わりません。表のデータを自動強調するには、条件付き書式を設定しましょう。

100以上の数値が自動的に強調されるようにできます。

| | A | B | C | D | E | F | G | H | I |
|---|---|---|---|---|---|---|---|---|---|
| 1 | 来場者数一覧（上期） | | | | | | | | |
| 2 | | | | | | | | | |
| 3 | | 4月 | 5月 | 6月 | 7月 | 8月 | 9月 | 合計 | |
| 4 | BBQパーク | 62 | 89 | 68 | 98 | 120 | 59 | 496 | |
| 5 | アウトドアガーデン | 80 | 105 | 78 | 115 | 138 | 76 | 592 | |
| 6 | 海風キャンプ場 | 72 | 95 | 70 | 103 | 129 | 68 | 537 | |
| 7 | みなと公園 | 52 | 78 | 70 | 88 | 108 | 80 | 476 | |
| 8 | 川の公園 | 64 | 70 | 61 | 80 | 90 | 88 | 453 | |
| 9 | 合計 | 330 | 437 | 347 | 484 | 585 | 371 | 2554 | |

セルのデータが変更されると

| | A | B | C | D | E | F | G | H | I |
|---|---|---|---|---|---|---|---|---|---|
| 1 | 来場者数一覧（上期） | | | | | | | | |
| 2 | | | | | | | | | |
| 3 | | 4月 | 5月 | 6月 | 7月 | 8月 | 9月 | 合計 | |
| 4 | BBQパーク | 62 | 89 | 68 | 98 | 120 | 59 | 496 | |
| 5 | アウトドアガーデン | 80 | 90 | 78 | 115 | 138 | 76 | 577 | |
| 6 | 海風キャンプ場 | 72 | 95 | 70 | 103 | 129 | 68 | 537 | |
| 7 | みなと公園 | 52 | 107 | 70 | 88 | 108 | 80 | 505 | |
| 8 | 川の公園 | 64 | 70 | 61 | 80 | 90 | 88 | 453 | |
| 9 | 合計 | 330 | 451 | 347 | 484 | 585 | 371 | 2,568 | |

100以上のデータに変更すると、自動的に強調されます。

100より小さいデータに変更すると、自動的に強調されなくなります。

**日付を条件に設定**

| | A | B | C |
|---|---|---|---|
| 1 | 連絡先リスト | | |
| 2 | | | |
| 3 | 氏名 | 登録日 | |
| 4 | 太田　大輔 | 2018/5/8 | |
| 5 | 渡辺　優佳 | 2018/7/15 | |
| 6 | 中島　遼太郎 | 2019/1/10 | |
| 7 | 上野　美里 | 2019/7/2 | |
| 8 | 原　健斗 | 2019/8/25 | |
| 9 | 佐々木　彩 | 2020/1/5 | |
| 10 | 藤田　進太郎 | 2020/1/18 | |

2019年の日付が自動的に強調されるようにできます。

**アイコンを表示**

数値の大きさに応じて別々のアイコンを自動的に表示できます。

| | A | B | C | D | E | F |
|---|---|---|---|---|---|---|
| 1 | オンラインショップ売上集計表 | | | | | |
| 2 | | | | | | |
| 3 | | 1月 | 2月 | 3月 | 合計 | |
| 4 | キッチン家電 | 258560 | 298650 | 312560 | 869770 | |
| 5 | キッチン用品 | 326540 | 315230 | 325820 | 967590 | |
| 6 | 生活雑貨 | 189530 | 179850 | 179560 | 548940 | |
| 7 | 合計 | 774630 | 793730 | 817940 | 2386300 | |

**Memo　条件付き書式の種類**

条件付き書式の条件の指定方法には、さまざまなものがあります。また、条件付き書式の中には、数値の大きさの違いをわかりやすく表示するものもあります。たとえば、横棒の長さ、アイコン、色で区別したりもできます。

# ② スパークライン

スパークラインを使うと、表の各行ごとの数値の動きをグラフのようなイメージでわかりやすく表示できます。スパークラインには、折れ線、縦棒、勝敗の３つのタイプがあります。

**折れ線**

数値の推移を折れ線グラフのように表示します。

| | A | B | C | D | E | F | G | H |
|---|---|---|---|---|---|---|---|---|
| 1 | 来場者数一覧（上期） | | | | | | | |
| 2 | | | | | | | | |
| 3 | | 4月 | 5月 | 6月 | 7月 | 8月 | 9月 | |
| 4 | BBQパーク | 62 | 89 | 90 | 98 | 120 | 59 | |
| 5 | アウトドアガーデン | 80 | 105 | 78 | 115 | 138 | 76 | |
| 6 | 海風キャンプ場 | 72 | 95 | 70 | 103 | 129 | 68 | |
| 7 | みなと公園 | 52 | 78 | 70 | 88 | 108 | 80 | |
| 8 | 川の公園 | 64 | 70 | 61 | 80 | 90 | 88 | |
| 9 | 合計 | 330 | 437 | 369 | 484 | 585 | 371 | |

**Memo　グラフとの違い**

表の数値の大きさが行によって大きく違う場合、それをグラフにして同じ数値軸で表現したとしても行ごとの数値の推移が読み取りづらいことがあります。これに対して、スパークラインは、行ごとに数値軸が設定されるので、行ごとの数値の推移がわかりやすくなります。

6　表の数値の動きや傾向を読み取る

# セルの内容に応じて
# 自動的に書式を設定する

練習用ファイル：なし

**ここで学ぶのは**

▶ 条件付き書式

▶ 条件の指定方法

▶ 優先順位

セルに対して条件付き書式を設定するには、書式を設定する条件と書式の内容を指定します。

どのような条件を指定できるかを知りましょう。条件を一覧から選択したり、一から作ったりする方法があります。

## 1 条件の指定方法とは？

[ホーム] タブ→ [条件付き書式] をクリックすると、条件付き書式の設定に関するさまざまなメニューが表示されます。どのような項目があるかを確認しましょう。

条件付き書式の
設定メニュー

---

💡 **Hint** 　**条件付き書式ルールの管理**

対象のセルに、どのような条件付き書式が設定されているかを確認するには、[条件付き書式ルールの管理] ダイアログを使います。このダイアログでは、条件付き書式の条件や書式を変更したり、複数のルールを設定しているときのルールの優先順位などを指定したりできます。

**Hint** 新しく作る

［ホーム］タブ→［条件付き書式］→［新しいルール］をクリックすると、新しい条件付き書式のルールを設定するダイアログが表示されます。ここでは、ルールの種類を指定して、種類に応じて条件の内容を細かく指定できます。

**Memo** 条件の指定例

条件付き書式で設定できる条件は、セルに入力されているデータの種類によって違います。たとえば、次のようなものがあります。

| データの種類 | 指定内容例 |
|---|---|
| 数値 | ○○より大きい |
| | ○○から○○まで |
| | ○○以上 |
| | 重複するデータ |
| | 上位○まで |
| | 上位○% |
| | 平均値より上 |
| 文字 | ○○を含む |
| | ○○から始まる |
| | ○○で終わる |
| | 重複するデータ |
| 日付 | 今日 |
| | 先月 |
| | ○○以降 |
| | ○○から○○まで |
| | 重複するデータ |

条件を指定するには、［セルの強調表示ルール］や［上位／下位ルール］から項目を選択します。すると、選択した項目に応じて条件の内容を指定する画面が表示されます。

よく使う表示形式を簡単に指定できます。

新しい条件付き書式を作成することもできます。

# Section 55

## ある文字を含むデータを自動的に目立たる

練習用ファイル: 55_駅前広場イベント一覧.xlsx

### ここで学ぶのは

▶ 条件付き書式

▶ 文字列

▶ 条件の指定方法

指定したキーワードを含むデータや指定した文字から始まるデータなどを自動的に目立たせます。
ここでは、文字が入力されているセルに対して条件付き書式を指定する方法を知りましょう。

## 1 指定した文字を含むデータを強調する

解説 条件付き書式を設定する

指定した文字が含まれるデータが自動的に強調されるようにしましょう。条件付き書式を設定して条件の文字を入力します。

「料理」の文字を含むセルが目立つようにします。

**1** 条件付き書式を設定するセル範囲を選択し、

**2** [ホーム] タブ→ [条件付き書式] → [セルの強調表示ルール] → [文字列] をクリックします。

**3** どの文字を含むデータを強調するか入力し、

**4** [書式]を選択して、

**5** [OK]をクリックします。

**6** 条件に合うデータのセルに書式が適用されました。

# 2 値を変更する

**解説** データによって変わる

条件付き書式は、指定した条件に一致するデータを自動的に強調します。そのため、データが変わったらその内容に応じてデータが強調されたりされなかったりします。ここでは、「料理」という文字を含む内容に修正して、データが強調されるようにします。

前ページの続きで、条件付き書式を設定したセル範囲のデータを変えると、書式が適用されることを確認します。

| | A | B | C | D | E |
|---|---|---|---|---|---|
| 1 | 駅前広場イベント一覧 | | | | |
| 2 | | | | | |
| 3 | 管理番号 | 日付 | 内容 | 参加費 | |
| 4 | 10 | 2020/1/19 | 街の歴史セミナー | 6,800 | |
| 5 | 11 | 2020/2/16 | 日本料理教室 | 11,800 | |
| 6 | 12 | 2020/4/5 | シュノーケリングツアー | 14,500 | |
| 7 | 13 | 2020/5/17 | 家庭菜園セミナー | 4,600 | |
| 8 | 14 | 2020/7/19 | 海釣り体験 | 7,800 | |
| 9 | 15 | 2020/9/20 | イタリア料理教室 | 9,800 | |
| 10 | 16 | 2020/10/18 | ワインセミナー | 10,000 | |
| 11 | 17 | 2020/12/13 | クリスマスリース作り | 4,800 | |

**条件付き書式が設定されている範囲**

**1** 条件付き書式を設定したいずれかのセルをダブルクリックします。

| 3 | 管理番号 | 日付 | 内容 | 参加費 | |
|---|---|---|---|---|---|
| 4 | 10 | 2020/1/19 | 街の歴史セミナー | 6,800 | |
| 5 | 11 | 2020/2/16 | 日本料理教室 | 11,800 | |
| 6 | 12 | 2020/4/5 | シュノーケリングツアー | 14,500 | |
| 7 | 13 | 2020/5/17 | 家庭菜園セミナー | 4,600 | |
| 8 | 14 | 2020/7/19 | 海釣り体験と漁師料理教室 | | |
| 9 | 15 | 2020/9/20 | イタリア料理教室 | 9,800 | |
| 10 | 16 | 2020/10/18 | ワインセミナー | 10,000 | |
| 11 | 17 | 2020/12/13 | クリスマスリース作り | 4,800 | |

**2** ここでは、図のように「料理」を含む文字を入力して[Enter]キーを押します。

| | A | B | C | D | E |
|---|---|---|---|---|---|
| 1 | 駅前広場イベント一覧 | | | | |
| 2 | | | | | |
| 3 | 管理番号 | 日付 | 内容 | 参加費 | |
| 4 | 10 | 2020/1/19 | 街の歴史セミナー | 6,800 | |
| 5 | 11 | 2020/2/16 | 日本料理教室 | 11,800 | |
| 6 | 12 | 2020/4/5 | シュノーケリングツアー | 14,500 | |
| 7 | 13 | 2020/5/17 | 家庭菜園セミナー | 4,600 | |
| 8 | 14 | 2020/7/19 | 海釣り体験と漁師料理教室 | 7,000 | |
| 9 | 15 | 2020/9/20 | イタリア料理教室 | 9,800 | |
| 10 | 16 | 2020/10/18 | ワインセミナー | 10,000 | |
| 11 | 17 | 2020/12/13 | クリスマスリース作り | 4,800 | |

**3** データが条件に一致すると、書式が適用されます。

---

**Hint** 「○○」から始まるデータ

「○○から始まる」「○○で終わる」のような条件を指定するには、対象のセルを選択した後[ホーム]タブ→[条件付き書式]→[セルの強調表示ルール]→[その他のルール]をクリックします。続いて、ルールの内容で[特定の文字列]を選択して条件を指定します（右図）。[書式]をクリックして条件に合うときの書式を指定します。[OK]を押して設定画面を閉じると、条件付き書式が設定されます。

**1** [特定の文字列]、[次の値で始まる]を選択して、キーワードを入力します。

**2** 条件に一致したときに適用する書式をここから設定します。

## Section

# 56

# 指定した期間の日付を自動的に目立たせる

練習用ファイル：■ 56_連絡先リスト.xlsx

### ここで学ぶのは

▶ 条件付き書式

▶ 日付

▶ 条件の指定方法

「先週」や「今日」、「過去7間」など、指定した日付のデータを自動的に目立たせます。

指定した期間の日付のデータを強調するときの、条件の指定方法を知りましょう。

---

## 1 指定した期間の日付を強調する

**解説** 条件付き書式を設定する

今月の日付データが自動的に強調されるようにしましょう。日付を条件に指定した場合、日付が変わるとそれに応じてデータが強調されたりされなかったりします。たとえば、今日の日付を強調する設定にしているとき、明日になれば、強調される日付も変わります。

**注意** データが強調されない場合

ここでは、今月の日付が強調されるようにしましたが、セル範囲B4:B10に今月の日付が入力されていない場合は飾りが付きません。その場合は、セル範囲B4:B10のいずれかのセルをクリックし、操作を確認している時点の今月の日付を入力してみてください。

**Hint** パソコンの日付

条件付き書式の日付の条件は、パソコンの日付を基に判定されます。パソコンの日付の設定が間違っているときは、正しい結果にならないので注意します。

今月の日付データを強調します。

**1** 条件付き書式を設定するセル範囲を選択し、

**2** [ホーム]タブ→[条件付き書式] → [セルの強調表示ルール] → [日付] をクリックします。

**3** 日付の期間で [今月] を選択します。

**4** [書式] を選択します。

**5** [OK] をクリックします。

**6** 条件に合うデータのセルに書式が適用されました。

書式が適用されない場合は、セルのデータに今月の日付を入力してください。

## 2 ルールを変更する

### 解説 「○○」以降のデータ

前ページで指定した条件付き書式ルールを変えます。ここでは、指定した日付以降の日付が自動的に強調されるようにします。

前ページの続きで、2019年以降のデータが強調されるように変更します。

**1** 条件付き書式を設定するセル範囲を選択し、

**2** [ホーム] タブ→ [条件付き書式] → [ルールの管理] をクリックします。

**3** 編集するルールをクリックし、

**4** [ルールの編集] をクリックします。

### Hint 日付の期間を指定する

いつからいつまでのように、日付の期間を条件にするには、手順 5 で [次の値の間] を選択し、期間の最初の日付と最後の日付を指定します。

**5** ルールの内容で [セルの値]、[次の値以上] を選択して、日付を入力し、

**6** [OK] をクリックします。

**7** [条件付き書式ルールの管理] ダイアログの [OK] をクリックします。

**8** 条件に合うデータのセルに書式が適用されました。

## Section 57

# 1万円以上の値を自動的に目立たせる

練習用ファイル: 📂 57_駅前広場イベント一覧.xlsx

### ここで学ぶのは

▶ 条件付き書式
▶ 数値
▶ 条件の指定方法

表の数値を見ただけでは、数値の大きさを瞬時に見分けることは難しいものです。条件付き書式を設定すると、値の大きい数値を自動的に強調したりできます。「指定の値より大きい」「指定の値以上」などの条件を指定できます。

## 1 1万円より大きいデータを目立たせる

**解説　1万円より大きい値を強調する**

条件付き書式を設定し、1万円より大きい値が自動的に強調されるようにします。書式を設定するルールの種類として [指定の値より大きい] を指定します。

**1** 条件付き書式を設定するセル範囲を選択し、

**2** [ホーム] タブ→[条件付き書式]→[セルの強調表示ルール]→[指定の値より大きい] をクリックします。

**Memo　指定の値より小さい値を強調する**

指定した値より小さい値を強調する場合は、手順 2 で [指定の値より小さい] をクリックして、値を指定します。

**3** 数値を入力し、

**4** [書式] を選択して、

**5** [OK] をクリックします。

**6** 1万円より大きいデータのセルに書式が適用されました。

## 2 1万円以上のデータを目立たせる

### 解説 1万円以上の値を強調する

1万円以上の値を強調する条件付き書式を設定します。[セルの強調表示ルール]の中に適当なルールがない場合は、[その他のルール]を選択してルールを指定します。ここでは、1万円以上の値を強調するため、ルールの内容として[セルの値][次の値以上]「10000」を指定します。

**1** 前ページでセル範囲D4:D11に条件付き書式を設定した場合は、P.178の方法で、条件付き書式の設定を解除しておきます。

**2** 条件付き書式を設定するセル範囲を選択し、

**3** [ホーム]タブ→[条件付き書式]→[セルの強調表示ルール]→[その他のルール]をクリックします。

**4** ルールの内容で[セルの値]、[次の値以上]を選択して、数値を入力し、

**5** [書式]をクリックします。

### Hint 複数のルールを指定する

5000円以上は緑の文字、10000円以上は青の文字にする、という条件付き書式を設定するには、「セルの値が5000円以上の場合は、緑」「セルの値が10000円以上の場合は、青」のように条件付き書式を2つ設定します。さらに、P.169の方法で、条件付き書式の設定画面を開き、条件の優先順位を指定します。この例では、「10000円以上は青の文字にする」の優先順位を上にします。それには、条件をクリックした後、[▲][▼]をクリックして優先順位を指定します。優先順位が違うと、正しい結果にならないので注意します。

**6** [塗りつぶし]タブをクリックし、

**7** 背景色の色をクリックして、

**8** [OK]をクリックします。

**9** [新しい書式ルール]ダイアログの[OK]をクリックします。

**10** 1万円以上のデータのセルに書式が適用されました。

## Section

# 58

# 数値の大きさを表すバーを表示する

練習用ファイル:■ 58_来場者数一覧.xlsx

### ここで学ぶのは

▶ 条件付き書式

▶ データバー

▶ ルールの編集

条件付き書式には、数値の大きさに応じて棒グラフのようなバーを表示する**データバー**があります。

データバーを表示すると、数値の大きさの推移や傾向がひと目でわかって便利です。

## 1 数値の大きさを表すバーを表示する

**解説** データバーを表示する

数値のデータが入っているセル範囲を選択し、データバーの色を選択します。データバーの色にマウスポインターを合わせると、その色のデータバーを表示したイメージが表示されます。それを確認して色を選択しましょう。

**1** データバーを表示するセル範囲を選択し、

| | A | B | C | D | E | F | G | H | I |
|---|---|---|---|---|---|---|---|---|---|
| 1 | 来場者数一覧（上期） | | | | | | | | |
| 2 | | | | | | | | | |
| 3 | | 4月 | 5月 | 6月 | 7月 | 8月 | 9月 | 合計 | |
| 4 | BBQパーク | 62 | 89 | 68 | 98 | 120 | 59 | 496 | |
| 5 | アウトドアガーデン | 80 | 105 | 78 | 115 | 138 | 76 | 592 | |
| 6 | 海風キャンプ場 | 72 | 95 | 70 | 103 | 129 | 68 | 537 | |
| 7 | みなと公園 | 52 | 78 | 70 | 88 | 108 | 80 | 476 | |
| 8 | 川の公園 | 64 | 70 | 61 | 80 | 90 | 88 | 453 | |
| 9 | 合計 | 330 | 437 | 347 | 484 | 585 | 371 | 2,554 | |

**2** ［ホーム］タブ→［条件付き書式］→［データバー］→データバーの色をクリックします。

**3** データバーが表示されます。

| 3 | | 4月 | 5月 | 6月 | 7月 | 8月 | 9月 | 合計 |
|---|---|---|---|---|---|---|---|---|
| 4 | BBQパーク | 62 | 89 | 68 | 98 | 120 | 59 | 496 |
| 5 | アウトドアガーデン | 80 | 105 | 78 | 115 | 138 | 76 | 592 |
| 6 | 海風キャンプ場 | 72 | 95 | 70 | 103 | 129 | 68 | 537 |
| 7 | みなと公園 | 52 | 78 | 70 | 88 | 108 | 80 | 476 |
| 8 | 川の公園 | 64 | 70 | 61 | 80 | 90 | 88 | 453 |
| 9 | 合計 | 330 | 437 | 347 | 484 | 585 | 371 | 2,554 |

### 解説　最小値を指定する

データバーの表示方法は変更できます。ここでは最小値を指定しています。最小値を超えるセルには、その数値の大きさに応じてデータバーが表示されます。

なお、最小値を超える数値がない場合や、極端に大きい数値がある場合などは、思うようにデータバーが表示されないこともあるので注意しましょう。

### Memo　新規にデータバーを表示する

ここでは、設定済みの条件付き書式のルールを編集してデータバーの表示方法を変更しました。新規にデータバーのルールを設定するには、対象のセル範囲を選択して、[ホーム] タブ→[条件付き書式]→[データバー]→[その他のルール]をクリックして指定します。

### Hint　棒のみ表示する

データバーの表示方法を指定するダイアログで、[棒のみ表示する]をクリックすると、数値は表示されずにデータバーだけが表示されます。

**1** チェック

**2** 数値なしでデータバーだけ表示される

前ページの続きで、データバーを表示する最小値を「500」とします。

**1** 条件付き書式が設定されているセル範囲を選択し、

**2** [ホーム]タブ→[条件付き書式]→[ルールの管理]をクリックします。

**3** 編集するルールをクリックし、

**4** [ルールの編集]をクリックします。

**5** [最小値]の[種類]を[数値]にして、[値]に500を入力し、

**6** [OK]をクリックします。

**7** [条件付き書式ルールの管理]ダイアログの[OK]をクリックします。

**8** データが500以上のセルにだけデータバーが表示されます。

## Section

# 59

# 数値の大きさによって色分けする

練習用ファイル： 59_来場者数一覧.xlsx

**ここで学ぶのは**

▶ 条件付き書式

▶ カラースケール

▶ ルールの編集

条件付き書式には、数値の大きさに応じてセルを色分けするカラースケールがあります。

たとえば、数値が大きいほどセルの色を濃くしたりできますので、数値の大きさや傾向などをひと目で把握できて便利です。

---

## 1 数値の大きさを色で表現する

**解説** カラースケールを表示する

数値のデータが入っているセル範囲を選択し、カラースケールの色を選択します。カラースケールの色にマウスポインターを合わせると、そのカラースケールを表示したイメージが表示されます。それを確認して色を選択しましょう。

**1** カラースケールを表示するセル範囲を選択し、

| | A | B | C | D | E | F | G | H | I |
|---|---|---|---|---|---|---|---|---|---|
| 1 | 来場者数一覧（上期） | | | | | | | | |
| 2 | | | | | | | | | |
| 3 | | | 4月 | 5月 | 6月 | 7月 | 8月 | 9月 | 合計 |
| 4 | BBQパーク | | 62 | 89 | 68 | 98 | 120 | 59 | 496 |
| 5 | アウトドアガーデン | | 80 | 105 | 78 | 115 | 138 | 76 | 592 |
| 6 | 海風キャンプ場 | | 72 | 95 | 70 | 103 | 129 | 68 | 537 |
| 7 | みなと公園 | | 52 | 78 | 70 | 88 | 108 | 80 | 476 |
| 8 | 川の公園 | | 64 | 70 | 61 | 80 | 90 | 88 | 453 |
| 9 | 合計 | | 330 | 437 | 347 | 484 | 585 | 371 | 2,554 |

**2** ［ホーム］タブ→［条件付き書式］→［カラースケール］→カラースケールの色をクリックします。

**Memo** 2色と3色

カラースケールには、2色のものと3色のものがあります。単純に数値の大小をわかりやすくするには2色を選ぶとよいでしょう。大きい数値、中央くらいの数値、小さい数値がわかるようにするには3色を選ぶとよいでしょう。

| 3 | | 4月 | 5月 | 6月 | 7月 | 8月 | 9月 | 合計 |
|---|---|---|---|---|---|---|---|---|
| 4 | BBQパーク | 62 | 89 | 68 | 98 | 120 | 59 | 496 |
| 5 | アウトドアガーデン | 80 | 105 | 78 | 115 | 138 | 76 | 592 |
| 6 | 海風キャンプ場 | 72 | 95 | 70 | 103 | 129 | 68 | 537 |
| 7 | みなと公園 | 52 | 78 | 70 | 88 | 108 | 80 | 476 |
| 8 | 川の公園 | 64 | 70 | 61 | 80 | 90 | 88 | 453 |
| 9 | 合計 | 330 | 437 | 347 | 484 | 585 | 371 | 2,554 |

**3** 数値が大きければ濃い色が、小さければ薄い色が付きます。

## 2 色の表示方法を変更する

### 解説 ▶ 最小値を指定する

カラースケールの色の表示方法は変更できます。ここでは、最小値を指定しています。最小値を超えるセルには、その数値の大きさに応じて色が表示されます。

なお、最小値を超える数値がない場合や、極端に大きい数値がある場合などは、思うように色分けされないので注意しましょう。

### Memo ▶ 新規にカラースケールを表示する

ここでは、設定済みの条件付き書式のルールを編集してカラースケールの表示方法を変更しました。新規にカラースケールのルールを設定するには、対象のセル範囲を選択して、[ホーム]タブ→[条件付き書式]→[データバー]→[その他のルール]をクリックして指定します。

前ページの続きで、カラースケールを表示する最小値を「100」とします。

**1** 条件付き書式が設定されているセル範囲を選択し、

**2** [ホーム]タブ→[条件付き書式]→[ルールの管理]をクリックします。

**3** 編集するルールをクリックし、

**4** [ルールの編集]をクリックします。

**5** [最小値]の[種類]を[数値]にして、[値]に100を入力し、

**6** [OK]をクリックします。

**7** [条件付き書式ルールの管理]ダイアログの[OK]をクリックします。

**8** データが100以上のセルにだけカラースケールが表示されます。

# Section 60 数値の大きさによって別々のアイコンを付ける

練習用ファイル:■ 60_来場者数一覧.xlsx

条件付き書式には、数値の大きさに応じてセルの左端にアイコンを表示するアイコンセットがあります。

アイコンの違いで、数値の大きさや傾向などを把握できます。それぞれのアイコンを表示するときの数値の範囲も指定できます。

## 1 数値の大きさに応じてアイコンを表示する

**解説 アイコンセットを表示する**

数値のデータが入っているセル範囲を選択し、アイコンの種類を指定します。アイコンセットにマウスポインターを合わせると、そのアイコンセットを表示したイメージが表示されます。それを確認してアイコンを選択しましょう。

**Memo アイコンの違い**

アイコンセットには、「方向」「図形」「インジケーター」「評価」があります。表をモノクロで印刷する場合などは、図形のアイコンだと色の違いがわかりづらくなることもあるので注意します。

| 3 | | 4月 | 5月 | 6月 | 7月 | 8月 | 9月 | 合計 |
|---|---|---|---|---|---|---|---|---|
| 4 | BBQパーク | 62 | 89 | 68 | 98 | 120 | 59 | 496 |
| 5 | アウトドアガーデン | 80 | 105 | 78 | 115 | 138 | 76 | 592 |
| 6 | 海風キャンプ場 | 72 | 95 | 70 | 103 | 129 | 68 | 537 |
| 7 | みなと公園 | 52 | 78 | 70 | 88 | 108 | 80 | 476 |
| 8 | 川の公園 | 64 | 70 | 61 | 80 | 90 | 88 | 453 |
| 9 | 合計 | 330 | 437 | 347 | 484 | 585 | 371 | 2,554 |

**1** アイコンセットを表示するセル範囲を選択し、

**2** [ホーム] タブ→ [条件付き書式] → [アイコンセット] → アイコンの種類をクリックします。

| 3 | | 4月 | 5月 | 6月 | 7月 | 8月 | 9月 | 合計 |
|---|---|---|---|---|---|---|---|---|
| 4 | BBQパーク | 62 | 89 | 68 | 98 | 120 | 59 | 496 |
| 5 | アウトドアガーデン | 80 | 105 | 78 | 115 | 138 | 76 | 592 |
| 6 | 海風キャンプ場 | 72 | 95 | 70 | 103 | 129 | 68 | 537 |
| 7 | みなと公園 | 52 | 78 | 70 | 88 | 108 | 80 | 476 |
| 8 | 川の公園 | 64 | 70 | 61 | 80 | 90 | 88 | 453 |
| 9 | 合計 | 330 | 437 | 347 | 484 | 585 | 371 | 2,554 |

**3** 数値の大きさによって別々のアイコンが表示されます。

## 2 アイコンの表示方法を変更する

### 解説 数値の範囲を指定する

アイコンを表示するルールを変更します。数字を入力して数値の範囲を指定する場合は、[種類] 欄から [数値] を選択して、[値] を入力します。ここでは、100以上は✓、70以上から99までは❘、69以下は✕が表示されるようにします。

### Hint アイコンの順番を変える

数値が小さいほどよい評価になる場合は、大きい数値は✕、中間は❘、小さい数値は✓などアイコンの順番を逆にしましょう。それには、[書式ルールの編集] ダイアログで [アイコンの順序を逆にする] をクリックします。

### Hint アイコンだけ表示する

アイコンセットの表示方法を指定するダイアログで、[アイコンのみ表示] をクリックすると、数値は表示されずにアイコンだけが表示されます。

---

前ページの続きで、100以上は✓、70以上から99までは❘、69以下は✕が表示されるようにします。

**1** 条件付き書式が設定されているセル範囲を選択し、

**2** [ホーム] タブ→[条件付き書式]→[ルールの管理] をクリックします。

**3** 編集するルールをクリックし、

**4** [ルールの編集] をクリックします。

**5** [種類] を [数値] にし、

**6** [値] に条件を指定して、

**7** [OK] をクリックします。

**8** 指定した条件に合わせて別々のアイコンが表示されます。

# 61 条件付き書式の設定を解除する

練習用ファイル：■ 61_来場者数一覧.xlsx

## ここで学ぶのは

▶ 条件付き書式
▶ ルールのクリア
▶ ルールの管理

条件付き書式は、簡単に解除できます。指定したセルやシートに設定されている条件付き書式を解除する方法を知りましょう。
条件付き書式を解除しても、もちろん、セルに入力されているデータの内容は変わりません。

## 1 条件付き書式の設定を解除する

### 解説 条件付き書式を解除する

条件付き書式の設定を解除します。まずは、条件付き書式が設定されているセル範囲を選択しましょう。条件付き書式は、条件に合うデータを強調するものです。データが強調されていないセルにも条件付き書式が設定されている可能性があるので注意します。詳しくは下のHintを参照してください。

### Hint 条件付き書式が設定されている場所

どのセルに条件付き書式が設定されているかわからない場合は、条件付き書式が設定されているセル範囲を自動的に選択する機能を使いましょう。[ホーム]タブ→[検索と選択]→[条件付き書式]をクリックします。

**1** 条件付き書式が設定されているセルを選択し、

**2** [ホーム]タブ→[条件付き書式]→[ルールのクリア]→[選択したセルからルールをクリア]をクリックします。

**3** 条件付き書式の設定が解除されます。

| | A | B | C | D | E | F | G | H | I |
|---|---|---|---|---|---|---|---|---|---|
| 1 | 来場者数一覧（上期） | | | | | | | | |
| 2 | | | | | | | | | |
| 3 | | 4月 | 5月 | 6月 | 7月 | 8月 | 9月 | 合計 | |
| 4 | BBQパーク | 62 | 89 | 68 | 98 | 120 | 59 | 496 | |
| 5 | アウトドアガーデン | 80 | 105 | 78 | 115 | 138 | 76 | 592 | |
| 6 | 海風キャンプ場 | 72 | 95 | 70 | 103 | 129 | 68 | 537 | |
| 7 | みなと公園 | 52 | 78 | 70 | 88 | 108 | 80 | 476 | |
| 8 | 川の公園 | 64 | 70 | 61 | 80 | 90 | 88 | 453 | |
| 9 | 合計 | 330 | 437 | 347 | 484 | 585 | 371 | 2,554 | |
| 10 | | | | | | | | | |

## 2 条件付き書式の設定をまとめて解除する

💬 **解説** 条件付き書式を
まとめて解除する

シートに設定されているすべての条件付き書式を解除するときは、条件付き書式が設定されているセルを選択する必要はありません。まとめて解除できます。

**1** [ホーム]タブ→[条件付き書式]→[ルールのクリア]→[シート全体からルールをクリア]をクリックします。

**2** 条件付き書式の設定が解除されます。

💡 **Hint** 指定した条件付き書式
だけ解除する

指定したセル範囲に複数の条件付き書式を設定している場合、一部の条件付き書式を解除することもできます。それには、まず条件付き書式が設定されているセル範囲を選択し、[ホーム]タブ→[条件付き書式]→[ルールの管理]をクリックします。続いて、[条件付き書式ルールの管理]ダイアログで解除するルールを選択し、[ルールの削除]をクリックします。

**1** セル範囲を選択し、

**2** [ホーム]タブ→[条件付き書式]→[ルールの管理]をクリックします。

**3** ルールを選択し、

**4** [ルールの削除]を
クリックします。

# 62

# 数値の動きを棒の長さや折れ線で表現する

練習用ファイル： 📁 62_店舗別売上集計表.xlsx

### ここで学ぶのは

▶ スパークライン

▶ 折れ線

▶ 軸の表示方法

スパークラインを使うと、行や列ごとの数値の動きを、棒グラフや折れ線グラフのように表現できます。

たとえば、支店別の月ごとの売上一覧表などで、各支店の売上の推移などがひと目でわかるようになります。

---

## 1 スパークラインの種類とは？

### Memo 後から変更できる

スパークラインの種類は、後から変えられます（P.182）。スパークラインを作り直す必要はありません。

スパークラインには、「折れ線」「縦棒」「勝敗」の3種類があります。数値の推移は折れ線、大きさを比較するには縦棒、プラスマイナスがひと目でわかるようにするには勝敗を使いましょう。

**折れ線**

| | A | B | C | D | E | F | G | H |
|---|---|---|---|---|---|---|---|---|
| 1 | 店舗別売上集計表 | | | | | | | |
| 2 | | | | | | | | |
| 3 | | 1月 | 2月 | 3月 | 4月 | 5月 | 6月 | |
| 4 | 品川店 | 315,230 | 335,620 | 325,460 | 336,250 | 346,520 | 356,420 | |
| 5 | 船橋店 | 285,640 | 295,230 | 285,260 | 275,620 | 286,540 | 306,540 | |
| 6 | 大宮店 | 279,520 | 285,230 | 298,450 | 302,540 | 315,230 | 325,360 | |
| 7 | 札幌店 | 425,610 | 456,250 | 465,870 | 475,600 | 488,320 | 495,280 | |

**縦棒**

| | A | B | C | D | E | F | G | H |
|---|---|---|---|---|---|---|---|---|
| 1 | 店舗別売上集計表 | | | | | | | |
| 2 | | | | | | | | |
| 3 | | 1月 | 2月 | 3月 | 4月 | 5月 | 6月 | |
| 4 | 品川店 | 315,230 | 335,620 | 325,460 | 336,250 | 346,520 | 356,420 | |
| 5 | 船橋店 | 285,640 | 295,230 | 285,260 | 275,620 | 286,540 | 306,540 | |
| 6 | 大宮店 | 279,520 | 285,230 | 298,450 | 302,540 | 315,230 | 325,360 | |
| 7 | 札幌店 | 425,610 | 456,250 | 465,870 | 475,600 | 488,320 | 495,280 | |

**勝敗**

| | A | B | C | D | E | F | G | H |
|---|---|---|---|---|---|---|---|---|
| 9 | 増減率 | | | | | | | |
| 10 | | 1月 | 2月 | 3月 | 4月 | 5月 | 6月 | |
| 11 | 品川店 | | 6.5% | -3.0% | 3.3% | 3.1% | 2.9% | |
| 12 | 船橋店 | | 3.4% | -3.4% | -3.4% | 4.0% | 7.0% | |
| 13 | 大宮店 | | 2.0% | 4.6% | 1.4% | 4.2% | 3.2% | |
| 14 | 札幌店 | | 7.2% | 2.1% | 2.1% | 2.7% | 1.4% | |

解説 **スパークラインを表示する**

支店ごとの売上の推移を示すスパークラインを作ります。スパークラインを作る範囲を選択して、そこに表示します。ここでは、折れ線のスパークラインを作っていますが、縦棒や勝敗のスパークラインでも作り方は同じです。

Memo **スパークラインを選択する**

スパークラインが表示されているセルをクリックすると、そのスパークラインを含む同じグループのスパークラインのセルに色の枠が付きます。同じグループのスパークラインは、まとめて編集できます。

**1** スパークラインを表示するセル範囲を選択し、

**2** [挿入]タブ→[折れ線]をクリックします。

**3** [データ範囲]欄をクリックし、

**4** スパークラインで表示するデータが入力されているセル範囲を選択して、

**5** [OK]をクリックします。

**5** 折れ線のスパークラインが表示されます。

# 3 スパークラインの表示方法を変更する

## 解説 表示を変更する

スパークラインを選択すると、[スパークラインツール]の[デザイン]タブが表示されます。[デザイン]タブでスパークラインを編集できます。ここでは、スパークラインで表現しているデータの位置を示すマーカーを表示します。

## Hint マーカーの色

マーカーの色は、スパークラインを選択して[デザイン]タブの[マーカーの色]で指定できます。たとえば、折れ線の山の頂点のマーカーの色を変えたりできます。

## Hint スパークラインの種類

スパークラインの種類を変えるには、スパークラインが表示されているセルをクリックし、[デザイン]タブ→[種類]からスパークラインの種類を選択します。

---

スパークラインにマーカーを付けて見やすくします。

**1** スパークラインが表示されているセルをクリックし、

**2** [デザイン]タブ→[スタイル]の ▾ をクリックします。

**3** 色を選んでクリックします。

**4** [マーカー]をクリックします。

**5** スパークラインの表示が変更されます。

| | A | B | C | D | E | F | G | H |
|---|---|---|---|---|---|---|---|---|
| 1 | 店舗別売上集計表 | | | | | | | |
| 2 | | | | | | | | |
| 3 | | 1月 | 2月 | 3月 | 4月 | 5月 | 6月 | |
| 4 | 品川店 | 315,220 | 335,620 | 325,460 | 336,250 | 346,520 | 356,420 | |
| 5 | 船橋店 | 285,640 | 295,230 | 285,260 | 275,620 | 286,540 | 306,540 | |
| 6 | 大宮店 | 279,520 | 285,230 | 298,450 | 302,540 | 315,230 | 325,360 | |
| 7 | 札幌店 | 425,610 | 456,250 | 465,870 | 475,600 | 488,320 | 495,280 | |

# 4 スパークラインの軸の表示方法を変更する

**解説** 最小値や最大値を指定する

折れ線や縦棒のスパークラインを作ると、通常、数値の大きさを示す軸は、行や列ごとに自動的に設定されます。そのため、行や列によって数値の大きさが大きく違う場合でも、その行や列の数値の動きがわかります。ここでは、軸の表示方法を変えて、軸の最小値や最大値をすべてのスパークラインで同じになるようにしています。

スパークラインの軸の最小値や最大値を揃えます。

| 3 | 1月 | 2月 | 3月 | 4月 | 5月 | 6月 | |
|---|---|---|---|---|---|---|---|
| 4 品川店 | 315,230 | 335,620 | 325,460 | 336,250 | 346,520 | 356,420 | |
| 5 船橋店 | 285,640 | 295,230 | 285,260 | 275,620 | 286,540 | 306,540 | |
| 6 大宮店 | 279,520 | 285,230 | 298,450 | 302,540 | 315,230 | 325,360 | |
| 7 札幌店 | 425,610 | 456,250 | 465,870 | 475,600 | 488,320 | 495,280 | |

スパークラインの軸が行ごとに設定されている状態です。

| 3 | 1月 | 2月 | 3月 | 4月 | 5月 | 6月 | |
|---|---|---|---|---|---|---|---|
| 4 品川店 | 315,230 | 335,620 | 325,460 | 336,250 | 346,520 | 356,420 | |
| 5 船橋店 | 285,640 | 295,230 | 285,260 | 275,620 | 286,540 | 306,540 | |
| 6 大宮店 | 279,520 | 285,230 | 298,450 | 302,540 | 315,230 | 325,360 | |
| 7 札幌店 | 425,610 | 456,250 | 465,870 | 475,600 | 488,320 | 495,280 | |

スパークラインの軸の最小値や最大値を揃えると表示が変わります。

**最小値を指定する場合**

**1** スパークラインが表示されているセルをクリックし、

**2** [デザイン]タブ→[軸]→[すべてのスパークラインで同じ値]をクリックします。

**Hint** 数値で指定する

軸の最小値や最大値を数値で指定したい場合は、[デザイン]タブ→[軸]→[縦軸の最小値のオプション]の[ユーザー設定値](または[縦軸の最大値のオプション]の[ユーザー設定値])をクリックします。表示されるダイアログで最小値や最大値を入力します。

最大値を指定する場合はこちらをクリックします。

---

**Hint** スパークラインのセル範囲を変更する

スパークラインで表示するデータが入力されているセル範囲を変更するには、スパークラインを選択し、[デザイン]タブ→[データの編集]をクリックします。続いて表示される[スパークラインの編集]ダイアログで、データ範囲を指定します。

**1** スパークラインが表示されているセルをクリックし、

**2** [デザイン]タブ→[データの編集]をクリックして、

**3** データ範囲を指定します。

# 5 スパークラインを削除する

## 解説 スパークラインを削除する

スパークラインのグループを削除します。グループ単位ではなく、選択したセルのスパークラインのみ削除するには、スパークラインが表示されているセルをクリックし、[デザイン]タブ→[クリア]をクリックします。

**1** スパークラインが表示されているセルをクリックし、

| | A | B | C | D | E | F | G | H |
|---|---|---|---|---|---|---|---|---|
| 1 | 店舗別売上集計表 | | | | | | | |
| 2 | | | | | | | | |
| 3 | | 1月 | 2月 | 3月 | 4月 | 5月 | 6月 | |
| 4 | 品川店 | 315,230 | 335,620 | 325,460 | 336,250 | 346,520 | 356,420 | |
| 5 | 船橋店 | 285,640 | 295,230 | 285,260 | 275,620 | 286,540 | 306,540 | |
| 6 | 大宮店 | 279,520 | 285,230 | 298,450 | 302,540 | 315,230 | 325,360 | |
| 7 | 札幌店 | 425,610 | 456,250 | 465,870 | 475,600 | 488,320 | 495,280 | |

**2** [デザイン]タブ→[クリア]の[▼]→[選択したスパークライングループのクリア]をクリックします。

## Hint スパークラインをコピーする

表にデータが追加された場合などは、スパークラインをコピーして作りましょう。新たに作り直す必要はありません。

データが追加されています。

**1** スパークラインが表示されているセルをクリックし、

| | A | B | C | D | E | F | G |
|---|---|---|---|---|---|---|---|
| 1 | 店舗別売上集計表 | | | | | | |
| 2 | | | | | | | |
| 3 | | 1月 | 2月 | 3月 | 4月 | 5月 | 6月 |
| 4 | 品川店 | 315,230 | 335,620 | 325,460 | 336,250 | 346,520 | 356,420 |
| 5 | 船橋店 | 285,640 | 295,230 | 285,260 | 275,620 | 286,540 | 306,540 |
| 6 | 大宮店 | 279,520 | 285,230 | 298,450 | 302,540 | 315,230 | 325,360 |
| 7 | 札幌店 | 425,610 | 456,250 | 465,870 | 475,600 | 488,320 | 495,280 |
| 8 | 仙台店 | | | | 505,600 | 485,210 | 523,450 |
| 9 | 広島店 | | | | 326,500 | 305,800 | 326,800 |

**2** フィルハンドルにマウスポインターを合わせて、ドラッグします。

| | A | B | C | D | E | F | G | H |
|---|---|---|---|---|---|---|---|---|
| 1 | 店舗別売上集計表 | | | | | | | |
| 2 | | | | | | | | |
| 3 | | 1月 | 2月 | 3月 | 4月 | 5月 | 6月 | |
| 4 | 品川店 | 315,230 | 335,620 | 325,460 | 336,250 | 346,520 | 356,420 | |
| 5 | 船橋店 | 285,640 | 295,230 | 285,260 | 275,620 | 286,540 | 306,540 | |
| 6 | 大宮店 | 279,520 | 285,230 | 298,450 | 302,540 | 315,230 | 325,360 | |
| 7 | 札幌店 | 425,610 | 456,250 | 465,870 | 475,600 | 488,320 | 495,280 | |
| 8 | 仙台店 | | | | 505,600 | 485,210 | 523,450 | |
| 9 | 広島店 | | | | 326,500 | 305,800 | 326,800 | |

**3** スパークラインが表示されます。

# 第 7 章

# 表のデータを
# グラフで表現する

この章では、表を基にグラフを作る方法を紹介します。基本的な棒グラフや折れ線グラフ、円グラフを作ってみましょう。

目標は、表とグラフの関係を理解して、基本的なグラフを作ったりグラフを修正したりできるようになることです。

# Excelで作れるグラフって何?

**ここで学ぶのは**

▶ 表とグラフの関係

▶ グラフの種類

▶ グラフ要素

練習用ファイル:なし

この章では、グラフの作り方を紹介します。Excelでは、表の項目や数値を基にしてグラフを作ります。

最初に、「どのようなグラフを作れるのか」「グラフを作る基本手順」「グラフを構成する部品」などについて知っておきましょう。

## 1 表とグラフの関係を知る

**Memo** **グラフを作る**

表のデータをわかりやすく表現するには、グラフを作ります。グラフは表の項目や数値を基に作ります。グラフを作った後に表のデータが変わった場合、グラフに変更が反映されます。右図で紹介した例では、縦軸の最大値なども自動的に調整されています。

**Hint** **グラフを削除する**

グラフを作った後にグラフを削除しても表の内容は変わりません。一方、表を削除した場合、その表を基に作ったグラフは、正しい内容を表示できなくなります。表を作った場合はグラフも削除しましょう。グラフを削除するには、グラフをクリックして Delete キーを押します。

表のデータを基に、

グラフを作ります。

表のデータを変えると、

合計のデータも変わるので、

グラフのデータも変わります。

縦軸の最大値なども自動的に調整されます。

# 2 グラフの種類を知る

Excelで作れるグラフには、さまざまなものがあります（下のHint参照）。本書では、一般的によく使われる棒グラフ、折れ線グラフ、円グラフの作り方を紹介します。

グラフの種類を選択できます。

おすすめのグラフの中から選ぶこともできます。

---

 **Hint** グラフの種類

Excelのバージョンによって、作れるグラフは違います。グラフの種類とバージョンについては、以下の表を参照してください。

| 種類 | 内容 |
|---|---|
| 縦棒 | 棒の長さで数値の大きさを比較するときに使う |
| 折れ線 | 数値の推移を見るときに使う |
| 円 | 割合を見るときに使う |
| 横棒 | 横棒の長さで数値の大きさを比較するときに使う |
| 面 | 面の大きさで数値の大きさを比較するときに使う |
| 散布図 | データの関係性を見るときに使う |
| マップ | 地図を表示して数値の大きさを色の違いで表示するときに使う |
| 株価 | 株価の推移を示すローソクチャートなどを作るときに使う |
| 等高線 | 2つの項目を軸にして、軸が交わる部分の数値の大きさを比較するときに使う |

| 種類 | 内容 |
|---|---|
| レーダー | 複数の項目の数値のバランスを見るときに使う |
| ツリーマップ（Excel 2016以降） | 分類ごとに数値の割合を比較するときに使う |
| サンバースト（Excel 2016以降） | ドーナツグラフのような見た目で、分類ごとに数値の割合を比較するときに使う |
| ヒストグラム（Excel 2016以降） | 区間ごとの数値を比較してデータのばらつきぐらいを見るときに使う |
| 箱ひげ図（Excel 2016以降） | 箱の大きさから、データのばらつき具合を見るときに使う |
| ウォーターフォール（Excel 2016以降） | 数値が増減する様子を把握するときに使う |
| じょうご（Excel 2019やサブスクリプション版） | さまざまなタイミングで数値が減少していく様子を把握するときに使う |
| 組み合わせ | 複数のグラフを組み合わせて表示するときに使う |

**解説 グラフを作る手順**

グラフを作るときは、最初にグラフの基の表を準備します。グラフの項目を大きい順に表示するには、表のデータをあらかじめ並べ替えておきます(P.225)。次に、セル範囲を選択してグラフの種類を選びます。続いて、グラフに表示するものを指定します。最後に、グラフで強調したい箇所が目立つように書式を整えます。

**Memo 項目の並び順**

グラフを作るとき、項目を大きい順に並べたい場合は、表のデータを並べ替えておきます。たとえば、縦棒グラフの場合、表の上の項目から順に、表の縦横の軸が交差するところの近くから遠くへと配置されます。右図で紹介した例では、分類別の合計の大きい順に項目をあらかじめ並べ替えています。そのため、グラフの左から合計の大きい順に項目が並びます。

**Hint 目的によって使い分ける**

グラフを作るときは、表現したい内容に応じてグラフの種類を使い分けます。たとえば、数値の大きさを比較するには縦棒グラフ、数値の推移を表すには折れ線グラフ、割合を表すには円グラフを使うと効果的です。

**1** グラフを作る前にグラフの基の表を準備します。

| | A | B | C | D | E | F |
|---|---|---|---|---|---|---|
| 1 | オンラインショップ売上集計表 | | | | | |
| 2 | | | | | | |
| 3 | | 1月 | 2月 | 3月 | 合計 | |
| 4 | キッチン用品 | 326,540 | 315,230 | 325,820 | 967,590 | |
| 5 | キッチン家電 | 258,560 | 298,650 | 312,560 | 869,770 | |
| 6 | 生活雑貨 | 189,530 | 179,850 | 179,560 | 548,940 | |
| 7 | 合計 | 774,630 | 793,730 | 817,940 | 2,386,300 | |
| 8 | | | | | | |

**2** グラフの基のセル範囲を選択します。

**3** グラフの種類を選びます。

**4** グラフに表示するものを指定します。

**5** 強調したい箇所が目立つように変えます。

# 63

# 4 グラフ要素の名前を知る

グラフを構成するさまざまな要素を知りましょう。どの要素を表示するかは、後で指定できます。

| 名前 | 内容 |
|---|---|
| グラフタイトル | グラフのタイトルを表示する |
| 縦（値）軸 | 左側の縦の軸の数値の大きさを表示する |
| 縦（値）軸ラベル | 縦（値）軸の内容を補足する文字を表示する |
| 横（項目）軸 | 項目名を示す軸を表示する |
| 横（項目）軸ラベル | 横（項目）軸の内容を補足する文字を表示する |

| 名前 | 内容 |
|---|---|
| データラベル | 表の数値や項目名などを表示する |
| 凡例 | グラフで表現している内容の項目名などを示すマーカーを表示する |
| データ系列 | 同じ系列の項目の集まり（棒グラフの場合、同じ色で示される複数の棒） |
| データ要素 | データ系列の中の1つの項目（棒グラフの場合、1本の棒） |

### グラフ要素の追加

グラフを選択し、[デザイン]タブ→[グラフ要素を追加]から選択します。

### グラフ要素の選択

グラフを選択し、[書式]タブ→[グラフ要素]から選択します。グラフ要素を直接クリックしても選択できます。

# 64

# 基本的なグラフを作る

練習用ファイル：■ 64_店舗別売上集計表.xlsx

## ここで学ぶのは

▶ 棒グラフ

▶ 積み上げ縦棒グラフ

▶ グラフのレイアウト

表を基に新しいグラフを作ってみましょう。表を選択してからグラフの種類を選びます。

また、グラフを作った後は、グラフに表示する要素を指定したりグラフの見た目を調整したりします。

---

## 1 グラフを作る

### 解説 グラフを作る

月別に店舗ごとの売上割合がわかるような積み上げ縦棒グラフを作ります。棒の中の項目が下から順に売上の大きい店舗になるように、表のデータを店舗別の合計の大きい順に並べ替えておきます（P.225）。準備ができたら、グラフの基の表を選択し、グラフの種類を選びます。すると、グラフの土台が表示されます。

###  Memo グラフツール

グラフをクリックして選択すると、グラフを編集するときに使う［デザイン］タブと［書式］タブが表示されます。［デザイン］タブは、グラフに表示するものを指定するときなどに使います。［書式］タブは、グラフに飾りを付けたり、書式を調整したりするときに使います。

---

積み上げ縦棒グラフを作ります。

**1** 店舗別の合計の大きい順にデータを並べ替えておきます（P.225）。

**2** グラフの基のセル範囲を選択し、

**3** ［挿入］タブ→［グラフ］の をクリックします。

**4** ［すべてのグラフ］をクリックし、

**5** グラフの種類とタイプをクリックして、

**6** ［OK］をクリックします。

## Memo ▶ グラフタイトル

「グラフタイトル」と表示されている文字をクリックしてグラフのタイトルを入力しておきましょう。

**7** グラフが作成されます。

**8** 「グラフタイトル」の文字をクリックして、タイトルを入力します。

| 3 | | 1月 | 2月 | 3月 | 合計 |
|---|---|---|---|---|---|
| 4 | 札幌店 | 425,610 | 456,250 | 465,870 | 1,347,730 |
| 5 | 品川店 | 315,230 | 335,620 | 325,460 | 976,310 |
| 6 | 大宮店 | 279,520 | 285,230 | 298,450 | 863,200 |
| 7 | 船橋店 | 285,640 | 295,230 | 285,260 | 866,130 |
| 8 | 合計 | 1,306,000 | 1,372,330 | 1,375,040 | 4,053,370 |

---

## 2 グラフのレイアウトやデザインを変更する

### 解説 ▶ グラフのデザインを変える

グラフ全体のレイアウトやデザインを指定します。グラフのレイアウトやスタイルにマウスポインターを移動すると、その設定を適用したイメージが表示されます。表示を確認しながら選びましょう。

全体のレイアウトやデザインを変えた後、必要に応じて細かい部分の修正なども行えます。

**1** グラフをクリックし、

**2** [デザイン]タブ→[グラフスタイル]の ▽ をクリックします。

**3** グラフのデザインをクリックし、

**4** [デザイン]タブ→[クイックレイアウト]をクリックして、レイアウトをクリックします。

## Memo ▶ 凡例の位置を変える

レイアウトを変えた後にスタイルを変えたり、逆にスタイルを変えた後にレイアウトを変えたりすると、凡例の位置などが変わってしまうことがあります。凡例の位置を変える場合などは、グラフを選択して[デザイン]タブ→[グラフ要素を追加]→[凡例]から表示位置を指定します。

凡例の位置も変わっています。

**5** グラフのデザインとレイアウトが変更されました。

# 65 グラフを修正する

練習用ファイル： ■ 65_店舗別売上集計表.xlsx

グラフの大きさや位置を調整します。それには、グラフ全体を選択してからグラフの周囲に表示されるハンドルや枠を操作します。

また、グラフの基になっている表の範囲を変えたり、グラフの種類を変えたりする方法を紹介します。

**ここで学ぶのは**

▶ グラフの配置

▶ グラフの大きさ

▶ グラフシート

## 1 グラフを移動する

**解説　グラフを移動する**

グラフを移動します。グラフにマウスポインターを移動し、「グラフエリア」と表示されるところを移動先に向かってドラッグします。

**1** グラフの何も表示されていない場所にマウスポインターを移動します。

「グラフエリア」と表示されます。

**2** グラフをドラッグすると位置が移動します。

**Hint　セルの枠線に合わせて移動する**

グラフを移動するとき、[Alt] キーを押しながらグラフをドラッグすると、グラフの端をセルの枠線にぴったり合わせて移動できます。

## 2 グラフの大きさを変更する

### 解説 グラフの大きさを変える

グラフを選択すると表示されるハンドルをドラッグして、グラフの大きさを変えます。四隅にあるハンドルをドラッグすると、グラフの高さや幅を一度に指定できます。

**1** グラフをクリックし、

**2** グラフの四隅にマウスポインターを移動します。

### Hint 縦横比を保ったまま大きさを変える

グラフの大きさの縦横比を保ったままでグラフの大きさを変更するには、[Shift]キーを押しながら、グラフの四隅のいずれかのハンドルをドラッグします。[Ctrl]キーを押しながらグラフの周囲のハンドルをドラッグすると、グラフの中心の位置を変えずに大きさを変えられます。[Alt]キーを押しながらグラフの周囲のハンドルをドラッグすると、セルの枠線にぴったり合わせて大きさを変えられます。
ドラッグ操作をする前にキーを押すのではなく、ドラッグ操作の途中でキーを押すとうまく操作できます。

**3** 四隅のハンドルをドラッグします。

**4** グラフの大きさが変更されます。

### Hint シート全体に表示する

グラフは、グラフシートに大きく広げて表示することもできます。それには、グラフを選択し、[デザイン]タブ→[グラフの移動]をクリックします。[グラフの移動]ダイアログで[新しいシート]をクリックして[OK]をクリックします。
元の場所に戻すには、グラフのシートを選択して[デザイン]タブ→[グラフの移動]をクリックします。[グラフ移動]ダイアログで[オブジェクト]をクリックして、グラフを表示するシートを選択して[OK]をクリックします。

**1** [デザイン]タブ→[グラフの移動]をクリックします。

**2** クリックし、

**3** クリックします。

**4** グラフがシート全体に表示されます。

# 3 グラフに表示するデータを変更する

💬 **解説** 元の範囲を変える

グラフに表示する項目を変えます。[データソースの選択] ダイアログで表示する項目を選びましょう。

💡 **Hint** グラフの基の範囲

グラフを選択すると、グラフの基になっているセル範囲に色枠が付きます。色枠の隅に表示されるハンドルをドラッグすると、グラフの基の範囲が変わります。

**1** ドラッグして色枠の範囲を変えると、

**2** グラフのデータも変わります。

「2月」の項目を非表示にします。

**1** グラフをクリックして選択し、

**2** [デザイン] タブ→ [データの選択] をクリックします。

**3** グラフの基になっている範囲が表示されます。

**4** 表示する項目以外の項目のチェックを外し、

**5** [OK] をクリックします。

**6** 先ほどチェックを外した項目が非表示になります。

# 4 グラフの種類を変更する

## 解説　グラフの種類を変える

ここでは、積み上げ縦棒から集合縦棒グラフに変えています。

なお、グラフによって、グラフを作るのに必要なデータは違います。まったくタイプの違うグラフに変えたりすると、思うようなグラフにならず、グラフの意味がなくなってしまうので注意しましょう。

## Hint　その他の方法

グラフを右クリックすると表示されるショートカットメニューからも、グラフの種類を変えられます。[グラフの種類の変更] をクリックして、グラフの種類を選びます。

## Hint　色合いを変える

グラフの色合いを変えるには、グラフをクリックして選択し、[デザイン] タブ→ [色の変更] から色を選択します。

積み上げ縦棒のグラフから集合縦棒グラフに変えます。

**1** グラフをクリックして選択し、

**2** [デザイン] タブ→ [グラフの種類の変更] をクリックします。

**3** 変更するグラフの種類とタイプをクリックし、

**4** [OK] をクリックします。

| | 1月 | 2月 | 3月 | 合計 |
|---|---|---|---|---|
| 札幌店 | 425,610 | 456,250 | 465,870 | 1,347,730 |
| 品川店 | 315,230 | 335,620 | 325,460 | 976,310 |
| 大宮店 | 279,520 | 285,230 | 298,450 | 863,200 |
| 船橋店 | 285,640 | 295,230 | 285,260 | 866,130 |
| 合計 | 1,306,000 | 1,372,330 | 1,375,040 | 4,053,370 |

**5** グラフの種類が変わります。

**6** 必要に応じてグラフタイトルなどを変更します。

# 66 棒グラフを作る

練習用ファイル：■ 66_オンラインショップ売上表.xlsx

棒グラフは、棒の長さで数値の大きさを比較するグラフです。ここでは、基本的な棒グラフを作ります。

グラフの横の項目軸に、表の上端の項目を配置するか、表の左端の項目を配置するかを選べます。

### ここで学ぶのは

▶ 棒グラフ

▶ 項目の入れ替え

▶ 軸ラベルの追加

## 1 棒グラフを作る

### 解説 棒グラフを作る

ここでは、数値の大きさを比較する集合縦棒グラフを作ります。まずは、グラフの基のセル範囲を選択します。表の項目部分とデータの部分を選択します。表に合計の項目があるとき、通常はデータの部分か合計の部分のどちらかを選択します（P.188）。両方選択してしまうと、合計だけ数値の大きさが極端に大きいためグラフが見づらくなるので注意します。セル範囲を選択できたらグラフの種類を選びます。

### Memo グラフの種類

縦棒グラフには、割合を比較する100%積み上げ縦棒、大きさと割合の両方を比較する積み上げ縦棒もあります。目的によって使い分けましょう。

また、縦棒グラフのグラフタイプの中には、立体的に見える3-Dのグラフもあります。3-Dグラフは、表の数値によってはグラフが見づらくなることもあるので注意します。

**1** 商品分類別の合計の大きい順にデータを並べ替えておきます（P.225）。

**2** グラフの基のセル範囲を選択します。

**3** [挿入]タブ→[縦棒／横棒グラフの挿入]→[集合縦棒]をクリックします。

**4** 棒グラフが表示されます。

**5** グラフタイトルをクリックし、タイトル文字を入力します。

## 解説 項目を入れ替える

縦棒グラフを作るとグラフの横軸に、表の上端の項目または左端の項目が配置されます。どちらの項目が配置されるかは、基になる表の行と列の数に応じて自動的に決まります。ただし、どちらの項目を配置するかは変更できます。ここでは、グラフの軸を入れ替えて項目軸に、月ではなく商品分類を表示します。

## Hint グラフを作るときに決める

縦棒グラフを作るときに［挿入］タブ→［縦棒/横棒グラフの挿入］→［その他の縦棒グラフ］をクリックします。［グラフの挿入］ダイアログが表示され、項目軸に配置する項目を選択できます。それぞれのグラフのイメージを見て指定できます。

## Hint 項目と合計だけでグラフを作る

ここで作ったグラフは、商品分類別、月別の売上の数値を基に作っています。商品分類別の合計、または、月別の合計だけでグラフを作る場合は、項目名と合計のセルのみ選択してグラフを作ります（P.188）。

前ページの続きで、項目軸に商品が表示されるように軸を入れ替えます。

**1** グラフをクリックして選択し、

項目軸には表の上端の項目が配置されています。

**2** ［デザイン］タブ→［行/列の切り替え］をクリックします。

**3** 項目軸に表の左端の項目が配置されます。

# 66

# 3 軸ラベルを追加する

💬 **解説** ▶ **軸ラベルを追加する**

表の数値が大きい場合などは、縦棒グラフの縦の軸の表示単位を千円や万円にすると見やすくなる場合があります。ここでは、万円単位で表示します。単位を変更すると、軸ラベルが自動的に追加されます。次ページの操作で文字の配置を整えます。なお、軸ラベルを手動で追加する方法は、P.203で紹介しています。

**7**

表のデータをグラフで表現する

💡 **Hint** **作業ウィンドウを閉じる**

[軸の書式設定] 作業ウィンドウを閉じるには、作業ウィンドウの右上の [×] をクリックします。

**棒グラフの軸を万円単位にします。**

**1** グラフをクリックして選択し、

**2** 縦の軸にマウスポインターを移動して、「縦 (値) 軸」と表示されるところをダブルクリックします。

**3** [軸のオプション]→[軸のオプション]→[表示単位] から [万] を選択します。

**4** 軸の単位が「万円」になり、軸ラベルが追加されます。

### 解説 軸ラベルの文字を修正する

追加した軸ラベルの文字を修正しましょう。文字の長さによって軸ラベルの大きさが変わります。

### Memo 軸ラベルの文字の大きさ

軸ラベルの文字の大きさなどを変えるには、軸ラベルをクリックして選択し、[ホーム]タブで文字の大きさなどを指定します。

### Memo 軸ラベルを移動する

軸ラベルの位置を調整するには、軸ラベルをクリックし、外枠部分をドラッグします。

**1** 軸ラベルをクリックし、

**2** [ホーム]タブ→[方向]→[縦書き]をクリックします。

**3** 文字が縦書きになります。

**4** 軸ラベル内をクリックして文字を修正します。

**5** 軸ラベル以外の場所をクリックして終了します。

## Section

# 67

# 折れ線グラフを作る

練習用ファイル： 📘 67_来場者数一覧.xlsx

月や年ごとに集計したデータの推移を見るには、折れ線グラフを作るとよいでしょう。

折れ線グラフを作った後は、軸の表示方法を変えたり、軸ラベルを追加したりして完成させます。

## 1 折れ線グラフを作る

### 解説 ▶ 折れ線グラフを作る

折れ線グラフを作るには、月や年などの項目と折れ線グラフに表示する数値のセル範囲を選択し、折れ線グラフの種類を指定します。ここでは、表の数値の位置を示すマーカー付きの折れ線グラフを作っています。

### Memo 線が途切れてしまったら

グラフに表示するデータに空欄のセルがある場合は、線が途中で途切れて表示されます。空欄を無視して線をつなげて表示するには、折れ線グラフを選択し、[デザイン] タブ→[データの選択] をクリックします。表示される画面で次のように操作します。

**1** グラフの基のセル範囲を選択し、

**2** [挿入] タブ→ [折れ線／面グラフの挿入] から折れ線グラフの種類をクリックします。

**3** 折れ線グラフが表示されます。

**4** グラフタイトルをクリックし、タイトル文字を入力します。

## 2 折れ線グラフの線を太くする

### 解説 線の太さやマーカーの大きさを変える

折れ線グラフを作った直後、線が細すぎると感じる場合は、線の太さやマーカーの大きさを変えて調整しましょう。線の太さに合わせてマーカーの大きさも大きくします。

### Memo 線の色を変える

折れ線の線の色を変えるには、手順 2 の後で、[色]を選択します。

### Hint マーカーの形を変える

マーカーの形を変えるには、手順 5 の後で[種類]欄からマーカーの形を選択します。

**1** 折れ線グラフの折れ線部分をダブルクリックします。

**2** [塗りつぶしと線]をクリックし、

**3** 線の[幅]を指定します。

**4** [マーカー]→[マーカーのオプション]をクリックし、

**5** [組み込み]をクリックし、サイズを指定します。

**6** 折れ線の線が太くなり、マーカーが表示されます。

# 3 縦軸の最小値や間隔を指定する

**解説　縦軸の表示方法を変える**

折れ線グラフの左側の軸の表示は、表の数値に応じて自動的に表示されますが、変えることもできます。たとえば、最小値や最大値を指定すると、数値の増減が少ない場合でも、数値の動きを強調できます。

**Memo　グラフの基のデータの変更に注意**

軸の最小値や最大値を指定すると、数値の増減を強調することができますが、グラフの基の数値が軸の最小値を下回ったり最大値を上回ったりした場合、グラフが正しく表示されません。グラフの基の数値が変わる可能性がある場合は注意してください。

**Hint　最小値や単位の設定をリセットする**

縦軸の最小値や数値の間隔などを指定した後、その設定を解除するには、設定した項目の右側に表示される[リセット]をクリックします。[リセット]をクリックすると、表示が[自動]に戻ります。

**1** 縦軸にマウスポインターを移動して、「縦（値）軸」と表示されるところをダブルクリックします。

**2** [軸のオプション]をクリックし、

**3** [最小値]を指定して、

**4** 数値の間隔を指定します。

**5** 縦軸の最小値や間隔が変わります。

# 4 軸ラベルを追加する

### 解説　軸ラベルを追加する

折れ線グラフの縦軸の横に、数値の単位などを示す軸ラベルを追加します。縦軸に軸ラベルを追加すると、文字が横に寝てしまいます。そのため、軸を追加した後に、軸ラベルの文字の方向を指定します。

**1** 折れ線グラフをクリックして選択し、

**2** [デザイン]タブ→[グラフ要素を追加]→[軸ラベル]→[第1縦軸]をクリックします。

**3** 軸ラベルが表示されます。

### Memo　文字の大きさを調整する

軸ラベルの文字の大きさを調整するには、軸ラベルをクリックして選択し、[ホーム]タブ→[フォントサイズ]から文字の大きさを選択します。

**4** 軸ラベルが選択された状態で、

**5** [ホーム]タブ→[方向]→[縦書き]をクリックします。

| | 会場 | 4月 | 5月 | 6月 | 7月 | 8月 | 9月 | 合計 |
|---|---|---|---|---|---|---|---|---|
| 4 | BBQパーク | 62 | 89 | 68 | 98 | 120 | 59 | 496 |
| 5 | アウトドアガーデン | 80 | 105 | 78 | 115 | 138 | 76 | 592 |
| 6 | 海風キャンプ場 | 72 | 95 | 70 | 103 | 129 | 68 | 537 |
| 7 | 合計 | 214 | 289 | 216 | 316 | 387 | 203 | 1625 |

### Hint　軸ラベルの位置を変える

軸ラベルの表示位置を変えるには、軸ラベルをクリックして選択します。続いて、軸ラベルの周囲に表示される外枠部分をドラッグします。

**6** 文字が縦書きになります。軸ラベル内をクリックして文字を修正します。

**7** 軸ラベル以外の場所をクリックして終了します。

# 円グラフを作る

練習用ファイル：■ 68_第1四半期商品売上集計表.xlsx ■ 68_来場者数一覧.xlsx

## ここで学ぶのは

▶ 円グラフ

▶ プロットエリア

▶ データラベルの追加

数値の割合を見るには、円グラフを作ります。円グラフを作った後は、パーセントや項目名をグラフに表示しましょう。

ここでは、強調したい項目がわかりやすいように、グラフの色を変えて完成させます。

## 1 円グラフを作る

### 解説 円グラフを作る

円グラフを作るときは、項目名の部分とその割合を比較する数値が入力されているセルだけを選択して操作します。選択するデータ系列は1つです。たとえば、項目名が入力されている1行（または1列）と、数値が入った1行（または1列）を選択します。数値が入った行または列を複数行（複数列）選択してしまうとうまくいかないので注意します。

また、円の上から右回りに割合の大きい順に項目を並べるには、あらかじめ数値の大きい順に項目を並べ替えてから操作します。

###  Hint ドーナツグラフ

円グラフの中には、円の中央に穴があいたドーナツグラフもあります。ドーナツグラフの場合は、複数の系列ごとに数値の割合を表示することもできます。

---

全体の売上を100%としたときの各商品の売上の割合を示す円グラフを作ります。

**1** 商品別の合計の大きい順にデータを並べ替えておきます（P.225）。

**2** グラフの基のセル範囲を選択し、

**3** [挿入]タブ→[円またはドーナツグラフの挿入]→[円]をクリックします。

**4** 円グラフが表示されます。

**5** グラフタイトルをクリックし、タイトル文字を入力します。

## 解説 円の大きさ

グラフの中で、実際のデータが表示される部分をプロットエリアと言います。グラフの大きさはそのままでデータが表示される部分だけを大きく表示したい場合は、プロットエリアをドラッグして広げます。

プロットエリアの位置を調整したい場合は、プロットエリアを選択して外枠部分をドラッグします。

**1** グラフの近くにマウスポインターを移動して、「プロットエリア」と表示されるところをクリックします。

この枠がプロットエリアです。

**2** 四隅のハンドルをドラッグして大きさを調整します。

## Memo うまく選択できない場合

プロットエリアをうまく選択できない場合は、グラフをクリックし、[書式]タブ→[グラフ要素]からプロットエリアを選択します(下図)。すると、プロットエリアが選択されます。

**3** 円がひとまわり大きくなりました。

**4** 外枠部分をドラッグして位置を調整します。

**5** 円が中央に配置されました。

# ③ 円グラフの周りに項目名とパーセントを表示する

 **解説** データラベルを追加する

円グラフでは、割合を示す項目名を凡例ではなくグラフの中に表示したほうがわかりやすいでしょう。項目名やパーセントをグラフに表示するには、データラベルというグラフ要素を追加します。

項目名やパーセントを表示するには、データラベルを追加するときに[その他のデータラベルオプション]を選択して、表示内容を指定します。

 **Memo** 凡例の削除

データラベルを追加して項目名やパーセントを表示したら凡例は不要です。削除しておきましょう。

 **Hint** データラベルの位置

データラベルの位置は、手順④の項目の下にある[ラベルの位置]で設定できます。手動でデータラベルの位置をずらすには、対象のデータラベルをゆっくり2回クリックします。対象のデータラベルだけが選択されたら、データラベルの外枠をドラッグします。

**1** 円グラフの円をクリックして選択し、

**2** [デザイン]タブ→[グラフ要素を追加]→[データラベル]→[その他のデータラベルオプション]をクリックします。

**3** [ラベルオプション]→[ラベルオプション]をクリックし、

**4** [分類名]と[パーセンテージ]をクリックしてチェックを付け、[値]をクリックしてチェックを外します。

**5** 凡例をクリックして選択します。

**6** Delete キーを押します。

**7** 凡例が削除されます。

**8** グラフの大きさやデータラベルの位置を調整しておきましょう。

**解説** 円グラフに色を付ける

円グラフの一部を強調するには、最初に円全体に薄い色を設定します。次に、強調する扇の部分に濃い色を付けましょう。円全体を選択しているか、1つの扇だけを選択しているのか確認しながら操作します。

**1** 円グラフをクリックして選択し、

**2** [書式] タブ→ [図形の塗りつぶし] をクリックして、色をクリックします。

**3** 円全体の色が変わります。

**4** 円全体が選択されている状態で、強調する扇をクリックします。

**5** クリックした扇の部分のみ選択されます。

**6** [書式] タブ→ [図形の塗りつぶし] をクリックして、色をクリックします。

**7** 円グラフの一部が強調されます。

 **Hint** 扇を切り離す

1つの扇だけを選択している状態で、選択している扇の部分を円の外側に向かってドラッグすると、円グラフから選択した扇だけを切り離せます。その部分がより強調されます。

**1** ドラッグ

**Hint** 複数のグラフを組み合わせて表示する

別々の種類のグラフを1つのグラフに表示したものを組み合わせグラフと言います。たとえば、月々の気温と売上数を同時にグラフに表現したりするときに使います。

まずは、グラフの基のセル範囲を選択してP.190のように[グラフの挿入]ダイアログを表示して、グラフの種類から[組み合わせ]を選択します。

**68_来場者数一覧.xlsxを使います。**

**1** グラフの基のセル範囲を選択します。

**3** [すべてのグラフ]をクリックします。

ここで設定していきます。

**2** [挿入]タブ→[グラフ]の をクリックします。

**4** [組み合わせ]をクリックします。

次に、選択されている系列ごとに数値をどのグラフで表すか選択します。また、選択されている系列ごとに数値の大きさが大きく違う場合は、どちらか一方のグラフは、グラフの右側の第2軸を使って表すと見やすくなります。

たとえば、気温と売上数を1つのグラフにするときは、売上数を比較するのに棒グラフを使い、気温の推移を表すのに折れ線グラフを使います。気温は、第2軸を使って見られるようにするとわかりやすくなります。

**5** をクリックして、[マーカー付き折れ線]をクリックします。

**6** [第2軸]のチェックボックスをクリックしてチェックを付けます。

**7** [OK]をクリックします。

**8** グラフが表示されます。グラフタイトルや軸ラベルなどを追加して完成させます。

# 第 8 章

# データを整理して
# 表示する

　この章では、住所録や売上明細などの、データを集めて活用する方法を紹介します。データの並べ替えや抽出方法を覚えましょう。

　目標は、Excelでデータを集めるときに使うリストについて知り、データを見やすく整理できるようになることです。

# リストを作ってデータを整理する

練習用ファイル：なし

この章では、商品や顧客、売上の情報などのデータを集めて扱うときの基本操作を紹介します。
データを利用するには、データをリスト形式に集めます。データを並べ替えたりして整理する方法を知りましょう。

**ここで学ぶのは**
▶ リスト
▶ フィールド
▶ レコード

## 1 リストとは？

**Key word　リスト**

ルールに沿って集めたデータをリストと言います。リストの1行目には、列の見出し（フィールド名）を入力し、1件分のデータを1行で入力します。たとえば、住所録の場合、フィールド名には「氏名」「住所」「電話番号」などの必要な項目を指定します。1人分のデータを1行で入力します。

**Key word　フィールド／フィールド名**

リストの各列のことをフィールドと言います。フィールドの名前をフィールド名と言います。

**Key word　レコード**

リストに入力する1件分のデータを1レコードと言います。

Excelを使って複数のデータを集めて管理したり活用したりするには、下の図のようなリストを使います。リストは、列の見出し（フィールド名）を持ち、1件分のデータは1行（レコード）にまとめられています。

**リスト**

● リストで使える機能例

| 機能 | 内容 |
|---|---|
| 並べ替え | データを昇順や降順などで並べ替えられる。独自の項目リストの順に並べ替えることもできる。複数の並べ替え条件を指定して、並べ替えの優先順位を指定することもできる |
| 抽出 | 条件に合うデータだけ絞り込んで表示できる。複数の抽出条件を指定することもできる |
| 集計 | リストを基に縦横に見出しが付いたクロス集計表を作れる |

**Memo** 元々あるデータを使う

他のアプリですでに使っているデータがある場合は、わざわざデータを入力し直す必要はありません。そのデータをテキスト形式やCSV形式のファイルとして保存して、それを使いましょう（P.212）。

**Hint** 入力規則

Excelで作ったリストに直接データを入力するときは、リストの各フィールドに入力規則という入力時のルールを設定しておくとよいでしょう。P.86を参照してください。

リストを作るときは、ルールに沿って作りましょう。ルールに合わないデータが入っていると、正しく並べ替えができなかったり、正しく集計できなかったりすることがあるので注意します。

**リストのルール**

- 「申込番号」「社員番号」など、各データを区別できるフィールドを用意する。並べ替えの基準としても使える
- 先頭行にフィールド名を入力する
- フィールド名の行には他とは違う書式を付ける（後からテーブルに変換する場合は、この操作は不要）
- 1件分のデータを1行で入力する

- データは、半角と全角、大文字と小文字などを統一しておく
- リストの中に空白の行や空白列を入れない
- リストの周囲にデータを入力しない

8 データを整理して表示する

 **Memo** テーブルに変換する

リストをテーブルに変換すると、データの並べ替えや絞り込み表示が簡単にできるようになります（P.234）。

**テーブル**

| 申込番号 | 名前 | 人数 | セミナーID | セミナー名 | 価格 | 計 |
|---|---|---|---|---|---|---|
| 101 | 遠藤大和 | 2 | S101 | マイホーム購入セミナー | 1,000 | 2,000 |
| 102 | 渡辺沙織 | 1 | S102 | 住まいの安心セミナー | 0 | 0 |
| 103 | 吉田陽翔 | 1 | S101 | マイホーム購入セミナー | 1,000 | 1,000 |
| 104 | 小笠原絵里 | 2 | S104 | 別荘購入セミナー | 1,500 | 3,000 |
| 105 | 伊藤和也 | 2 | S102 | 住まいの安心セミナー | 0 | 0 |
| 106 | 幸田悠人 | 1 | S101 | マイホーム購入セミナー | 1,000 | 1,000 |
| 107 | 本田麻美 | 3 | S103 | リノベーションセミナー | 1,000 | 3,000 |
| 108 | 石井桃華 | 1 | S101 | マイホーム購入セミナー | 1,000 | 1,000 |
| 109 | 佐藤慎太郎 | 1 | S101 | マイホーム購入セミナー | 1,000 | 1,000 |

# 70 カンマ区切りのテキストファイルを開く

練習用ファイル: 📄 70_暮らしのセミナー申込一覧.txt

### ここで学ぶのは

▶ テキストファイル

▶ CSV形式

▶ ファイルを開く

集めたデータを保存するファイル形式としてよく使われるものに、テキスト形式やCSV形式があります。

ここでは、テキスト形式やCSV形式のファイルをExcelで開く方法を紹介します。ファイルを開いて内容を確認してから操作します。

## 1 ファイルを確認する

テキストファイルやCSVファイルをExcelで開く前に、メモ帳などで開いて、下図のようなことを確認しておきます。ここでは、フィールドが「,」(カンマ)で区切られたテキストファイルを使います。

**今回使用するファイル**

●フィールドがどの記号で区切られているか

●フィールドが区切り文字で区切られたデータか、固定長フィールドのデータか (P.213)

●先頭行にフィールド名があるか

```
暮らしのセミナー申込一覧 - メモ帳                        ─    □    ×
ファイル(F)  編集(E)  書式(O)  表示(V)  ヘルプ(H)
"申込番号","名前","人数","セミナーID","セミナー名","価格","計"
101,"遠藤大和",2,"S101","マイホーム購入セミナー",1000,2000
102,"渡辺沙織",1,"S102","住まいの安心セミナー",0,0
103,"吉田陽翔",1,"S101","マイホーム購入セミナー",1000,1000
104,"小笠原絵里",2,"S104","別荘購入セミナー",1500,3000
105,"伊藤和也",2,"S102","住まいの安心セミナー",0,0
```

●文字がどの記号で囲まれているか

●何行目から取り込むか
●どのような種類のデータが入っているか (数値、日付、文字など)

## 2 ファイルを開く

💬 **解説** ▶ ファイルを開く

テキストファイルやCSVファイルを開くときは、ファイル形式や区切り文字などを指定しながら開きます。CSVファイルは、そのまますぐに開ける場合もあります。

**1** P.34の方法で、[ファイルを開く] ダイアログを表示します。

**2** ファイルの種類で [すべてのファイル] を選択し、

**3** 開くファイルをクリックして、

**4** [開く] をクリックします。

212

## Memo データの形式

データを集めたテキストファイルには、フィールドとフィールドを区切り文字で区切った形式のものと、フィールドの長さがフィールドごとに決まっている固定長形式のものがあります。最近は、区切り文字で区切った形式のものが多く利用されています。

## Key word CSV形式

集めたデータを保存するときによく使われるファイル形式の1つです。フィールドとフィールドが「,」（カンマ）で区切られた形式です。

## Memo ブックとして保存する

テキストファイルを開いた後、開いたファイルをExcelのブックとして保存するには、ファイルを保存するダイアログを表示して（P.32）[ファイルの種類] を「Excelブック」にして保存します。保存したブックは、元のテキストファイルとの関係はなくなります。

5 データの形式を選択し、

6 [先頭行をデータの見出しとして使用する] のチェックを付けて、

7 [次へ]をクリックします。

8 区切り文字を選択し、

9 [次へ]をクリックします。

10 データ形式を確認し、

11 [完了]をクリックします。

| | A | B | C | D | E | F | G | H |
|---|---|---|---|---|---|---|---|---|
| 1 | 申込番号 | 名前 | 人数 | セミナーID | セミナー名 | 価格 | 計 | |
| 2 | 101 | 遠藤大和 | 2 | S101 | マイホーム購入セミナー | 1,000 | 2,000 | |
| 3 | 102 | 渡辺沙織 | 1 | S102 | 住まいの安心セミナー | 0 | 0 | |
| 4 | 103 | 吉田陽翔 | 1 | S101 | マイホーム購入セミナー | 1,000 | 1,000 | |
| 5 | 104 | 小笠原絵里 | 2 | S104 | 別荘購入セミナー | 1,500 | 3,000 | |
| 6 | 105 | 伊藤和也 | 2 | S102 | 住まいの安心セミナー | 0 | 0 | |
| 7 | 106 | 幸田悠人 | 1 | S101 | マイホーム購入セミナー | 1,000 | 1,000 | |
| 8 | 107 | 本田麻美 | 3 | S103 | リノベーションセミナー | 1,000 | 3,000 | |

12 カンマ区切りのテキストファイルが開きます。列幅を調整します。

# Section 71

# 見出しが常に見えるように固定する

練習用ファイル：■ 71_暮らしのセミナー申込一覧.xlsx

データの数が多くなるとリストが縦長になります。その場合、下のほうのデータを見ようとするとフィールド名が隠れてしまいます。

シートを下方向にスクロールしてもフィールド名が常に表示されるようにするには、ウィンドウ枠を固定します。

### ここで学ぶのは

▶リスト
▶フィールド名
▶ウィンドウ枠の固定

## 1 見出しを固定する

### 解説 ウィンドウ枠を固定する

リストの上のフィールド名が常に見えるようにするには、フィールド名のすぐ下の行を選択してからウィンドウ枠を固定します。

ウィンドウ枠を固定すると、固定した行や列の位置にグレーの薄い線が表示されます。

### Memo 左と上の見出しを固定する

リストの上の見出しと左の列が常に見えるようにするには、表示する見出しの行の下側と左の列の右側が交わる位置のセルを選択してからウィンドウ枠を固定します。そうすると、下にスクロールしても常に上の見出しが表示され、右にスクロールしても常に左の列が表示されます。

見出しの行と左の列を固定したい場合

1 ここを選択してウィンドウ枠を固定します。

### 見出しを固定

下にスクロールしても、タイトルとフィールド名が常に見えるようにします。

1 固定する行の下の行番号をクリックします。

ここを固定します。

| | A | B | C | D | E | F | G | H | I |
|---|---|---|---|---|---|---|---|---|---|
| 1 | 暮らしのセミナー申込一覧 | | | | | | | | |
| 2 | | | | | | | | | |
| 3 | 申込番号 | 名前 | 人数 | セミナーID | セミナー名 | 価格 | 計 | | |
| 4 | 101 | 遠藤大和 | 2 | S101 | マイホーム購入セミナー | 1,000 | 2,000 | | |
| 5 | 102 | 渡辺沙織 | 1 | S102 | 住まいの安心セミナー | 0 | 0 | | |
| 6 | 103 | 吉田陽翔 | 1 | S101 | マイホーム購入セミナー | 1,000 | 1,000 | | |
| 7 | 104 | 小笠原絵里 | 2 | S104 | 別荘購入セミナー | 1,500 | 3,000 | | |
| 8 | 105 | 伊藤和也 | 2 | S102 | 住まいの安心セミナー | 0 | 0 | | |
| 9 | 106 | 幸田悠人 | 1 | S101 | マイホーム購入セミナー | 1,000 | 1,000 | | |
| 10 | 107 | 本田麻葉 | 3 | S103 | リノベーションセミナー | 1,000 | 3,000 | | |
| 11 | 108 | 石井桃華 | 1 | S101 | マイホーム購入セミナー | 1,000 | 1,000 | | |
| 12 | 109 | 佐藤慎太郎 | 1 | S101 | マイホーム購入セミナー | 1,000 | 1,000 | | |

2 行が選択されます。

3 [表示] タブ→ [ウィンドウ枠の固定] → [ウィンドウ枠の固定] をクリックします。

## 解説 画面をスクロールする

ウィンドウ枠を固定して見出を固定したら、スクロールバーを下方向にドラッグしてみましょう。画面をスクロールしても、1〜3行目までは常に表示されます。

なお、画面を下方向にスクロールするには、マウスのホイールを手前に回転させる方法もあります。

### 見出しの固定を確認

**1** スクロールバーをドラッグして下方向にスクロールします。

ここが固定されています。

**2** スクロールしても見出しは常に表示されます。

## Memo 固定を解除する

ウィンドウ枠の固定を解除して、元の状態に戻すには、[表示] タブ→[ウィンドウ枠の固定]→[ウィンドウ枠固定の解除]をクリックします。

## Memo 1 行目や A 列を固定する

シートの1行目だけを固定するには、[表示]タブ→[ウィンドウ枠の固定]→[先頭行の固定]をクリックします。A列だけを固定するには、[表示] タブ→[ウィンドウ枠の固定]→[先頭列の固定]をクリックします。

# 画面を分割して先頭と末尾を同時に見る

練習用ファイル：█ 72_暮らしのセミナー申込一覧.xlsx

## ここで学ぶのは

▶ リスト
▶ ウィンドウの分割
▶ スクロール

リストの冒頭にあるデータと最後のほうにあるデータを並べて見比べたい場合は、ウィンドウを分割して表示する方法があります。

ウィンドウは、上下、左右、または、4つに分割にできます。分割すると各ウィンドウにスクロールバーが表示され、画面を操作できます。

## 1 画面を分割する

### 解説　ウィンドウを分割する

選択していた行の上と下にウィンドウを分割します。分割するとグレーの分割バーが表示され、分割したウィンドウの横にそれぞれスクロールバーが表示されます。

なお、分割バーにマウスポインターを移動して上下にドラッグすると、分割バーの位置を調整できます。

### Hint　左右に分割する

ウィンドウを左右に分割するには、分割する位置の右の列を選択して[表示]タブ→[分割]をクリックします。分割したウィンドウの下に表示されるスクロールバーをドラッグし、それぞれの表示位置を調整します。

画面を左右に分割したい場合

**1** 分割する位置の右の列を選択して分割します。

画面を上下に分割して、離れた箇所のデータを見比べます。

**1** 分割する行の下の行番号をクリックして行を選択し、

**2** [表示]タブ→[分割]をクリックします。

**3** 画面が分割されます。

**解説** **画面をスクロールする**

分割したそれぞれのウィンドウに表示する内容を指定します。ここでは、先頭の行と末尾の行を同時に表示するため、下の画面のスクロールバーをドラッグします。または、分割したウィンドウの下側をクリックし、マウスのホイールを手前に回転させます。

上の画面に先頭行、下の画面に末尾の行を同時に表示します。

**1** スクロールバーをドラッグして下方向にスクロールします。

**2** 下の画面に末尾の行が表示されます。

**Memo** **分割を解除する**

分割表示を解除して元の状態に戻すには、[表示] タブ→ [分割] をクリックします。または、分割バーをダブルクリックします。

**Hint** **4分割する**

ウィンドウを4分割にするには、分割するバーが交わる位置の右下のセルを選択し、[表示] タブ→ [分割] をクリックします。分割された位置の右と下に表示されるスクロールバーを操作して表示を調整します。

画面を4分割したい場合

**1** 分割する位置の右下のセルを選択して分割します。

## Section

# 73

# 明細データを隠して集計列のみ表示する

練習用ファイル：■ 73_暮らしのセミナー申込一覧.xlsx

### ここで学ぶのは

▶ アウトライン

▶ グループ化

▶ グループ解除

大きなリストを扱うときに、リスト内の集計列だけが表示されるようにするには、明細データをグループ化しておきます。

グループ化した列は、必要なときのみ展開して表示できるようになります。クリック操作で表示／非表示を簡単に切り替えられます。

## 1 データをグループ化する

### 解説 アウトラインを設定する

アウトラインを設定すると、表やリストの明細データの表示／非表示を簡単に切り替えられるようになります。アウトラインを自動作成すると、数値が入っている行（列）や集計用の行（列）を、Excelが自動的に判断してアウトラインが設定されます。

### アウトラインを自動作成

明細行をグループ化して表示／非表示を簡単に切り替えられるようにします。

**1** [データ] タブ→[グループ化] の ▼ →[アウトラインの自動作成] をクリックします。

**2** 明細データが自動的にグループ化されます。

### Hint 行や列を非表示にする

普段あまり使わない行や列を隠しておくには行や列を非表示にしておく方法（P.64）もありますが、表示／非表示を切り替えるには少々手間がかかります。頻繁に表示／非表示を切り替える場合は、アウトライン機能を使うとよいでしょう。

## 解説　行や列の表示／非表示を切り替える

アウトラインを設定すると、シートの左や上に「+」「-」「1」「2」などの表示レベルを切り替えるボタンが表示されます。ボタンをクリックすると、表示／非表示を切り替えられます。

## グループ化した列を折りたたむ

**1** 「-」をクリックします。または、「1」をクリックします。

**2** グループ化された列が非表示になります。

「+」または「2」をクリックすると、グループ化された列が再表示されます。

## Memo　グループ化を解除する

すべてのグループ化をまとめて解除するには、[データ]タブ→[グループ解除]の▼→[アウトラインのクリア]をクリックします。一部のグループのみ解除するには、グループに設定されている行や列を選択して、[データ]タブ→[グループ解除]をクリックします。

## Hint　グループ化する場所を指定する

アウトラインを自動作成するのではなく、指定した行や列をグループ化するには、グループ化する行や列を選択し、[データ]タブ→[グループ化]をクリックします。

**1** グループ化する列（または行）を選択します。

**2** [データ]タブ→[グループ化]をクリックします。

## Section

# 74 データを並べ替える

練習用ファイル:■ 74_旅行用品売上明細リスト.xlsx

### ここで学ぶのは

▶リスト

▶並べ替え

▶ユーザー設定リスト

リスト内のデータを整理して表示します。指定したフィールドのデータを基準に、データを並べ替える方法を知りましょう。

並べ替えの条件は、複数のフィールドに指定できます。複数のルールを指定するときは、ルールの優先順位に注意します。

---

## 1 データを並べ替える

### 解説 データを並べ替える

指定したフィールドのデータを基準にしてデータを並べ替えます。基本は、昇順または降順で並べ替えます。フィールド名の先頭行に、他のデータとは違う書式が設定されている場合は、Excelが先頭行を自動的に認識し、フィールド名以外のデータが並べ替えられます。

### Memo 1つのセルを選択する

並べ替えをするとき、特定のセル範囲を選択した状態で実行すると、選択しているセル範囲を対象にデータが並べ替わってしまうので注意が必要です。リスト全体のデータを並べ替えるときは、並べ替えの基準にするフィールド内のいずれかのセルを選択した状態で操作します。

H列の「分類」の順にデータを並べ替えて表示します。

**1** リスト内のH列のいずれかのセルをクリックし、

**2** [データ]タブ→[昇順]をクリックします。

売上番号の順にデータが並んでいます。

**3** H列を基準にデータが並べ替えられます。

## Memo　並べ替えの基準

並べ替えの基準には、昇順や降順があります。違いを確認しましょう。日付を並べ替えるときは、シリアル値を基に並べ替わります（P.155）。シリアル値は過去より未来のほうが大きいので、昇順で並べると日付は古い順になるので注意します。

| データの種類 | 昇順 | 降順 |
|---|---|---|
| 文字 | あいうえお順<br>「あんどう」→「さとう」→「なかの」… | あいうえお順の逆<br>「なかの」→「さとう」→「あんどう」… |
| 数値 | 小さい順<br>「1」→「3」→「4」… | 大きい順<br>「4」→「3」→「1」… |
| 日付 | 古い順<br>「2019/12/5」→「2020/1/5」→「2020/2/8」… | 新しい順<br>「2020/2/8」→「2020/1/5」→「2019/12/5」… |

## 2　並べ替えを元に戻す

### 解説　元の並び順に戻す

元の並び順に戻すには、「売上番号」など並び順の基準にするフィールドを選択して並び順を指定します（P.211）。

並び順の基準にするフィールドがない場合、並べ替えをした直後なら、[元に戻す]をクリックすると元に戻せます（P.74）。ただし、並べ替えを行った後、ブックを閉じた後などは、並び順を元に戻せないので注意してください。

### Memo　数値の連番を入力する

リストを作るときは、各データを区別できる「会員番号」や「社員番号」などのフィールドを作っておきましょう。基準にするフィールドがない場合、フィールドを作って数値の連番を入力しておくとよいでしょう。連番のデータを入力する方法は、P.79を参照してください。

### Hint　セルの色や文字の色

データを並べ替えるときは、セルのデータだけでなく、セルに設定されている塗りつぶしの色や文字の色を基準にすることもできます。その場合は、[並べ替え]ダイアログの[並べ替えのキー]と[順序]で指定します（P.223）。

**1** データを並べ替える基準のフィールド内のいずれかのセルをクリックし、

**2** [データ]タブ→[昇順]をクリックします。

**3** 売上番号を基準にデータが並べ替えられます。

8

データを整理して表示する

# 3 複数の条件でデータを並べ替える

**解説** 複数の条件を指定する

売上明細リストのデータを並べ替えます。ここでは、「販売形態」順で並べ替えます。同じ「販売形態」のデータが複数ある場合、さらに「商品名」順で並べ替えます。並べ替えの条件を複数指定します。

**Hint** ルールをコピーする

並べ替えのルールをコピーするには、[並べ替え]ダイアログでコピーするルールをクリックし、[レベルのコピー]をクリックします。

E列の「販売形態」順にデータを並べ替えます。
同じ販売形態の場合は、G列の「商品名」順で並べ替えます。

**1** リスト内のいずれかの
セルをクリックし、

**2** [データ]タブ→[並べ替え]
をクリックします。

**3** [最優先されるキー]は「販売形態」を、
[並べ替えのキー]は「セルの値」を、
[順序]は「昇順」を選択し、

**4** [レベルの追加]をクリックします。

**5** [次に優先されるキー]は「商品名」を、
[並べ替えのキー]は「セルの値」を、
[順序]は「昇順」を選択します。

**6** [OK]をクリックします。

**7** 販売形態→商品名の基準で
データが並べ替えられます。

# 4 並べ替え条件の優先順位を変える

## 解説 優先順位を変える

複数の並べ替えルールを指定しているときは、並べ替えの優先順位に注意し、必要に応じて優先順位を入れ替えます。

ここでは、「商品名」順でデータを並べ替えます。同じ商品名のデータが複数ある場合は、「販売形態」順で並べ替えます。「商品名」順のルールを最優先します。

## Memo 並べ替え条件を削除する

複数の並べ替え条件を指定しているとき、一部の条件を削除するには、[並べ替え]ダイアログで削除するルールをクリックし、[レベルの削除]をクリックします。

---

前ページに続けて、G列の「商品名」順でデータを並べ替えます。
同じ商品名の場合は、E列の「販売形態」順で並べ替えます。

**1** リスト内のいずれかのセルをクリックし、

**2** [データ]タブ→[並べ替え]をクリックします。

**3** 2番目の「商品名」の並べ替えのルールを選択し、

**4** [▲]をクリックします。

**5** 「商品名」の並べ替えルールが最優先されるキーになります。

**6** [OK]をクリックします。

**7** 商品名→販売形態の基準でデータが並べ替えられます。

# 5 指定した店舗順にデータを並べ替える

💬 **解説** 独自の項目リストを基準にする

支店名や店舗名などで並べ替えをするとき、昇順や降順ではなく、独自の順番で並べ替えるには、ユーザー設定リスト順に並べ替えます。まずは、ユーザー設定リストに、並べ替えたい順番に沿って独自のリストを登録しておきます（P.82）。続いて、並べ替え条件を指定します。

「店舗名」順で並べ替えます。昇順や降順でなく、「田中電気店」「斉藤百貨店」「旅の佐藤」……のように指定した順で並べ替えます。

**1** P.82の方法で、並べ替えの基準にする項目リストをユーザー設定リストに登録しておきます。

**2** リスト内のいずれかのセルをクリックし、

**3** [データ]タブ→[並べ替え]をクリックします。

**4** [最優先されるキー]は「店舗名」を、[並べ替えのキー]は「セルの値」を、[順序]は「ユーザー設定リスト」を選択します。

**5** [ユーザー設定リスト]ダイアログで並べ替えの基準にする項目をクリックします。

**6** [OK]をクリックします。

**7** [順序]にユーザー設定リストが指定されます。

**8** [OK]をクリックします。

**9** 店舗名の基準でデータが並べ替えられます。

| 売上番号 | 日付 | 店舗番号 | 店舗名 | 販売形態 | 商品番号 | 商品名 | 分類 | 価格 | 数量 |
|---|---|---|---|---|---|---|---|---|---|
| 1001 | 2020/1/20 | 101 | 田中電気店 | 店舗 | S102 | スーツケース（L） | 旅行用品 | 28,000 | 20 |
| 1002 | 2020/1/20 | 101 | 田中電気店 | 店舗 | G102 | 充電器 | 旅行用家電 | 4,800 | 30 |
| 1013 | 2020/2/20 | 101 | 田中電気店 | 店舗 | S102 | スーツケース（L） | 旅行用品 | 28,000 | 20 |
| 1014 | 2020/2/20 | 101 | 田中電気店 | 店舗 | G102 | 充電器 | 旅行用家電 | 4,800 | 30 |
| 1025 | 2020/3/20 | 101 | 田中電気店 | 店舗 | S102 | スーツケース（L） | 旅行用品 | 28,000 | 20 |
| 1026 | 2020/3/20 | 101 | 田中電気店 | 店舗 | G102 | 充電器 | 旅行用家電 | 4,800 | 40 |
| 1003 | 2020/1/20 | 102 | 斉藤百貨店 | 店舗 | S101 | スーツケース（M） | 旅行用品 | 32,000 | 10 |
| 1015 | 2020/2/20 | 102 | 斉藤百貨店 | 店舗 | S101 | スーツケース（M） | 旅行用品 | 32,000 | 10 |
| 1027 | 2020/3/20 | 102 | 斉藤百貨店 | 店舗 | S101 | スーツケース（M） | 旅行用品 | 32,000 | 15 |
| 1004 | 2020/1/20 | 103 | 旅の佐藤 | 店舗 | S101 | スーツケース（M） | 旅行用品 | 32,000 | 20 |
| 1005 | 2020/1/20 | 103 | 旅の佐藤 | 店舗 | S102 | スーツケース（L） | 旅行用品 | 28,000 | 20 |
| 1006 | 2020/1/20 | 103 | 旅の佐藤 | 店舗 | G101 | 珈琲ポット | 旅行用家電 | 5,800 | 20 |

 **合計行以外を並べ替える**

表のデータを並べ替えるとき、合計行がある場合、データを降順に並べ替えようとすると、合計行が常に先頭にきてしまって表が崩れてしまいます。合計行を除いてデータを降順に並べるには、次のように操作します。

**1** 合計行を除いてセル範囲を選択し、

**2** [データ]タブ→[並べ替え]をクリックします。

**3** [最優先されるキー]は「合計」、[並べ替えのキー]は「セルの値」、[順序]は「大きい値」を選択し、

**4** [OK]をクリックします。

**5** 合計行以外が並べ替えられます。

58_来場者数一覧.xlsxを使います。

# 75 条件に一致する データのみ表示する

練習用ファイル: 📁 75_駅前広場イベント一覧.xlsx

**ここで学ぶのは**

▶ リスト

▶ フィルター

▶ 抽出条件

リスト内のデータの中から、条件に一致するデータのみを表示するには、フィルター機能を使います。

フィルター機能を使うと、データを絞り込んで表示するためのボタンが表示されます。ボタンから条件を簡単に指定できます。

## 1 条件に一致するデータを表示する

**解説** フィルター条件を 指定する

フィルター機能を使って、データを抽出するためのフィルター条件を指定します。フィルター機能をオンにすると、フィールド名の横に［▼］が表示されます。フィールド名の横の［▼］をクリックすると、そのフィールドに含まれるデータの一覧が自動的に表示されます。一覧から表示する項目をクリックして指定します。

「分類」が「セミナー」または「料理」のデータのみ表示します。

**1** リスト内のいずれかの セルをクリックし、

**2** ［データ］タブ→［フィルター］ をクリックします。

**3** 条件を指定するフィールド の［▼］をクリックし、

**4** ［（すべて選択）］をクリック してチェックを外します。

**5** 表示する項目をクリック してチェックをオンにし、

**6** ［OK］をクリックします。

**7** 「分類」が「セミナー」または「料理」のデータのみ表示されました。

抽出結果が表示されます。

16 レコード中 10 個が見つかりました

### Memo 抽出結果を確認する

フィルター条件を指定してデータを抽出すると、抽出結果の行の行番号が青くなります。画面の下には、「○○レコード中○個が見つかりました」と表示されます。

| 管理番 | 日付 | 内容 | 分類 | 参加費 |
|---|---|---|---|---|
| 10 | 2020/1/19 | 街の歴史セミナー | セミナー | 6,800 |
| 11 | 2020/2/16 | 日本料理教室 | 料理 | 11,800 |
| 13 | 2020/5/17 | 家庭菜園セミナー | セミナー | 4,600 |
| 15 | 2020/9/20 | イタリア料理教室 | 料理 | 9,800 |
| 16 | 2020/10/18 | ワインセミナー | 料理 | 10,000 |
| 18 | 2021/1/10 | 街の歴史セミナー | セミナー | 6,800 |
| 19 | 2021/2/21 | 日本料理教室 | 料理 | 11,800 |
| 21 | 2021/5/16 | 家庭菜園セミナー | セミナー | 4,600 |
| 23 | 2021/9/19 | イタリア料理教室 | 料理 | 9,800 |
| 24 | 2021/10/10 | ワインセミナー | 料理 | 10,000 |

## 2 フィルター条件を解除する

### 解説 フィルター条件を解除する

リストに設定されているフィルター条件を解除します。ここでは、フィルター条件が設定されているフィールドの [▼] をクリックして条件を解除します。複数のフィルター条件や並べ替え条件をまとめて解除するには、[データ] タブ→ [クリア] をクリックします。

**1** フィルター条件が設定されている
フィールドの [▼] をクリックし、

**2** [(フィールド名)からフィルターをクリア] をクリックします。

**3** フィルター条件が解除されます。

 ショートカットキー

● フィルター機能のオン／オフの切り替え
リスト内をクリックして、
Ctrl + Shift + L

# 3 複数の条件に一致するデータのみ表示する

**解説　複数の条件を指定する**

フィルター機能を使ってデータを抽出表示しているとき、さらに別の条件を指定してデータを絞り込んで表示します。日付の抽出条件は、年や月、日ごとにまとめられています。月や日を条件に指定するには、先頭の「＋」をクリックして表示を展開します。

**Memo　すべて選択**

抽出条件を選択するとき、［（すべて選択）］をクリックすると、すべての項目のチェックがオフになります。もう一度、［（すべて選択）］をクリックするとすべての項目のチェックがオンになります。

「分類」が「セミナー」または「料理」、なおかつ「日付」が2020年のデータを表示します。

**1** P.226の方法で、「分類」が「セミナー」または「料理」のデータを表示します。

16 レコード中 10 個が見つかりました

**2** 条件を指定するフィールドの［▼］をクリックし、

**3** 「2021年」のチェックをクリックしてオフにします。

**4** ［OK］をクリックします。

**5** 「分類」が「セミナー」または「料理」、なおかつ「日付」が2020年のデータが表示されます。

16 レコード中 5 個が見つかりました

# 4 データの絞り込み条件を細かく指定する

## 解説 細かい条件を指定する

フィルター機能を使って抽出条件を指定するとき、単純にフィールドにある項目名だけでなくさまざまな条件を指定できます。指定できる条件は、フィールドに入力されているデータの種類によって違います（次ページのHint参照）。文字の場合、［テキストフィルター］から「○○の値を含む」「○○で始まる」などの条件を指定できます。

「内容」に「料理教室」の文字が含まれるデータを表示します。

**1** 条件を指定するフィールドの［▼］をクリックし、

**2** ［テキストフィルター］→［指定の値を含む］をクリックします。

**3** ［抽出条件の指定］の［内容］に「料理教室」と入力し、

**4** 条件の内容を確認して、

**5** ［OK］をクリックします。

## Hint 複数の条件を指定する

［テキストフィルター］などから条件を指定するときは、2つの条件を指定できます。このとき条件をAND条件で指定するかOR条件で指定するかが重要です。AND条件は2つの条件を両方満たすデータが抽出結果になります。OR条件は、2つの条件のいずれかを満たすデータが抽出結果になります。

**6** 指定した条件を満たすデータが表示されます。

# 5 絞り込み表示を解除する

解説 **フィルター機能を
オフにする**

フィルター機能をオフします。抽出条件など
が設定されている場合、抽出条件などは解
除されてすべてのデータが表示されます。

**1** [データ] タブ→ [フィルター] をクリックします。

Memo **すべての条件を
解除する**

複数のフィルター条件や並べ替え情報をす
べて解除するには、リスト内をクリックして
[データ] タブ→ [クリア] をクリックします。こ
の場合、フィルター機能はオンのままになり
ます。

**2** フィルター機能が
オフになります。

---

Hint **条件の指定方法**

フィルター機能で条件を指定するときは、
フィールドに入力されているデータの種類に
よって指定できる条件は違います。それぞれ
次のような内容を指定できます。

| データの種類 | 表示される項目 |
|---|---|
| 文字 | テキストフィルター |
| 日付 | 日付フィルター |
| 数値 | 数値フィルター |

文字

数値

日付

# 第 9 章

# データを集計して
# 活用する

この章では、前の章で紹介したリストをより活用する方法を紹介します。テーブルの利用方法や、集計表を作る方法などを覚えましょう。

目標は、リストの項目を使って自動集計表を作り、リストを見ているだけではわからない数値の傾向や推移を読み取れるようになることです。

# データを集計する
# さまざまな機能を知る

**ここで学ぶのは**

▶ リスト

▶ テーブル

▶ ピボットテーブル

この章では、前章で紹介したリストをより便利に使うための機能をいくつか紹介します。

データを簡単に利用するためのテーブル、データを集計するピボットテーブル、集計結果をグラフ化するピボットグラフを紹介します。

## 1 データを活用するには？

### リストを準備する

前章では、リスト形式に集めたデータを利用する方法を紹介しました。この章では、このリストを基にさらにデータを活用する方法を紹介します。

リストを準備します。
リストについてはP.210
を参照してください。

### リストをテーブルに変換する

テーブルを使うと、データを簡単に整理したり活用したりできます。テーブルに変換するときは、リストの列の見出し（フィールド名）に書式を付けていなくても、自動的に書式を設定できます。P.235で紹介します。

リストをテーブルに変換します。

## ピボットテーブルを作る

ピボットテーブルは、リスト形式に集めたデータを基に、集計表をほぼ自動的に作ってくれる便利な機能です。集計表のレイアウトは、簡単に変えられます。

リストからピボットテーブルが簡単に作れます。

ピボットテーブルの構成は簡単に変えられます。

## ピボットグラフを作る

ピボットテーブルをグラフ化します。ピボットグラフは、ピボットテーブルと連動しています。

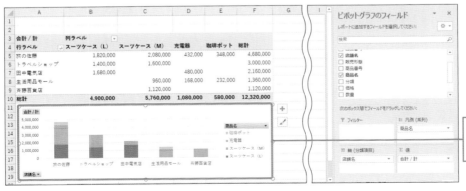

ピボットテーブルからピボットグラフを作ります。

# リストをテーブルに変換する

練習用ファイル: 📁 77_駅前広場イベント一覧.xlsx

### ここで学ぶのは

▶ リスト

▶ テーブル

▶ セル範囲に戻す

テーブルを利用できるようにするには、**リストの範囲を指定して、テーブルに変換**します。

テーブルに変換すると、フィールド名の横に [▼] が表示されます。[▼] をクリックすると抽出条件などを指定できます。

## 1 テーブルとは？

リストをテーブルに変換すると、データを並べ替えたり、フィルター条件を指定したりできるようになります。また、データの集計結果を表示することもできます。

リストをテーブルに変換します。
テーブルには自動的に書式が付きます。
後でスタイルを設定し直すのも簡単です。

フィールドの横の [▼] から並べ替えや絞り込み表示ができます。

テーブルを選択すると、

[テーブルツール] の [デザイン] タブが表示されます。このタブからテーブルに関する操作ができます。

# 2 テーブルを作る

## 解説　テーブルに変換する

リストをテーブルに変換します。ここでは[ホーム]タブからテーブルに変換しています。
リスト内をクリックして、[挿入]タブ→[テーブル]をクリックしても、テーブルに変換できます。

## ショートカットキー

● リスト範囲をテーブルに変換
リスト内をクリックして、[Ctrl]+[T]

## Memo　元のセル範囲に戻す

テーブルを元の普通のセル範囲に戻すには、テーブル内をクリックし、[デザイン]タブ→[範囲に変換]をクリックします。
なお、テーブルを元のセル範囲に戻しても、セルの色や罫線などの書式は残ります。書式が残らないようにするには、テーブルスタイルで[クリア]を選択してから（P.240）、テーブルをセル範囲に変換する方法があります。

**1** テーブル内のセルを選択

**2** [デザイン]タブ→[範囲に変換]をクリック

**1** リスト内のいずれかのセルを選択し、

**2** [ホーム]タブ→[テーブルとして書式設定]をクリックし、気に入ったスタイルをクリックします。

**3** リストの範囲を確認し、

**4** [先頭行をテーブルの見出しとして使用する]のチェックをオンにして、

**5** [OK]をクリックします。

**6** リストがテーブルに変換されます。

# 78

# テーブルのデータを抽出する

練習用ファイル：📁 78_駅前広場イベント一覧.xlsx

▶ テーブル
▶ 抽出条件
▶ スライサー

リストをテーブルに変換すると、リストでフィルター機能を使うときと同じように、フィールド名の横に［▼］が付きます。

［▼］をクリックすると、抽出条件が表示されます。抽出条件はフィルター機能と同じように指定できます。

---

## 1 データを並べ替える

💬 解説　**データを並べ替える**

並べ替えの基準にするフィールドのフィールド名の［▼］から、データの並べ替えを指定します。並べ替え条件の指定方法は、リストで並べ替えとするときと同様です。P.220を参照してください。

テーブルのデータをC列の「内容」を基準に並べ替えます。

1 並べ替えを指定するフィールドの［▼］をクリックし、

2 ［昇順］をクリックします。

3 「内容」を基準にデータが並べ替えられます。

💡 Hint　**複数の条件を指定する**

売上明細リストなどを並べ替えるとき、まずは「分類」順で並べ替えて、同じ商品分類のデータが複数ある場合はさらに「価格」の安い順で並べ替えるには、並べ替えの条件を複数指定します。指定方法は、P.222を参照してください。

**解説　抽出条件を指定する**

テーブルからデータを抽出します。条件を指定するフィールド名の横の［▼］をクリックして条件を指定します。操作方法は、フィルター機能（P.226）を使うときと同様です。
また、抽出されたデータの行番号は青字になります。ステータスバーには、「○○レコード中○○個が見つかりました」の文字が表示されます。

「分類」が「料理」、「日付」が「2020年」のデータを抽出します。

**1** 条件を指定するフィールドの［▼］をクリックし、

**2** 「セミナー」と「体験」をクリックしてチェックをオフにし、

**3** ［OK］をクリックします。

**4** 条件を指定するフィールドの［▼］をクリックし、

**5** 「2021年」をクリックしてチェックをオフにし、

**6** ［OK］をクリックします。

**Memo　抽出条件を解除する**

テーブルで指定した抽出条件を解除するには、抽出条件を設定しているフィールドの［▼］をクリックし、［" (フィールド名) "からフィルターをクリア］をクリックします。

**7** 「分類」が「料理」、「日付」が「2020年」のデータのみ表示されました。

抽出結果が表示されます。

# 3 データの絞り込み条件を細かく指定する

細かい条件を指定する

抽出条件を指定するとき、[○○フィルター]を選択すると、単純にフィールドにある項目名を選択するだけでなくさまざまな条件を指定できます。指定できる条件は、フィールドに入力されているデータの種類によって違います（下のHint参照）。

Hint 条件を細かく指定する

条件を指定するフィールドの[▼]をクリックすると、フィールドに入力されているデータの種類が文字だと「テキストフィルター」、日付だと「日付フィルター」、数値だと「数値フィルター」が表示されます。それぞれの項目から抽出条件を指定できます。

テキストフィルター

指定の値に等しい(E)...
指定の値に等しくない(N)...
指定の値で始まる(I)...
指定の値で終わる(T)...
指定の値を含む(A)...
指定の値を含まない(D)...
ユーザー設定フィルター(F)...

数値フィルター

指定の値に等しい(E)...
指定の値に等しくない(N)...
指定の値より大きい(G)...
指定の値以上(O)...
指定の値より小さい(L)...
指定の値以下(Q)...
指定の範囲内(W)...
トップテン(T)...
平均より上(A)
平均より下(O)
ユーザー設定フィルター(F)...

日付フィルター

指定の値に等しい(E)...
指定の値より前(B)...
指定の値より後(A)...
指定の範囲内(W)...
明日(T)
今日(D)
昨日(D)
来週(K)
今週(H)
先週(L)
来月(M)
今月(S)
先月(N)
来四半期(Q)
今四半期(U)
前四半期(R)
来年(X)
今年(I)
昨年(Y)
今年の初めから今日まで(A)
期間内の全日付(P)
ユーザー設定フィルター(F)...

「参加費」が10,000円以上、13,000円以下のデータを抽出します。

**1** 条件を指定するフィールドの[▼]をクリックし、

**2** [数値フィルター] → [指定の範囲内] をクリックします。

**3** 1つ目の条件として「10000」を入力し、[以上]を確認します。

「AND」「OR」については、P.229のHint参照。

**4** 「AND」が選択されていることを確認し、

**5** 2つ目の条件として「13000」を入力し、[以下]を確認します。

**6** [OK]をクリックします。

**7** 「参加費」が10,000円以上、13,000円以下のデータのみ表示されました。

# 4 抽出条件をボタンで選択できるようにする

### 解説 スライサーを表示する

頻繁に抽出条件を変える場合は、スライサーを使うと便利です。スライサーを追加したら、抽出条件として指定するボタンをクリックすると、抽出結果が表示されます。

また、スライサーで設定した抽出条件を解除するには、スライサーの [フィルターのクリア] 🕱 をクリックします。

### Memo 大きさを調整する

スライサーの大きさを変えるには、スライサーをクリックすると表示される外枠のハンドルをドラッグします。また、スライサーはドラッグして移動できます。スライサーを削除するには、スライサーをクリックして Delete キーを押します。

### Hint 複数の条件を指定する

スライサーで複数の抽出条件を指定するには、スライサーの [複数選択] をクリックしてオンにします（下図）。続いて、抽出条件に指定するボタンを順にクリックします。[複数選択] が無い場合は、1つの項目をクリックした後、Ctrl キーを押しながら、同時に選択するボタンをクリックします。

---

**1** テーブル内のいずれかのセルをクリックし、 　**2** [挿入] タブ→ [スライサー] をクリックします。

**3** テーブル内のフィールド名の一覧が表示されます。

**4** 抽出条件に指定するフィールドのチェックをオンにし、

**5** [OK] をクリックします。

**6** スライサーが表示されます。

**7** ボタンをクリックすると、

**8** 抽出条件を満たすデータが表示されます。

# 79

# テーブルの表示方法を変更する

練習用ファイル：■ 79_駅前広場イベント一覧.xlsx

▶ テーブル
▶ テーブルスタイル
▶ スタイルのオプション

テーブルのデザインは、後から自由に変えられます。一覧からスタイルを選択しましょう。

また、テーブルに1行おきの色を付けたり、左端の列だけを強調するなど、クリック操作だけで指定できます。

## 1 テーブルのデザインを変える

**解説 デザインを変える**

テーブルのデザインを変えるには、［デザイン］タブ→［テーブルスタイル］から選びます。スタイルの一覧は、色の濃淡によって［淡色］［中間］［濃色］に分かれています。気に入ったものを選びましょう。

1 テーブル内のいずれかのセルをクリックし、

2 ［デザイン］タブ→［テーブルスタイル］の をクリックします。

**Memo スタイルをなしにする**

手順3でスタイルの一覧の下の［クリア］を選ぶと、塗りつぶしの色や罫線などの飾りがなくなります。テーブルを元のセル範囲の状態に戻すとき、テーブルの飾りをなしにするには、テーブルスタイルを［クリア］にしてからセル範囲に変換します（P.235）。

3 スタイルの一覧から気に入ったスタイルをクリックします。

4 テーブルのデザインが変わります。

## 解説 ▶ 左端の列を強調する

テーブルのデザインのオプションを指定して、1行おきに色を付けたり、先頭や最後の列などを強調表示したりします。

テーブルの左端の列を強調したり、1行おきに色を付けたりします。

**1** テーブル内のいずれかのセルをクリックし、

**2** [デザイン]タブ→[最初の列]のチェックをオンにします。

## Hint ▶ フィルターボタンが消えた！

テーブルのフィルターボタンが消えてしまった場合は、テーブルを選択し、[デザイン]タブ→[フィルターボタン]がオンになっているか確認しましょう。オフになっていたら、クリックしてオンにするとフィルターボタンが表示されます。

**3** テーブルの左端の列のデザインが変わります。

9

データを集計して活用する

## Hint ▶ 1行おきに色を付ける

テーブルに1行おきに色を付けられるタイプのスタイルを選択しているときは、色を付けるかどうか指定できます。色を付けるには、テーブル内のいずれかのセルを選択して、[デザイン]タブ→[縞模様(行)]のチェックをオンにします。

# テーブルのデータを集計する

練習用ファイル：■ 80_暮らしのセミナー申込一覧.xlsx

テーブルに集計行を表示すると、テーブルの最終行に集計結果を表示する集計行が追加されます。

集計方法は、数値の合計や平均、最大値、最小値、文字データのデータ数など一覧から選択できます。

## ここで学ぶのは

▶ テーブル

▶ 集計行

▶ SUBTOTAL 関数

## 1 テーブルのデータを集計する

### 解説　集計行を表示する

集計行を表示するには、テーブル内のいずれかのセルをクリックして[テーブルスタイルのオプション]で指定します。集計行に表示する集計内容は、フィールドごとに指定できます。

### Memo　集計行を削除する

集計行を削除するには、テーブル内のいずれかのセルをクリックして、[デザイン]タブ→[集計行]をクリックしてオフにします。

**1** テーブル内のいずれかのセルをクリックし、

**2** [デザイン]タブ→[集計行]をクリックします。

**3** 集計行が表示されます。

**4** 条件を指定するフィールドの[▼]をクリックし、

**5** 集計したい項目のチェックをオンにして、

**6** [OK]をクリックします。

**3** 指定した条件で、「計」の合計が表示されます。

## 2 データの集計方法を変える

### 解説 集計方法を変える

フィールドの集計方法は変えられます。主に、数値や日付データが入っているフィールドに対して集計方法を選びます。文字データが入っているフィールドも、[個数]を選択するとデータの数を表示できます。

テーブルのデータを抽出する条件を変更すると、抽出されたデータに応じて集計結果が変わります。

集計するセミナーを変更し、申込件数も表示します。

**1** 集計方法を変えるフィールドの集計行をクリックし、

**2** [▼]をクリックして、

**3** 集計方法（ここでは[個数]）を選択してクリックします。

**4** 申込件数（個数）が表示されます。

**5** 条件を指定するフィールドの [▼]をクリックし、

### Hint 入力される計算式

テーブルの集計行に集計結果を表示すると、自動的にSUBTOTAL関数を使った計算式が入力されます。SUBTOTAL関数では、抽出したデータを集計した結果を表示します。引数には集計方法を指定します。

SUBTOTAL関数の詳細は、関数のヘルプを参照してください（P.121）。

**6** 条件として指定する項目のチェックをオンにして、

**7** [OK]をクリックします。

**8** データの集計結果が変わります。

# リストからクロス集計表を作る方法を知る

## ここで学ぶのは

▶ リスト

▶ テーブル

▶ ピボットテーブル

リストやテーブルを基に、簡単に集計表を作るには、ピボットテーブルという機能を使います。

ピボットテーブルで作る集計表は、表の上端と左端の見出しが自動的に用意されて集計結果が表示されます。

## 0 ピボットテーブルとは？

### Memo [分析] タブと [デザイン] タブ

ピボットテーブルを選択すると、[ピボットテーブルツール] の [分析] タブと [デザイン] タブが表示されます。[分析] タブには、ピボットテーブル全体の設定を変えたりするボタンが表示されます。[デザイン] タブには、ピボットテーブルのデザインを変えたりするボタンが表示されます。

### Memo 見出しと集計方法

ピボットテーブルの表の項目に配置する内容は、フィールド名で指定します。指定されたフィールドにどのようなデータが入っているかを把握して自動的に項目名が表示されます。また、集計する項目も、フィールド名で指定します。集計方法は、合計以外に平均やデータの個数なども選べます。

ピボットテーブルとは、クロス集計表（表の上端と左端に項目を配置して集計結果を表示する表）を簡単に作れる機能です。リストやテーブルを基に作ります。

テーブルを基に…

簡単にピボットテーブルを作れます。

## Memo リストかテーブルか

ピボットテーブルは、リストやテーブルを基に作ります。ただし、後からデータが追加される可能性がある場合は、テーブルを基に作るとよいでしょう。ピボットテーブルを更新するだけで、追加されたデータを集計表に反映させられます（P.249）。

ピボットテーブルのレイアウトは、［ピボットテーブルのフィールド］作業ウィンドウで指定します。ピボットテーブルを作ると、基となるテーブルやリストに含まれるフィールドの一覧が［ピボットテーブルのフィールド］作業ウィンドウに表示されます。これらのフィールドをどのエリアに配置するかによって、ピボットテーブルのレイアウトが決まります（左下のMemo参照）。

## Memo エリアセクションについて

ピボットテーブルの集計表の構成を決めるには、フィールドセクションのフィールドをエリアセクションの各エリアに配置します。エリアには、次のような種類があります。

| エリア | 内容 |
|---|---|
| フィルター | 集計対象を絞り込むフィールドを指定する |
| 列 | 集計表の上端の見出しに配置するフィールドを指定する |
| 行 | 集計表の左端の見出しに配置するフィールドを指定する |
| 値 | 集計表で集計するフィールドを指定する |

**フィールドセクション**
リストやテーブルのフィールドが、ピボットテーブルのフィールドの一覧に表示されます。

**エリアセクション**
フィールド名を配置すると、ピボットテーブルのレイアウトが決まります。

# 82

# ピボットテーブルを作る

練習用ファイル： 82_旅行用品売上明細リスト.xlsx

▶ ピボットテーブル

▶ フィールドリスト

▶ グループ化

早速、ピボットテーブルを作ってみましょう。ここでは、テーブルを基に作ります。まずは、ピボットテーブルの土台を作ります。最初は白紙の状態ですが、後の操作でピボットテーブルの構成を指定します。

## 1 ピボットテーブルの土台を作る

**解説 土台を作る**

リストやテーブルを基にピボットテーブルを作ります。ここでは、ピボットテーブルの土台を作ります。ピボットテーブルの構成は、次のページで指定します。

**Memo [ピボットテーブルのフィールド] 作業ウィンドウ**

ピボットテーブルを作ると、ピボットテーブルの構成を決める[ピボットテーブルのフィールド]作業ウィンドウが表示されます。作業ウィンドウが表示されていない場合は、ピボットテーブル内をクリックして[分析]タブ→[フィールドリスト]をクリックします。

**1** テーブル内のいずれかのセルをクリックし、

**2** [挿入]タブ→[ピボットテーブル]をクリックします。

**3** テーブルの範囲を確認し、

**4** ピボットテーブルを配置する場所に[新規ワークシート]が選択されていることを確認して、

**5** [OK]をクリックします。

**6** 新しいシートが追加されて、ピボットテーブルの土台が作成されます。

# 2 集計する項目を指定する

💬 **解説** ▶ 項目を決める

ピボットテーブルの構成を決めます。[行] エリアに集計表の左の見出しにするフィールド、[列] エリアに集計表の上の見出しにするフィールド、[値] エリアに集計するフィールドを配置します。

なお、[行] エリア、または [列] エリアのどちらか一方のみにフィールドを配置してもかまいません。

📝 **Memo** ▶ 数値の表示形式

集計結果の数値に桁区切り「,」（カンマ）を表示するには、[値] エリアのフィールドの横の [▼] をクリックし、[値フィールドの設定] をクリックします。[値フィールドの設定] ダイアログの [表示形式] をクリックし、[数値] の表示形式で桁区切りを指定して [OK] をクリックします。最後に [値フィールドの設定] ダイアログの [OK] をクリックします。

左の見出しに「分類」と「商品名」、上の見出しに「店舗名」を配置して「計」の合計を表示します。

**1** 「分類」を [行] エリアにドラッグします。

**2** 「商品名」を [行] エリアの「分類」の下に、「店舗名」を [列] エリアに、「計」を [値] エリアに、それぞれドラッグします。

**3** ピボットテーブルが作成されます。

ピボットテーブルを作る

# 3 集計する項目を入れ替える

💬 **解説** 項目を入れ替える

ピボットテーブルの特徴の1つに、集計表の項目を入れ替えられることがあります。これにより、別の視点から集計した結果を表示できます。

ここでは、左に「商品分類」と「商品名」、上に「店舗名」の見出しがある集計表のレイアウトを変えます。左に「商品名」、上に「日付」の見出しがある集計表にしています。

📝 **Memo** 日付をグループ化する

Excel 2016以降では、「日付」フィールドは自動的に月や四半期、年の単位でグループ化されます。自動でグループ化されない場合は、「日付」フィールドの日付が表示されているセルをクリックし、[分析]タブ→[グループの選択]をクリックし、グループ化する単位をクリックして[OK]をクリックします。

前ページの続きで、左の見出しに「商品名」、上の見出しに「日付」を配置して、「計」の合計を表示します。

**1** [列]エリアの「店舗名」をエリアセクションの外にドラッグします。

**2** 同様に、[行]エリアの「分類」をエリアセクションの外にドラッグします。

**3** 「日付」を[列]エリアに配置します。

**5** ピボットテーブルの構成が変わります。

# 4 表示する項目を指定する

## 解説 項目を選択する

ピボットテーブルでは、表示する項目を指定できます。ここでは、左に配置した「商品名」の中から指定した商品のみ表示しています。

## Memo ピボットテーブルの更新

ピボットテーブルの基のテーブルやリストのデータが変わった場合、ピボットテーブルを更新するには、[分析]タブ→[更新]をクリックします。基のテーブルの大きさが変わった場合は、[分析]タブ→[更新]をクリックします。基のリストの大きさが変わった場合は、[分析]タブ→[データソースの変更]をクリックして範囲を指定し直します。

## Memo ピボットテーブルのスタイル

ピボットテーブルのスタイルを指定するには、ピボットテーブル内をクリックして[デザイン]タブ→[ピボットテーブルスタイル]から適用するスタイルをクリックします。

前ページの続きで、表の見出しに表示する項目を絞り込みます。

**1** 行の[▼]をクリックします。

**2** 表示する項目のチェックだけをオンにします。

**3** [OK]をクリックします。

**4** 表示される項目が絞り込まれます。

## Memo 大きい順に並べる

集計結果を数値の大きい順に並べるには、数値が入力されているセルをクリックし、[データ]タブ→[昇順]や[降順]をクリックします。たとえば、「分類」の合計順、その中の「商品名」の合計順に並べるには下図のように操作します。

**1** 選択して🔳をクリック

**2** 選択して🔳をクリック

**3** 大きい順に並べ替わった

# ピボットテーブルの集計方法を変更する

練習用ファイル：■ 83_旅行用品売上明細リスト.xlsx

ピボットテーブルの集計方法は、合計以外にも平均やデータの個数などさまざまなものがあります。
また、計算の種類を指定すると、構成比などを計算することもできます。場合によって使い分けましょう。

## ここで学ぶのは

- ▶ ピボットテーブル
- ▶ 値フィールドの設定
- ▶ 計算の種類

## 1 計算方法を変える

### 解説　データの個数を集計する

商品ごとの注文件数を計算します。ここでは、[値]エリアに配置した「売上番号」の集計方法を変えます。「売上番号」を[値]エリアに配置すると、集計方法は「合計」になっています。集計方法を「個数」にしてデータの個数を表示しましょう。

なお、ここで紹介した例では、[値]エリアに「売上番号」ではなく他のフィールドを配置して集計方法を変えても同じ結果になります。ただし、データの個数などを表示するときは、「数量」や「合計」などの数値フィールドではなく、個々のデータを区別するための「売上番号」などを指定すると、計算の目的がわかりやすくなります。

### Memo　既定の集計方法

ピボットテーブルの[値]エリアに数値データが入ったフィールドを配置すると、集計方法は「合計」になります。文字データが入ったフィールドを配置すると、[個数]になります。集計方法は、後から変えられます。

商品ごとの注文件数を集計します。

「売上番号」の合計が表示されています。

**1** 「商品名」を[行]エリアに、「売上番号」を[値]エリアに配置します。

**2** [値]エリアに配置した「売上番号」の[▼]をクリックし、[値フィールドの設定]をクリックします。

**3** [集計方法]タブの[値フィールドの集計]で、[個数]をクリックし、

**4** [OK]をクリックします。

**5** 集計方法が変わり、売上番号の個数（＝注文件数）が表示されます。

## 2 計算の種類を変える

### 解説 構成比を表示する

商品ごとの売上合計の集計結果を基に、商品ごとの売上構成比を表示します。「合計」フィールドの、フィールドの計算方法を変えます。計算方法から[列集計に対する比率]を選択すると、列の合計を100%としたときの各行の売上合計の割合が表示されます。

また、「行ラベル」などラベルの文字を変更する方法は、P.253のHintを参照してください。

### Hint 集計方法や計算の種類

集計方法や計算の種類の違いを確認するには、[値フィールドの設定]ダイアログの右上の[?]をクリックします。すると、ブラウザーが起動してヘルプが表示されます。

### Memo 項目を並べ替える

表の項目を並べ替えるには、表の項目のセルをクリックして、並べ替えの指示をします。任意の順で並び順を変えたい場合は、表の項目名のセルをクリックし、セルの外枠部分をドラッグして指定します。

前ページの続きで、商品ごとの売上合計を基に、売上構成比を表示します。

**1** ピボットテーブル内をクリックし、

**2** 「計」を[値]エリアにドラッグします。

**3** [値]エリアに配置した「計」の[▼]をクリックし、[値フィールドの設定]をクリックします。

左のHint参照

**4** [計算の種類]タブをクリックし、

**5** [計算の種類]から[列集計に対する比率]を選択して、

**6** [OK]をクリックします。

**7** 列の合計を100%としたときの、各行の割合が表示されます。

# ピボットテーブルの 集計期間を指定する

練習用ファイル:■ 84_旅行用品売上明細リスト.xlsx

## ここで学ぶのは

▶ ピボットテーブル
▶ タイムライン
▶ スライサー

ピボットテーブルの集計表で集計する期間を簡単に指定するには、タイムラインを使うと便利です。

タイムラインでは、バーをドラッグして、いつからいつまでの期間のデータを集計するか指定できます。

## 1 タイムラインを追加する

### 解説 タイムラインを 追加する

タイムラインを使うと、集計期間を指定できるようになります。タイムラインを追加すると、日付データが入ったフィールドの一覧が表示されます。タイムラインに利用するフィールドを選択しましょう。

### Memo Excel 2013 以降で 使える

タイムラインの機能は、Excel 2013以降で使えます。それ以前のバージョンのExcelでは使えないので注意します。

**1** ピボットテーブル内をクリックし、

**2** [分析] タブ→ [タイムラインの挿入] をクリックします。

**3** タイムラインとして利用する日付データが入ったフィールドのチェックをオンにし、

**4** [OK] をクリックします。

**5** タイムラインが表示されます。

## 2 集計期間を指定する

### 解説 タイムラインを操作する

追加したタイムラインを使って、集計結果を指定します。集計対象の開始月と終了月をドラッグして指定しましょう。集計期間はタイムラインの上部に表示されますので、日付の範囲を確認しながら指定します。

### Hint ラベルの文字を変更する

ピボットテーブルの集計表に表示される「行ラベル」「列ラベル」「合計／計」などのラベルの文字は変更できます。「行ラベル」などと表示されているセルをクリックして文字を変更します。ただし、ピボットテーブルのレイアウトを変更した場合、ラベルの文字はそのまま残りますので注意してください。

**1** ここをクリックして右端を表示し、

**2** バーの右端にマウスポインターを移動します。

**3** バーの右端をドラッグして期間の最後を指定します。

期間が表示されます。

**4** バーの左端をドラッグして期間の最初を指定します。

### Hint 集計対象を指定する

ピボットテーブルで集計対象を切り替えられるようにするには、[フィルター] エリアにフィールドを配置する方法（右図）や、スライサーを使う方法があります。スライサーを使うと、ワンクリックで集計対象を指定できます。

**1** ドラッグ　**2** クリック　**3** クリック　**4** クリック　**5** 絞り込まれる

### 使えるプロ技！ スライサーを使う

ピボットテーブル内をクリックして [分析] タブ→ [スライサーの挿入] をクリックすると、スライサーを表示できます（P.239）。スライサーを使うと、ボタンをクリックするだけで集計対象を指定できて便利です。

ボタンクリックで集計対象を絞り込むことができます。

# ピボットテーブルの データをグラフ化する

練習用ファイル：■ 85_旅行用品売上明細リスト.xlsx

### ここで学ぶのは

▶ ピボットテーブル

▶ ピボットグラフ

▶ グラフの種類

ピボットテーブルで集計した結果をわかりやすく表現するには、ピボットテーブル を基にピボットグラフを作ります。

ピボットテーブルとピボットグラフは連動しています。ピボットテーブルのレイア ウトを変えると、ピボットグラフに反映されます。

## 1 ピボットグラフを作る

💬 **解説** ピボットグラフを作る

ピボットテーブルを基に、ピボットグラフを作り ます。グラフの作り方は、通常のグラフとほ ぼ同じです。ただし、グラフの種類によっては、 ピボットグラフとして作れないものもあります。

店舗別、分類別の売上合計をグラフに示します。ピボットテーブルは「計」 の大きい順に並べ替えておきます。

**1** ピボットテーブル内 をクリックし、

**2** [分析] タブ→ [ピボットグラフ] をクリックします。

**3** ピボットグラフの種類をクリックし、

**4** [OK] をクリック します。

## 2 ピボットグラフに表示する項目を入れ替える

### 解説 項目を入れ替える

ピボットグラフに表示する項目を入れ替えて、違う視点から見たグラフに変えましょう。ピボットグラフで項目を入れ替えると、ピボットグラフの基のピボットテーブルのレイアウトも変わります。

1 の続きで、月ごと分類ごとの集計結果を棒グラフに表示します。

1 [軸（分類項目）] エリアの「店舗名」をエリアセクションの外にドラッグします。

### Memo グラフ要素の追加

グラフに、グラフタイトルや軸ラベルなどのグラフ要素を追加するには、グラフを選択して [デザイン]タブ→[グラフ要素を追加]をクリックして、追加するグラフ要素を指定します。通常のグラフと同様に追加できます。

2 「日付」を [軸（分類項目）] エリアにドラッグします。

3 ピボットグラフの構成が変わります。

## 3 ピボットグラフに表示する項目を指定する

**解説** 表示する項目を指定する

ピボットグラフに表示する項目を選択します。ピボットグラフに表示する項目を変えると、ピボットグラフの基のピボットテーブルのレイアウトも変わります。

前ページに続けて、分類に表示する項目を「旅行用品」だけに絞り込みます。

**1** ピボットグラフで [分類] の [▼] をクリックし、

**2** [旅行用家電] のチェックをオフにして、

**3** [OK] をクリックします。

**Memo** グラフのスタイル

グラフのデザインは、後から変えられます。グラフを選択し、[デザイン] タブ→ [その他] をクリックしてデザインを選択しましょう。

**4** ピボットグラフに表示される項目が変わります。

**Hint** グラフの種類

ピボットグラフの種類を変えるには、ピボットグラフを選択して、[デザイン] タブ→ [グラフの種類の変更] をクリックします。[グラフ種類の変更] ダイアログでグラフの種類を選択します。ただし、ピボットグラフでは作れないグラフもあります。

**1** ピボットグラフを選択して、[デザイン] タブ→ [グラフの種類の変更] をクリックし、

**2** グラフの種類をクリックして、[OK] をクリックします。

# 第 **10** 章

# シートやブックを
# 自在に扱う

この章では、シートの基本的な扱い方や、複数のシートをまとめて編集する方法、複数のシートやブックを見比べて表示する方法などを紹介します。また、シートやブックを保護する方法なども覚えましょう。

目標は、シートやブックを効率よく管理できるようになることです。

練習用ファイル：なし

ここで学ぶのは

▶ シートとブックの関係
▶ シートやブックの保護
▶ パスワードの設定

この章では、シートやブックの扱い方について紹介します。シートやブックを第三者から保護する方法などを知りましょう。

また、1つのブックには、複数のシートを追加できます。たとえば、4枚のシートを追加して、四半期ごとの集計表を作れます。

---

## 1 シートとブックの関係を知る

**Memo シートを追加できる**

1つのブックに複数のシートを追加して使えます。それぞれのシートは、シート名を付けたり見出しの色を付けたりして区別できます。P.262で紹介します。

パソコンで作ったデータは、ファイルという単位で保存します。Excelでは、ファイルのことをブックとも言います。「ファイル」＝「ブック」と思ってかまいません。

1つのブックに複数のシートを追加できます。たとえば、シートを12枚用意して、1月〜12月までの集計表をまとめて作ることもできます。

シート

2019上期　2019下期　2019合計

1つのブックには、複数のシートを追加できます。

**Memo まとめて編集する**

複数のシートは、まとめて編集することもできます。そのときは、複数のシートを選択して作業グループの状態にして操作します。P.274で紹介します。

シート見出しを右クリックすると、シートに関する操作メニューが表示されます。

## 2 シートやブックを保護する

シートを保護すると、セルにデータを入力できなくなります。これにより、計算式などをうっかり削除してしまう心配がなくなります。なお、指定したセルのみ入力できる状態にしてからシートを保護することもできます。

保護されたシートにデータを入力しようとすると、メッセージが表示されます。

ブックを保護すると、シートの構成などを変えられなくなります。

## 3 ブックにパスワードを設定する

ブックを開いたり、ブックを書き換えたりするときに必要なパスワードを設定できます。これにより、パスワードを知らない人は、ブックを開いたり書き換えたりできないようになります。

パスワードを入力しないと、ブックを開けないように設定できます。

練習用ファイル：■ 87_来場者数一覧.xlsx

新しいブックを作ると、Excel 2013以降では、1枚のシートを含むブックが表示されます。
シートの数は、後から追加できます。また、不要になったシートは表示を隠したり、削除したりできます。

### ここで学ぶのは

▶ シートの追加

▶ シートの削除

▶ シートの種類

## 1 シートを追加する

 **解説** シートを追加する

[新しいシート] ⊕ をクリックすると、選択しているシートの右側に新しいシートが追加されます。シート名は、「Sheet1」「Sheet2」……のような仮の名前が付いています。シート名は後から変えられます。

 **Hint** シートの種類を選択する

白紙のワークシート以外のシートを追加するには、シートを追加したい場所の右側のシートのシート見出しを右クリックして、[挿入]をクリックします。[挿入]ダイアログで追加するシートの種類を選びます。

**1** シートを追加したい場所の左側のシート見出しをクリックし、

| 7 | みなと公園 | 52 | 78 | 70 | 88 | 108 | 80 | 476 |
| 8 | 川の公園 | 64 | 70 | 61 | 80 | 90 | 88 | 453 |
| 9 | 合計 | 330 | 437 | 347 | 484 | 585 | 371 | 2,554 |

**2** [+] をクリックします。

**3** シートが追加されます。

# 2 シートを削除する

## 解説 ▶ シートを削除する

不要になったシートを削除します。シートに何かデータが入っている場合は、確認メッセージが表示されます。

なお、削除したシートは元に戻すことはできないので注意しましょう。後でまた使う可能性がある場合は、削除せずに非表示にしておくとよいでしょう（P.266）。

## Hint ▶ 複数シートをまとめて削除する

複数のシートをまとめて削除するには、最初に複数シートを選択します（P.274）。選択したいずれかのシートのシート見出しを右クリックし、[削除] をクリックします。

**1** 削除するシートのシート見出しを右クリックし、

**2** [削除] をクリックします。

シートにデータがないときは、この画面は表示されません。

**3** [削除] をクリックします。

**4** シートが削除されます。

## Hint ▶ すべてのシートを削除しようとした場合

ブックに含まれるすべてのシートを削除したり非表示にしたりすることはできません。シートを削除しようとしたときに右のようなメッセージが表示された場合、新しいシートを追加してから削除したいシートを削除します。

# シート名や見出しの色を変える

練習用ファイル：■ 88_来場者数一覧.xlsx

## ここで学ぶのは

▶ シート名の変更

▶ 名前のルール

▶ 見出しの色

シートを追加した後は、シートを区別するために、シートにわかりやすい名前を付けましょう。

名前は、31文字以内で、「:」「¥」「/」「?」「[」「]」などの記号以外の文字を使って付けます。

## 1 シート名を変える

### 解説 シート名を変える

シートの内容がわかりやすいようにシート名を変えましょう。シート名は、すでにあるシートと同じ名前を付けることはできません。また、空欄のままにしておくこともできません。

### Memo メッセージが表示されたら

シート名として使えない記号などを含む名前を指定すると、下図のメッセージが表示されます。ルールに合わせてシート名を付け直しましょう。

**シート名のルール**

・31文字以内

・次の文字は使用できない

　コロン (:)、円記号 (¥)、スラッシュ (/)、疑問符 (?)、アスタリスク (*)、左角かっこ ([)、右角かっこ (])

・空白（名前なし）は不可

**1** シート名を変えるシート見出しをダブルクリックします。

| 8 | 川の公園 | | 64 | 70 | 61 | 80 | 90 | 88 | 453 |
| 9 | 合計 | | 330 | 437 | 347 | 484 | 585 | 371 | 2,554 |

Sheet1　Sheet2

**2** カーソルが表示されます。

2019上期　Sheet2

**3** 名前を入力して Enter キーを押します。

**4** シート名が変わります。

2019上期　2019下期

**5** 同様の方法で、シート名を変更します。

Microsoft Excel

入力されたシートまたはグラフの名前が正しくありません。

⚠ ・入力文字が 31 文字以内であること
・次の使用できない文字が含まれていないこと: コロン
・名前が空白でないこと

# 2 シート見出しの色を変える

### Memo シート見出しに色を付ける

シートの見出しに色を付けてシートを区別します。色を付けるシートのシート見出しを右クリックする操作から始めましょう。

**1** 色を付けるシートのシート見出しを右クリックし、

**2** [シート見出しの色] にマウスポインターを移動して、色をクリックします。

**3** 同様の方法で、他のシートのシート見出しに色を付けます。

シートを切り替えると、シート見出しに色が付きます。

### Hint 複数シートの色をまとめて変える

複数のシートの見出しの色をまとめて変更するには、最初に複数シートを選択します（P.274）。選択したいずれかのシートのシート見出しを右クリックし、[シート見出しの色]から色を選びます。

### Memo 色をなしにする

シート見出しの色を元のように色が付いていない状態にするには、右図のように操作して、見出しの色の一覧から [色なし] をクリックします。

**1** 色をなしにするシートのシート見出しを右クリックし、

**2** [シート見出しの色] にマウスポインターを移動して、[色なし] をクリックします。

練習用ファイル：■ 89_来場者数一覧.xlsx

### ここで学ぶのは

▶ シートの移動

▶ シートのコピー

▶ 他のブック

シートの並び順は、後から変えられます。よく使うシートは、左のほうに配置すると切り替えやすくて便利です。

また、シートはコピーして使えます。今あるシートと同じような表を作るには、シートをコピーして追加しましょう。

---

## 1 シートを移動する

**解説 シートを移動する**

シートのシート見出しをドラッグしてシートを移動します。移動時には、移動先を示す印が表示されるので、印を確認しながら操作します。

**Hint 複数シートを移動／コピーする**

複数のシートをまとめて移動／コピーするには、最初に複数シートを選択します（P.274）。選択したいずれかのシート見出しを移動先に向かってドラッグします。コピーする場合は、[Ctrl]キーを押しながらドラッグします。

**1** 移動するシートのシート見出しにマウスポインターを移動し、

| | | | | |
|---|---|---|---|---|
| 8 | 川の公園 | 453 | 506 | 959 |
| 9 | 合計 | 2,554 | 2,347 | 4,901 |
| 10 | | | | |
| 11 | | | | |
| 12 | | | | |
| 13 | | | | |
| 14 | | | | |
| 15 | | | | |
| 16 | | | | |
| 17 | | | | |
| 18 | | | | |
| 19 | | | | |

2019上期　**2019下期**　2019合計

**2** シート見出しを移動先に向かってドラッグします。

2019上期　**2019下期**　2019合計

**3** シートが移動します。

2019合計　2019上期　**2019下期**

# 2 シートをコピーする

## 解説 シートをコピーする

シートをコピーして追加します。[Ctrl]キーを押しながらシート見出しをドラッグすると、マウスポインターに「＋」の印が表示されます。マウスポインターの形やコピー先の印を確認しながら操作します。

**1** 移動するシートのシート見出しにマウスポインターを移動し、

**2** [Ctrl]キーを押しながら、コピー先に向かってドラッグします。

**3** シートがコピーされます。

## Hint 他のブックに 移動／コピーする

開いている他のブックにシートを移動するには、移動するシートを右クリックして[移動またはコピー]をクリックします。[シートの移動またはコピー]ダイアログで移動先のブックと移動先を選択します。シートをコピーする場合は、[コピーを作成する]にチェックを付けて[OK]をクリックします。

**1** シート見出しを右クリックして[移動またはコピー]をクリック

**2** 移動先のブックやシートの挿入場所を選択

**3** コピーするときはチェックして、[OK]をクリック

**4** 他のブックにコピーされた

# Section

# 90

# シートの表示／非表示を切り替える

練習用ファイル：■ 90_来場者数一覧.xlsx

ここで学ぶのは

▶ シートの非表示
▶ シートの再表示
▶ シート一覧の表示

不要になったシートは削除できますが（P.260）、削除すると元には戻せません。
後でまた使う可能性がある場合は、シートを非表示にして隠しておきましょう。非表示のシートは簡単に再表示できます。

## 1 シートを非表示にする

### 解説 シートを非表示にする

シートを非表示にします。非表示にすると、シートが消えてしまったように見えますが、後から再表示できます。

なお、すべてのシートを非表示にすることはできません。すべてのシートを非表示にしたい場合は、新しいシートを追加して、追加したシート以外を非表示にします。

**1** 非表示にするシートのシート見出しを右クリックし、

| 7 | みなと公園 | | 52 | 78 | 70 | 88 | 108 | 80 | 476 |
| 8 | 川の公園 | | 64 | 70 | 61 | 80 | 90 | 88 | 453 |
| 9 | 合計 | | 330 | 437 | 347 | 484 | 585 | 371 | 2,554 |

挿入(I)...
削除(D)
名前の変更(R)
移動またはコピー(M)...
コードの表示(V)
シートの保護(P)...
シート見出しの色(T)　▶
非表示(H)
再表示(U)...
すべてのシートを選択(S)

◀ ▶ │ 2019上期 │ 2019下期 │ 2019合計 │ ⊕

**2** ［非表示］をクリックします。

### Hint 複数シートを非表示にする

複数のシートをまとめて非表示にするには、最初に複数シートを選択します（P.274）。選択したいずれかのシートのシート見出しを右クリックして［非表示］をクリックします。

| 8 | 川の公園 | | 80 | 78 | 79 | 84 | 88 | 97 | 506 |
| 9 | 合計 | | 353 | 348 | 367 | 396 | 408 | 475 | 2,347 |

◀ ▶ │ 2019下期 │ 2019合計 │ ⊕

**3** ［シートが非表示になります。

### 解説　シートを再表示する

非表示にしていたシートを再表示します。[再表示] ダイアログで表示するシートを選択しましょう。

### Memo　シートの並び順を変える

シートの並び順を変えるには、シート見出しを移動先に向かってドラッグします（P.264）。

---

**1** いずれかのシート見出しを右クリックし、

**2** [再表示] をクリックします。

**3** 表示するシートを選択し、

**4** [OK] をクリックします。

**5** シートが再表示されます。

---

### Memo　シートが見えない場合

複数のシートを追加すると、シート見出しが隠れてしまうことがあります。シート見出しを表示するには、左下のボタンを使います。また、[◀] [▶] を右クリックすると、シート名の一覧が表示されます。一覧から表示するシートを選べます。

[◀] [▶] をクリックして隠れているシートを表示します。

シートが表示しきれない場合はこのように表示されます。

ここを右クリックすると、シートの一覧が表示されます。

シートを選択して [OK] をクリックすると、そのシートが表示されます。

# 91 指定したセル以外入力できないようにする

練習用ファイル：■ 91_請求書.xlsx

## ここで学ぶのは

▶シートの保護

▶セルのロック

▶ブックの保護

シートの内容を勝手に書き換えられてしまったり、うっかりデータを削除してしまったりするのを防ぐには、シートを保護します。

シートを保護すると、すべてのセルが編集できなくなります。指定したセル以外は編集できないようにすることもできます。

## 1 データを入力するセルを指定する

### 解説　セルのロックを外す

シートを保護すると、そのシートのセルを編集できなくなります。シートを保護しても、指定したセルのみ編集できるようにするには、最初に、そのセルのロックを外しておきます。その後、シートを保護します。

以下のステップで操作すると覚えましょう。

①入力を許可するセルのロックを外す
↓
②シートを保護する

### Memo　シートの保護と情報セキュリティ

シートを保護しても、シートの内容を他のシートにコピーして使ったりできます。そのため、シート保護の機能は、悪意のある人からシートを守ることはできません。ブックを勝手に見られないようにするには、ブックにパスワードを設定する方法があります。

シートを保護しても、特定のセルにはデータを入力できるようにします。

1 データを入力できるようにするセルやセル範囲を選択し、

2 [ホーム] タブ→ 🔽 をクリックします。

3 [保護] タブをクリックし、

4 [ロック] のチェックをオフにして、

5 [OK] をクリックします。

# 2 シートを保護する

## 解説 シートを保護する

シートを保護して、セルのデータが書き換えられないようにします。シートを保護するときは、シートの保護を解除するときに必要なパスワードを指定できます。また、シートを保護している間でも許可する操作を指定できます。

## Memo データを入力する

シートを保護した後、セルにデータを入力してみましょう。ロックを外しておいたセルのみ入力できます。

ここで紹介した例では、セル範囲A14:A16に、右の商品一覧の商品番号を入れると、商品名や価格が表示されます。セル範囲F14:F16に数量を入力すると、合計が表示されます。セル範囲B14:E16やセル範囲G14:G17、セルC11にはそれぞれ計算式が入っています。

計算式が入っているセルなど、ロックが外れていないセルにはデータを入力できません。

前ページに続けて、シートを保護し、ロックが外れているセル以外は編集できないようにします。

**1** [校閲] タブ→ [シートの保護] をクリックします。

**2** シートの保護を解除するためのパスワードを指定し、

**3** シートを保護しても許可する操作のチェックをオンにして、

**4**  [OK] をクリックします。

**5** もう一度同じパスワードを入力し、

**6** [OK] をクリックすると、シートが保護されます。

**7** ロックが外れていないセルを編集しようとすると、

**8** メッセージが表示されます。

# 3 編集時にパスワードを求める

💬 **解説** 範囲の編集を許可する

シートを保護したときに、パスワードを知っている人だけ、指定したセルを編集できるように設定します。すでにシートを保護している場合は、シート保護を解除した状態で設定します（下のMemo参照）。

シートを保護した後は、対象のセルにデータを入力してみましょう。指定したパスワードを入力すると編集できます。

📝 **Memo** シート保護を解除する

シート保護を解除するには、[校閲] タブ→[シート保護の解除] をクリックします。シート保護の解除に必要なパスワードを指定している場合は、パスワードを入力して解除します。

📝 **Memo** データを入力する

指定したセルを編集するのにパスワードが必要な状態にすると、対象のセルにデータを入力しようとするとパスワードの入力を求める画面が表示されます。正しいパスワードを入力すると、セルを編集できるようになります。

1 データを入力しようとすると、

2 パスワードが求められます。

---

指定したセルを編集するには、パスワードが必要な状態にします。

1 シートを保護しているときは、左のMemoの方法でシート保護を解除しておきます。

2 編集時にパスワードを要求するセルやセル範囲を選択し、

3 [校閲] タブ→ [範囲の編集を許可する] をクリックします。

4 [新規] をクリックします。

5 範囲名やセル範囲を確認し、

6 編集時に必要なパスワードを入力して、

7 [OK] をクリックします。

8 もう一度同じパスワードを入力し、

9 [OK] をクリックします。

**10** [シートの保護] を
クリックします。

**11** この後は、P.269の方法でシートを保護します。

**Hint** ブックを保護する

ブックを保護すると、シートの追加やシート名
の変更といった、シート構成の変更ができな
くなります。

ブックを保護するには、[校閲] タブ→ [ブッ
クの保護]をクリックします。保護対象を選択
し、ブック保護を解除するためのパスワードを
指定して、[OK]をクリックします。

ブックの保護を解除するには、[校閲] タブ→
[ブックの保護] をクリックします。

**1** [校閲] タブ→ [ブックの保護] をクリックします。

**2** ブックの保護を解除するための
パスワードを指定し、

**3** [保護] 対象を選択して [OK] を
クリックします。

**4** もう一度同じパスワードを
入力して [OK] をクリック
します。

**5** ブックを保護すると、シート見
出しを右クリックしてシートを
追加したりができなくなります。

# 異なるシートを横に並べて見比べる

練習用ファイル：■ 92_店舗別売上集計表.xlsx

▶ 新しいウィンドウを開く

▶ ウィンドウの整列

▶ ウィンドウを閉じる

1つのブックにある複数のシートを見比べるには、2つ目のウィンドウを開いて操作します。

新しいウィンドウを開くと、そのウィンドウが前面に大きく表示されます。ウィンドウを並べて見比べましょう。

## 1 新しいウィンドウを開く

**解説** 新しいウィンドウを開く

同じブックにある複数のシートを並べて表示にするには、まずは、新しいウィンドウを開きます。新しいウィンドウを開くと、2つ目のウィンドウが開き、タイトルバーのブック名の隣に「:2」や「-2」の文字が表示されます。1つ目のウィンドウは後ろに隠れた状態です。

**Memo** ウィンドウを閉じる

複数のウィンドウを開いているとき、いずれかのウィンドウでデータを編集すると、互いのウィンドウにその変更が反映されます。複数のウィンドウを開く必要がない場合は、ウィンドウを閉じます。

クリックして閉じます。

同じブックを複数のウィンドウで表示します。

**1** [表示] タブ→ [新しいウィンドウを開く] をクリックします。

**2** 同じブックが2つ目のウィンドウで開きます。

店舗別売上集計表:2

ファイル名の横に何番目のウィンドウか数字が表示されます。

## ② ウィンドウを横に並べる

### 解説　ウィンドウを並べる

2つのウィンドウを左右に並べて表示します。表示した後は、それぞれのウィンドウで表示したいシートを選択します。

### Memo　作業中のブックのウィンドウ

ウィンドウを並べて表示するとき、[作業中のブックのウィンドウを整列する] にチェックを付けると、操作中のブックと同じブックのウィンドウを対象にウィンドウが整列されます。違うブックが開いている場合、違うブックは整列の対象になりません。

前ページの続きで、2つのウィンドウを並べてシートを見比べます。

**1** [表示] タブ→ [整列] をクリックします。

**2** [左右に並べて表示] のチェックをオンにし、

**3** [OK] をクリックします。

**4** ウィンドウが左右に並びます。

**5** 表示するシートのシート見出しをクリックします。

**6** 別々のシートを並べて見比べられます。

# 複数のシートをまとめて編集する

 練習用ファイル：📁 93_来場者数一覧.xlsx

### ここで学ぶのは

▶複数シートの選択

▶グループ

▶データの入力

複数のシートを同時に選択して編集すると、複数シートに同じデータを入力したり同じ書式を設定したりできます。
データをコピーして複数のシートの同じ場所に貼り付けたりする手間が省けて便利です。

## 1 複数シートを選択する

### 解説 複数シートを選択する

離れた位置にある複数のシートを選択するには、1つ目のシートを選択した後、Ctrlキーを押しながら同時に選択するシートをクリックします。隣接する複数のシートを選択するには、端のシートをクリックした後、Shiftキーを押しながらもう一方の端のシートをクリックします。複数シートを選択しているときは、タイトルバーに「[グループ]」と表示されます

### Key word アクティブシート

現在選択されているシートをアクティブシートと言います。複数のシートを選択している状態でも、シート見出しとシートに区切りの線がない現在操作対象のシートをアクティブシートと言います。

**1** 1つ目のシートのシート見出しをクリックし、

**2** Ctrl キーを押しながら、同時に選択するシートのシート見出しをクリックします。

**3** 2つのシートが選択されます。

タイトルバーに「[グループ]」と表示されます。

来場者数一覧 [グループ]

選択していないシートのシート見出しをクリックすると、シート選択が解除されます。

### 解説 複数シートを編集する

複数シートを選択している状態で、セルを編集します。ここでは、すべてのシートを選択してセルにデータを入力したりします。操作が終わったらシートの選択を解除します。選択していたシートに同じ内容が入力されたかどうか確認しましょう。

### Memo シートの選択を解除する

複数シートを選択している状態のままでは、編集した内容が複数のシートに反映されるので注意します。
シートの選択を解除するには、選択しているシート以外のシートをクリックします。すべてのシートが選択されている場合は、アクティブシート以外のシートをクリックします。

### Hint データをコピーする

すでに入力されているデータを他のシートの同じ場所にコピーするには、まず、コピーしたいセルやセル範囲を選択します。続いて、データをコピーする他のシートを Ctrl キーを押しながら選択します。最後に、[ホーム]タブ→[フィル]→[作業グループへコピー]をクリックして、コピーする内容を指定します。

**1** 1つ目のシートのシート見出しをクリックし、

**2** Shift キーを押しながら、3つ目のシートのシート見出しをクリックします。

**3** 2つ目のシートも含めてまとめて選択されます。

**4** 編集するセルをクリックしてデータを入力したり、書式を変えたりします。ここでは担当者名を入力します。

**5** アクティブシート以外のシートのシート見出しをクリックすると、

**6** 編集した内容が他のシートにも反映されています。

# 94 他のブックに切り替える

練習用ファイル：■ 94_会議室スケジュール（1月）.xlsx ■ 94_会議室スケジュール（2月）.xlsx

### ここで学ぶのは

▶ ブックを開く

▶ ウィンドウの切り替え

▶ 他のアプリへの切り替え

Excelでは、複数のブックを開いて使えます。複数のブックを開いているときは、適宜、切り替えながら使いましょう。

Excelから切り替える方法の他、タスクバーやキー操作で切り替える方法などもあります。

## 1 複数ブックを開く

**解説** 複数ブックを開く

ブックを開いている状態で、違うブックを開きます。ブックを開くと、開いたブックが前面に表示されます。先に開いていたブックは後ろに隠れた状態です。

**ショートカットキー**

● ブックを開く画面を表示
Ctrl + O

**1** [ファイル]タブから、P.34の方法で、[ファイルを開く]ダイアログを開きます。

1月のブックが開いた状態から始めます。

**2** ブックの保存先を指定し、開くブック名をクリックして、

**3** [開く]をクリックします。

**4** 違うブックが開きます。

会議室スケジュール（2月）

# 2 ブックを切り替えて表示する

**解説** **ブックを切り替える**

[表示] タブから後ろに隠れているブックを前面に表示します。ブックの一覧から、切り替えるブックを選択します。

先に開いていたブックに切り替えて表示します。

**1** [表示] タブ→ [ウィンドウの切り替え] をクリックし、

**2** 表示するブックのブック名をクリックします。

**3** 選択したブックが表示されます。　会議室スケジュール（1月）

**ショートカットキー**

● **アプリを切り替える**

Alt ＋ Tab を押すと起動中のアプリ一覧が表示される。Alt を押したまま何度か Tab を押してアプリを選択する枠を移動し、目的のアプリに枠が付いたら Alt から手を離す

**Memo** **タスクバーから切り替える**

ブックを切り替えるには、タスクバーに表示されているExcelのアイコンにマウスポインターを移動します。ブックの縮小図が表示されたら、切り替えたいブックを選んでクリックします。

**Hint** **他のアプリに切り替える**

開いている他のアプリに切り替えるには、タスクバーの [タスクビュー] をクリックする方法もあります。開いているアプリの一覧が表示されたら、切り替えるアプリを選びます。

タスクビュー

# Section

## 95

# 他のブックを横に並べて見比べる

練習用ファイル： ■ 95_会議室スケジュール（1月）.xlsx ■ 95_会議室スケジュール（2月）.xlsx

複数のブックを開いて作業しているとき、複数のブックを見比べるには、表示方法を変えます。

ここでは、ブックを2つ開いている状態を想定して、ブックを見比べる方法を紹介します。

### ここで学ぶのは

▶ 並べて比較

▶ ウィンドウの整列

▶ 同時にスクロール

## 1 ブックを並べて表示する

### 解説 並べて比較する

開いている2つのブックを並べて表示すると、画面が上下に分割されてブックが並びます。ブックを並べて比較するのを解除するには、もう一度、[表示]タブ→[並べて比較]をクリックします。

なお、3つ以上ブックが開いている場合は、並べて比較するブックを選ぶ画面が表示されます。

### Hint ブックが並んで表示されない場合

[表示]タブの[並べて比較]をクリックしたときに、ブックが綺麗に並んで表示されない場合は、次のページの方法でウィンドウを並べて表示します。

**1** 見比べる複数のブックを開いておきます。

**2** [表示]タブ→[並べて比較]をクリックします。

**3** ブックが並んで表示されます。

[同時にスクロール]もオンになります。

**4** どちらかのウィンドウをスクロールすると、もう片方も同時にスクロールされます。

## 2 同時にスクロールして見る

 **解説** 同時にスクロールする

2つのブックを並べて比較しているとき、2つのブックを同時にスクロールして見られます。同時にスクロールするのを解除するには、[表示]タブ→[同時にスクロール]をクリックします。

前ページの続きで、ブックを左右に並べて同時にスクロールして表示します。

**1** [表示]タブ→[整列]をクリックします。

 **Memo** 他のシートを表示する

1つのブックにある複数のシートを並べて表示する方法は、P.272を参照してください。

**ウィンドウの整列**

整列
○ 並べて表示(T)
○ 上下に並べて表示(O)
◉ 左右に並べて表示(V)
○ 重ねて表示(C)

□ 作業中のブックのウィンドウを整列する(W)

OK  キャンセル

**2** [左右に並べて表示]をクリックし、

**3** [OK]をクリックします。

**4** ブックが左右に並んで表示されます。

**5** どちらかのウィンドウをスクロールすると、もう片方も同時にスクロールされます。

# Section

# 96 ブックの原本を保存する

練習用ファイル： ■ 96_請求書.xlsx

### ここで学ぶのは

▶ テンプレートとして保存

▶ テンプレートの利用

▶ テンプレートの編集

「請求書」や「申請書」など、データを入力して完成させるブックを使うとき、毎回、ブックの原本をコピーするのは面倒です。

テンプレートとして保存しておくと、ブックを開くたびに原本のコピーが自動的に作られるので便利です。

---

## 1 テンプレートとして保存する

### 解説 テンプレートとして保存する

ここでは、請求書のブックをテンプレートとして保存します。日付や宛先、売上明細などのデータが入っている場合は、データを削除しておきます。[ファイルの種類]で[Excelテンプレート]を選ぶと、「ドキュメント」フォルダーの「Officeのカスタムテンプレート」が保存先に指定されます。ここに保存しておくと、テンプレートを簡単に開けるので便利です。

### Hint その他のテンプレート

Excelでは、あらかじめ用意されているさまざまなテンプレートを使えます。テンプレートについては、P.37を参照してください。

**1** テンプレートとして保存するブックを開いておきます。

**2** [ファイル]タブから、P.32の方法で、[名前を付けて保存]ダイアログを開きます。

**3** [ファイルの種類]の[▼]をクリックし、

**4** [Excelテンプレート]をクリックします。

**5** ブックの保存先が指定されます。

**6** テンプレートのブックの名前を入力し、

**7** [保存] をクリックします。

# 2 保存したテンプレートを使う

### 解説 テンプレートを使う

テンプレートを使うときは、新規にブックを作るところから始めます。新規にブックを作るときに、使うテンプレートを選ぶと、テンプレートを基にしたコピーが作られて新しいブックとして用意されます。ブック名には、「(テンプレート名) 1」のような仮の名前が付いています。ブックを編集後は保存します (P.32)。

### Hint テンプレートを編集する

テンプレートを使ってブックを作るのではなく、テンプレート自体を編集するには、ブックを開く画面 (P.34) で、「ドキュメント」フォルダーの「Office のカスタムテンプレート」にある、テンプレートとして保存したブックを開きます。タイトルバーに表示されるブック名を確認してからブックを編集して、上書保存します。

**1** テンプレートとして保存したブックが開いている場合は、[閉じる] をクリックして閉じておきます。

**2** [ファイル] タブをクリックして、Backstageビューを表示します。

**3** [新規] をクリックします。

**4** [個人用] をクリックし、

**5** 使うテンプレートをクリックします。

**6** テンプレートを基に新しいブックが開きます。

# Section

## 97

# ブックにパスワードを設定する

練習用ファイル：■ 97_暮らしのセミナー申込一覧.xlsx

## ここで学ぶのは

▶ ブックを開く

▶ 読み取りパスワード

▶ 書き込みパスワード

第三者に見られては困るブックや、勝手に書き換えられたりすると困るブックには、パスワードを設定します。

パスワードには、読み取りパスワードと書き込みパスワードの2種類あります。それぞれの違いを知りましょう。

## 1 ブックにパスワードを設定する

### 解説 読み取りパスワードを設定する

パスワードを知らないとブックを開けないようにするには、ブックに読み取りパスワードを設定します。パスワードは、大文字と小文字が区別されます。パスワードを忘れるとブックを開けないので、忘れないように注意します。

なお、一度も保存していないブックにパスワードを設定して上書き保存すると、名前を付けて保存する画面が表示されます。P.32の方法でブックを保存します。

### Memo ブックを保存するときに設定する

ブックを保存するときに、パスワードを設定する方法は、P.284で紹介しています。

**1** 読み取りパスワードを設定したいブックを開きます。

**2** [ファイル] タブをクリックします。

**3** [情報] をクリックし、

**4** [ブックの保護]→[パスワードを使用して暗号化]をクリックします。

## Memo パスワードの種類

パスワードには、読み取りパスワードと書き込みパスワードがあります。

| パスワードの種類 | 内容 |
|---|---|
| 読み取りパスワード | ブックを開くために必要なパスワード |
| 書き込みパスワード (P.284) | ブックを編集して上書き保存するために必要なパスワード。書き込みパスワードだけを設定している場合は、誰でもブックを開ける。ブックを開くためのパスワードも指定したい場合は、「読み取りパスワード」と「書き込みパスワード」の両方を設定する |

## Memo 読み取りパスワードを消す

読み取りパスワードを消すには、下図のように[ドキュメントの暗号化]ダイアログでパスワードを削除して[OK]をクリックします。

**5** パスワードを入力し、

**6** [OK]をクリックします。

**7** もう一度同じパスワードを入力し、

**8** [OK]をクリックします。

**9** パスワードが設定されたことが表示されます。

**10** [上書き保存]をクリックします。

**11** [閉じる]をクリックしてブックを閉じます。

# 2 パスワードが設定されたブックを開く

### 解説 パスワードを入力してブックを開く

読み取りパスワードを設定しているブックを開くには、ブックを開くときにパスワードを入力する必要があります。書き込みパスワードを設定している場合は、書き込みパスワードの入力が求められます。

**1** P.34の方法で、[ファイルを開く] ダイアログを表示します。

**2** ブックの保存先を指定し、

**3** パスワードを設定したブックをクリックして、

**4** [開く] をクリックします。

### Hint 書き込みパスワード

書き込みパスワードを設定している場合は、ブックを開くときに書き込みパスワードを入力しないとブックを編集して上書き保存することはできません（下図）。ただし、[読み取り専用]をクリックすることで、誰でもブックを開くことはできるので注意してください。

**5** パスワードを入力し、

**6** [OK] をクリックします。

**7** パスワードが設定されたブックが開きます。

### Hint 書き込みパスワードを設定する

読み取りパスワードや書き込みパスワードは、ブックを保存するときにも指定できます。[名前を付けて保存] ダイアログで [ツール] → [全般オプション] をクリックし、[全般オプション] ダイアログで [読み取りパスワード] や [書き込みパスワード] を入力して [OK] をクリックします。その後は、いつもどおりにブックを保存します（P.32）。なお、読み取りパスワードや書き込みパスワードを解除するときは、上述の方法で [全般オプション] ダイアログを表示してパスワードを消します。

**1** [ツール] → [全般オプション]をクリックします。

**2** パスワードを入力して [OK] をクリックします。

第 **11** 章

# 表やグラフを
# 綺麗に印刷する

この章では、表やグラフを印刷するときの印刷時の設定を紹介します。印刷時の設定にはどのような種類があるのかを知りましょう。

目標は、印刷時のイメージを確認し、必要に応じて設定を変更し、表やグラフ、リストを見やすく印刷できるようになることです。

# 98 印刷前に行う設定って何？

練習用ファイル：なし

この章では、表やグラフを印刷するときに指定する、さまざまな設定について紹介します。

印刷前には必ず印刷イメージを確認します。それを見て、希望の仕上がりになるように必要な各種の設定を行っていきます。

## 1 印刷の設定とは？

Backstageビューの［印刷］をクリックすると、印刷イメージが表示されます。下図の1枚目では、表やグラフが用紙からはみ出してしまっています。これを綺麗に印刷するには、印刷時の設定が必要です。設定を行うと、下図の2枚目のように印刷イメージに反映されます。

印刷イメージを見ると、グラフが途中で切れてしまっています。

ヘッダーにファイル名や印刷日時を表示します。

用紙の向きを変えると、切れていた部分が表示されます。

フッターにページ番号を表示します。

11

表やグラフを綺麗に印刷する

**Memo** 主な設定項目

印刷時の設定には、次のような
ものがあります。

| 設定項目 | 内容 |
|---|---|
| 用紙の向き (P.288) | 用紙を縦向きにするか横向きにするか指定する |
| 用紙サイズ (P.288) | 用紙サイズを指定する |
| 余白 (P.290) | 用紙の余白の大きさを指定する |
| 拡大／縮小印刷 (P.300) | 表を拡大したり、用紙内に収めたりする |
| 印刷タイトル (P.298) | 表の見出しをすべてのページに表示する |
| ヘッダー／フッター (P.292) | ヘッダーやフッターに表示する内容を指定する |
| 印刷時の表示内容 (P.300のHint) | 枠線や行列番号、コメントやエラーの印刷方法を指定する |
| 印刷範囲 (P.302) | 印刷する範囲を指定する |
| 改ページ (P.296) | 改ページする位置を指定する |
| ページの方向 (P.305のHint) | 印刷するページの順番 (左から右、または、上から下) を指定する |

## 2 印刷設定画面の表示方法を知る

印刷時の設定を行う場所は複数あります。Backstageビューや [ページレイアウト] タブでは、簡単な設定を
行えます。詳細の設定をまとめて行うには、[ページ設定] ダイアログを使います。

なお、この章では、主に印刷時の設定を紹介します。実際に印刷する方法は最後に紹介します。

### Backstageビューの [印刷]

Backstageビューの [印刷] を
クリックすると、印刷時の設定
を行えます。

[ページ設定] ダイアログ

[ページ設定] ダイアログを表示すると、
印刷時のさまざまな設定ができます。

[ページレイアウト] タブ

[ページレイアウト] タブにあるボタンからも、
印刷時の設定を行えます。

# 用紙のサイズや向きを指定する

練習用ファイル：■ 99_出店用メニューリスト.xlsx

**ここで学ぶのは**

▶ ページ設定

▶ 用紙のサイズ

▶ 用紙の向き

印刷する表やグラフのレイアウトなどに合わせて、用紙の向きやサイズを指定しましょう。

用紙の向きは、通常「縦」が選択されています。サイズは、通常「A4サイズ」が選択されています。

---

## 1 用紙のサイズを指定する

**解説** 用紙のサイズを変える

用紙のサイズを変えます。用紙サイズは、一般的にA4サイズを使うことが多いですが、ここでは、練習の意味で、あえてA4サイズからA5サイズにしています。

**Memo** [ページレイアウト]タブ

[ページレイアウト]タブ→[サイズ]をクリックしても、用紙のサイズを変えられます。

**1** 印刷するブックを開き、Backstageビューを表示します（P.42）。

**2** [印刷]をクリックし、

**3** [用紙のサイズ]をクリックします。

**4** [A5]をクリックします。

**5** 用紙のサイズがA5になります。

# 2 用紙の向きを指定する

## 解説 向きを変える

ここでは、表が用紙の幅を超えてしまっているので、用紙の向きを横向きに変えます。用紙の向きを変えると、横幅が広くなるので、横長の表が用紙に収まりやすくなります。

**1** 印刷するブックを開き、Backstageビューを表示します (P.42)。

**2** [印刷]をクリックし、 　　　　**3** [用紙の向き]をクリックします。

**4** [横方向]をクリックします。

**5** 用紙の向きが横向きになります。

## Memo [ページレイアウト] タブ

[ページレイアウト] タブ→ [印刷の向き]をクリックしても、用紙の向きを変えられます。

## Memo グレーの点線

印刷イメージを確認したりした後、標準ビュー画面に戻ると、印刷される箇所や改ページ位置を示すグレーの点線が表示されます。グレーの点線は目安になる線で、印刷はされません。

| | A | B | C | D | E | F | G | H | I | J |
|---|---|---|---|---|---|---|---|---|---|---|
| 1 | 出店用メニューリスト | | | 更新日 | 12月15日 | | | | | |
| 2 | | | | | | | | | | |
| 3 | 商品番号 | 商品名 | 分類 | 価格 | 販売予定数 | | | | | |
| 4 | F01 | チキンピザ | 食品 | 550 | 150 | | | | | |
| 5 | F02 | エビピザ | 食品 | 650 | 100 | | | | | |
| 6 | D01 | 緑茶 | 飲料 | 150 | 150 | | | | | |
| 7 | D02 | 紅茶 | 飲料 | 150 | 100 | | | | | |
| 8 | | | | | | | | | | |
| 9 | 前年度開催日 | 前年度来場者数 | | | | | | | | |
| 10 | 2018/12/16 | 5000 | | | | | | | | |
| 11 | | | | | | | | | | |

# 100 余白の大きさを指定する

練習用ファイル：■ 100_店舗別売上集計表.xlsx

## ここで学ぶのは

▶ ページ設定

▶ 余白の大きさ

▶ ページの中央に印刷

表やグラフが用紙内に収まらない場合、余白の大きさを少なくすると収められる場合があります。

また、小さい表などを印刷する場合、用紙の中央に印刷されるように指定するときも、余白の設定で行えます。

## 1 余白の大きさを調整する

### 解説　余白の大きさを変える

ページが複数に分かれてしまっているときは、印刷イメージの下の [◀] [▶] をクリックして、次のページや前のページを表示します。どのくらい列があふれてしまっているのかなどを確認しましょう。ここでは余白を狭くして表の横幅をページ内に収めています。

### Memo　[ページレイアウト] タブ

[ページレイアウト] タブ→ [余白] をクリックしても、余白の大きさを変えられます。

**1** 印刷するブックを開き、Backstageビューを表示します (P.42)。

**2** [印刷] をクリックすると、

**3** 右端の列が2ページ目になってしまっています。

**4** [標準の余白] をクリックします。

**5** [狭い] をクリックします。

11

表やグラフを綺麗に印刷する

## Hint　余白の大きさを示す線を表示する

印刷イメージを表示した画面で、右下の［余白の表示］をクリックすると、余白の大きさを示す線が表示されます。線をドラッグすると余白の大きさを調整できます。

## 解説　余白の大きさを細かく指定する

［ページ設定］ダイアログで上下左右の余白の大きさを指定します。設定画面の［ヘッダー］には、用紙の上端からヘッダーの文字までの距離、［フッター］には、用紙の下端からフッターの文字までの距離を指定します。

## Memo　ページの中央に印刷する

小さい表をページの横幅に対して中央に印刷するには、［ページ設定］ダイアログの［余白］タブ→［ページ中央］の［水平］のチェックをオンにします。縦に対して中央に印刷するには、［垂直］のチェックをオンにします。用紙の中央に印刷するには、両方のチェックをオンにします。

**6** 余白が狭くなり、右端の列が1ページ内に収まります。

## 余白の大きさを細かく指定する

**1** ［ページ設定］をクリックします。

**2** ［余白］タブをクリックし、

**3** 余白の大きさを調整する場所をクリックして、余白の大きさをセンチ単位で入力します。

左のMemoを参照

**4** ［OK］をクリックします。

**5** 余白が調整されます。

# 101

# ヘッダーやフッターの内容を指定する

練習用ファイル：■ 101_暮らしのセミナー申込一覧.xlsx

## ここで学ぶのは

▶ ページ設定

▶ ヘッダー／フッター

▶ ページ番号

ヘッダーやフッターの設定をすると、用紙の上下の余白に日付や資料のタイトル、ページ番号などの情報を表示できます。

ヘッダーやフッターを指定する方法はいくつかありますが、ここでは、ページレイアウト表示に切り替えて操作します。

## 1 ヘッダーに文字を入力する

### 解説 ヘッダーを指定する

ページレイアウト表示に切り替えて、ヘッダーに文字を入力します。ヘッダーやフッターは、左、中央、右のエリアに内容を指定できます。ヘッダーやフッターの内容は、先頭ページ、奇数ページ、偶数ページと分けて指定することもできますが（P.294のHint参照）、特に指定しない場合、すべてのページに同じヘッダーやフッターの内容が表示されます。

### Memo ページレイアウト表示

ページレイアウト表示は、シートの印刷イメージを確認しながら表やグラフなどの編集ができる表示モードです。ヘッダーやフッターなども設定できます。

**1** ［表示］タブ→［ページレイアウト］をクリックします。

**2** ヘッダーの左エリアをクリックし、文字を入力します。

**3** 入力が済んだら、入力エリアの外をクリックします。

**4** Backstageビューの［印刷］をクリックすると、印刷イメージが確認できます。

## 2 ヘッダーに日付を表示する

### 解説 日付を入力する

ヘッダーの右のエリアに今日の日付を入力します。ここでは、常に今日の日付を表示する「&[日付]」という命令文を入力します。[デザイン]タブ→[現在の日付]をクリックすると、この命令文が自動的に入ります。このようにすると、明日になれば、明日の日付が表示されます。

特定の日付が常に表示されるようにするには、「2019/9/22」のように、日付を直接入力します。

### Memo 一覧から選択する

ヘッダーの左、中央、右のいずれかのエリアをクリックし、[デザイン]タブをクリックすると、ブック名やシート名などを自動的に表示するためのボタンが表示されます。たとえば、[シート名]をクリックすると、現在のシート名が自動的に表示される命令文が入ります。シート名が変わると、自動的に更新されます。

**1** [表示]タブ→[ページレイアウト]をクリックします。

**2** ヘッダーの右エリアをクリックし、 **3** [デザイン]タブ→[現在の日付]をクリックします。

**4** 今日の日付を入力する命令文が入ります。 **5** 入力エリアの外をクリックします。

**6** 今日の日付が表示されます。

**7** Backstageビューの[印刷]をクリックすると、印刷イメージが確認できます。

# 3 フッターにページ番号と総ページ数を表示する

## 解説 ページ番号と総ページ数

ページ番号と総ページ数を「/」の記号で区切って「1/3」「2/3」「3/3」のように表示されるようにします。

ページ番号を入力するときは、ページ番号を自動的に表示する「&[ページ番号]」という命令文を入力します。[デザイン]タブ→[ページ番号]をクリックすると、自動的にこの命令文が入ります。ページ番号の後の「/」は、キーボードから直接入力します。続いて、総ページ数を自動的に表示する「&[総ページ数]」という命令文を入力します。[デザイン]タブ→[ページ数]をクリックすると、自動的にこの命令文が入ります。

## Hint 先頭ページや奇数/偶数ページの内容を変更する

ページレイアウト表示でヘッダーやフッターを編集しているとき、[デザイン]タブの[奇数ページのみ別指定]や[奇数/偶数ページ別指定]をクリックすると、先頭ページとそれ以外、また、奇数ページと偶数ページのヘッダーやフッターを別々に指定できます。ヘッダーやフッター欄に表示されるヘッダーやフッターの種類を確認して設定します。

## Memo ページ番号だけを表示する

フッターにページ番号を印刷するとき、総ページ数を表示しない場合は、「/」を入力したり、[デザイン]タブ→[ページ数]をクリックする操作は不要です。

**1** [表示]タブ→[ページレイアウト]をクリックします。

**2** 画面をスクロールして、フッターの中央エリアをクリックします。

**3** [デザイン]タブ→[ページ番号]をクリックします。

**4** ページ番号を表示する命令文が入ります。

**5** 「/」の記号をキーボードから入力します。

### Hint 一覧から選択する

ページレイアウト表示でフッターの左、中央、右のいずれかのエリアをクリックし、[デザイン]タブ→[フッター]をクリックすると、フッターによく表示するような内容の一覧が表示されます。一覧から表示内容をクリックして指定できます。

### Hint [ページ設定]ダイアログ

[ページ設定]ダイアログ（P.287）でもヘッダーやフッターを指定できます。[ページ設定]ダイアログの[ヘッダー/フッター]タブ→[ヘッダーの編集]や[フッターの編集]をクリックし、表示される[ヘッダー]や[フッター]ダイアログで指定します。

**6** [デザイン]タブ→[ページ数]をクリックします。

**7** 総ページ数を表示する命令文が入ります。

**8** 入力エリアの外をクリックします。

**9** ページ番号と総ページ数が表示されます。

**10** Backstageビューの[印刷]をクリックすると、印刷イメージが確認できます。

# 102 改ページ位置を調整する

練習用ファイル: 102_暮らしのセミナー申込一覧.xlsx

## ここで学ぶのは

▶改ページ位置の変更

▶改ページの挿入

▶改ページの削除

2ページ以上の資料を印刷するときは、中途半端なところでページが分かれてしまうと読みづらくなります。

印刷イメージを確認して、必要に応じて改ページする位置を指定しましょう。改ページプレビューで操作します。

## 1 改ページ位置を確認する

解説 **改ページプレビューに切り替える**

印刷イメージの画面を表示して、改ページ位置を確認します。画面の下の[◀][▶]をクリックしてページを切り替えて確認しましょう。改ページ位置を調整するには、改ページプレビューに切り替えて操作します。改ページプレビューでは、印刷されるところは白、印刷されないところはグレーで表示されます。

**1** 印刷するブックを開き、Backstageビューを表示します (P.42)。

**2** [印刷]をクリックし、 **3** 改ページ位置を確認します。

**4** [▶]をクリックして残りのページも改ページ位置を確認します。

**5** [←]をクリックします。

**6** [表示]タブ→[改ページプレビュー]をクリックします。

**7** 改ページプレビューが
表示されます。

## Memo 改ページ位置

改ページプレビューの青い点線は、Excelが
自動的に指定した改ページ位置です。青い
実線は、手動で指定した改ページ位置です。

## 解説 改ページ位置を変える

前のページの方法で改ページプレビューを表
示します。青い点線をドラッグして改ページさ
れる位置を調整します。調整後は、青い点
線が青い実線になります。
ここでは、表の横幅がはみ出してしまってい
るので縦の線をドラッグして用紙内に収めま
す。その後、横の線をドラッグして1ページ
目と2ページ目の境の改ページ位置を調整し
ます。

## Memo 改ページの削除

改ページプレビューの画面で、横の改ペー
ジ位置の指定を削除するには、改ページ位
置の下の行を選択し、選択した行の行番号
を右クリックして [改ページの解除] をクリック
します。縦の改ページ位置の指定を削除す
るには、改ページ位置の右の列を選択し、
選択した列の列番号を右クリックして [改ペー
ジの解除] をクリックします。

## Memo 改ページの挿入

改ページプレビューの画面で、横の改ペー
ジ位置を追加するには、改ページ位置を入
れる下の行を選択し、選択した行の行番号
を右クリックして [改ページの挿入] をクリック
します。縦の改ページ位置を追加するには、
改ページ位置を入れる右の列を選択し、選
択した列の列番号を右クリックして [改ページ
の挿入] をクリックします。

### 改ページ位置を調整する

**1** 改ページ位置を示す青い点線にマウスポインターを移動し、

**2** マウスポインターの形が変わったら、青い
点線をドラッグして位置を調整します。

**3** 続いて、改ページ位
置を示す青い点線に
マウスポインターを
移動し、

**4** マウスポインターの
形が変わったら、青
い点線をドラッグして
位置を調整します。

**5** Backstageビューの [印刷] をクリックすると、
印刷イメージが確認できます。

**6** 改ページ位置
が変わります。

## Section

# 103

# 表の見出しを全ページに印刷する

練習用ファイル：■ 103_暮らしのセミナー申込一覧.xlsx

### ここで学ぶのは

▶ ページ設定
▶ タイトル行
▶ タイトル列

縦長や横長の表を印刷するときは、表の上端の見出しや左端の見出しが2ページ目以降は見えなくなってしまいます。

この場合、見出しを各ページに入れる必要はありません。行タイトルや列タイトルを指定すると、自動的に見出しを表示できます。

---

## 1 印刷イメージを確認する

**解説** 印刷イメージを確認する

複数ページにわたる表の印刷イメージを確認します。通常は、2ページ目以降には見出しが表示されないため、2ページ目以降の表の内容が見づらくなります。

次ページの操作で、2ページ目以降に見出しが表示されるようにします。

1ページ目に表示されているタイトルと見出しをすべてのページに表示されるようにします。

**1** 印刷するブックを開き、Backstageビューを表示します（P.42）。

**2** [印刷] をクリックします。　**3** タイトルと見出しが表示されています。

**4** [▶] をクリックします。

**5** 2ページ目以降にはタイトルと見出しが表示されていません。

### 解説　印刷タイトルを設定する

印刷タイトルを設定して、2ページ目以降にも1〜3行目までが表示されるように指定します。設定後は、Backstageビューの[印刷]をクリックして、2ページ目以降に見出しが表示されるかどうか確認しておきましょう。

前ページに続けて、2ページ目以降にもタイトルと見出しが表示されるようにします。

**1** [ページレイアウト]タブ→[印刷タイトル]をクリックします。

### Memo　印刷タイトルを設定できない場合

Backstageビューの[印刷]をクリックして[ページ設定]をクリックした場合、[ページ設定]ダイアログが表示されますが、ここからは[印刷タイトル]の設定ができません。印刷タイトルを設定するには、ここで紹介した方法で[ページ設定]ダイアログを表示します。

設定できない状態

**2** [タイトル行]欄をクリックします。

**3** すべてのページに表示したい行の行番号をドラッグします。

**4** タイトル行の範囲が入力されます。

**5** [OK]をクリックします。

### Memo　タイトル列

横長の表で2ページ目以降に表の左端の見出しを表示するには、[ページ設定]ダイアログの[タイトル列]を指定します。

**6** Backstageビューで確認すると、2ページ目以降にもタイトルと見出しが表示されます。

# 104

# 表を用紙1ページに収めて印刷する

練習用ファイル: ■ 104_暮らしのセミナー申込一覧.xlsx

### ここで学ぶのは

▶ ページ設定

▶ 拡大／縮小

▶ 用紙に合わせる

表の横幅が用紙の幅に収まらない場合などは、表を縮小して印刷する方法があります。

また、用紙の幅に合わせて表を自動的に縮小して印刷する方法もあります。横幅や縦幅だけを1ページ内に収めることもできます。

## 1 表の印刷イメージを見る

### 解説　印刷イメージを見る

表の横幅を用紙内に収める前に、今の印刷イメージを確認しましょう。ここでは、表が4ページに分かれています。表の横幅を用紙の幅に収められれば、2ページで印刷できそうです。

### Hint　印刷時の表示内容について

[ページ設定]ダイアログの[シート]タブでは、印刷時に何を表示するか指定できます。たとえば、セルと区切る線を表示するには[枠線]、行番号や列番号を表示するには[行列番号]のチェックを付けます。また、セルに追加したコメントを印刷するかどうか、エラーの表示方法などを指定できます。

今の状態では表が4ページに分かれて印刷されることを確認します。

**1** 印刷するブックを開き、Backstageビューを表示します（P.42）。

**2** [印刷]をクリックします。

**3** [▶]を何度かクリックしてページを切り替えます。

**4** 表の右端の列がはみ出してしまっています。

# 2 表の幅を1ページに収める

## 解説 1ページに収める

表の横幅が用紙の幅を少しはみ出してしまう場合は、表を縮小してページ内に収めることが可能です。表の横幅をページ内に収めるには、[すべての列を1ページに印刷]をクリックします。この場合、縦長の表の場合は、複数ページにわたって印刷されます。

とにかく全体を1ページに収めたい場合は、[シートを1ページに印刷]を選びます。

また、横長の表で、表の高さを1ページに収めるには、[すべての行を1ページに印刷]を選びます。

## Memo 拡大／縮小する

表の拡大率や縮小率を指定して印刷するには、[ページ設定]ダイアログ(P.287)を表示して、[ページ]タブ→[拡大／縮小]のチェックをオンにして拡大率や縮小率を指定します。

## Memo ページ数を指定する

表が大きくてページに収まらない場合、何ページに収めて印刷するかを指定するには、[ページ設定]ダイアログ(P.287)を表示します。[ページ]タブ→[次のページ数に合わせて印刷]のチェックをオンにすると、ページ数を指定できます。

前ページの続きで、表の幅を用紙の幅に収めて印刷します。

**1** [拡大縮小なし]をクリックします。

**2** [すべての列を1ページに印刷]をクリックします。

**3** 表の列が用紙の幅に収められます。

**4** [▶]をクリックしてページを切り替えて確認します。

# Section

## 105

# 指定した箇所だけを印刷する

練習用ファイル： ■ 105_請求書.xlsx

### ここで学ぶのは

▶ ページ設定

▶ 印刷範囲

▶ 選択範囲

指定したセル範囲のみ印刷するには、印刷範囲を設定する方法と選択した範囲を印刷する方法などがあります。

常に同じ場所だけを印刷する場合は、印刷範囲を設定しておくと、毎回セル範囲を選択する手間が省けて便利です。

---

## 1 印刷範囲を設定する

### 解説 印刷範囲を設定する

印刷範囲を設定すると、印刷したときに常に指定したセル範囲だけが印刷されるようになります。印刷範囲を設定後は、Backstageビューの [印刷] をクリックして、印刷イメージを確認しておきましょう。

1 印刷したいセル範囲を選択し、

2 [ページレイアウト] タブ→[印刷範囲]→[印刷範囲の設定] をクリックします。

3 印刷範囲に指定されているセル範囲にグレーの線が表示されます。

### Memo 印刷範囲を解除する

印刷範囲を解除して、すべてのセル範囲を印刷対象にするには、[ページレイアウト] タブ→[印刷範囲]→[印刷範囲のクリア] をクリックします。

> 4 Backstageビューの[印刷]をクリックすると、印刷イメージが確認できます。

## 2 選択範囲を印刷する

### 解説 選択範囲を印刷する

選択したセル範囲の部分を印刷するには、Backstageビューの[印刷]で、印刷する部分を指定します。毎回同じ場所を印刷するときは、前ページの印刷範囲を設定する方法がおすすめですが、一時的に指定したセル範囲を印刷する場合は、この方法を使うと便利です。

### 注意 印刷範囲を元に戻す

選択範囲ではなく、作業中のシートを印刷対象にするには、Backstageビューの[印刷]で[作業中のシートを印刷]を選択しておきます。

> 1 印刷したいセル範囲を選択し、

> 2 [ファイル] タブをクリックします。

> 3 [印刷] をクリックします。

> 4 [作業中のシートを印刷] をクリックし、[選択した部分を印刷] をクリックします。

> 5 選択した範囲だけを印刷できます。

# 106 表やグラフを印刷する

練習用ファイル：■ 106_来場者数一覧.xlsx

印刷イメージを確認して印刷時の設定を済ませたら、実際に表やグラフを印刷してみましょう。

印刷時には、印刷に使うプリンターを確認します。また、印刷する部数を指定して印刷します。

## 1 印刷イメージを確認する

### 解説 印刷イメージを見る

印刷を実行する前には、必ず印刷イメージを確認しましょう。必要に応じて、用紙の向きやサイズ、余白の大きさ、ヘッダー／フッター、改ページ位置、印刷タイトル、拡大／縮小の設定などを行います。

**1** 印刷するブックを開き、Backstageビューを表示します（P.42）。

**2** [印刷] をクリックします。

### Memo ブック全体を印刷する

複数シートを含むブックを印刷するとき、複数シートを含むブック全体を印刷するには、印刷時に [ブック全体を印刷] を選択してから印刷します。

**3** [作業中のシートを印刷] をクリックし、

**4** 印刷対象を選択してクリックします。

2ページ目以降がある場合は [▶] をクリックしてページを切り替えます。

**5** 印刷イメージを確認します。

# 2 印刷をする

## 解説 印刷を実行する

印刷イメージを確認して印刷時の設定を済ませたら、実際に印刷を実行します。プリンターの表示を確認し、印刷するプリンターが違う場合は、[▼]をクリックして印刷するプリンターを選びます。

## Hint ページの方向について

印刷するページが縦横複数ページにわたる場合は、通常、左上部分、左下部分、右上部分、右下部分のように左から右に順に印刷されます。左上部分、右上部分、左下部分、右下部分のように上から下の順に印刷するには、[ページ設定]ダイアログの[シート]タブでページの方向を指定します。

**1** 印刷するブックを開き、Backstageビューを表示します（P.42）。

**2** [印刷]をクリックし、　　**3** [プリンター]の表示を確認します。

**4** [部数]を入力し、　　**5** [印刷]をクリックします。

**6** 印刷が実行されます。

## 注意 印刷イメージが表示されない場合

表やグラフの印刷イメージが表示されない場合、印刷する範囲が正しく指定されていない可能性があります。印刷の対象に[作業中のシートを印刷]が選択されているか確認しましょう。
また、印刷範囲（P.302）が設定されていないかなどを確認します。

# 3 グラフを印刷する

## 解説 グラフだけを印刷する

グラフだけ大きく印刷するには、最初に印刷するグラフを選択しておきます。印刷イメージを表示すると、グラフの印刷イメージが表示されます。

## Memo 印刷するページを指定する

印刷するページの範囲を指定するには、[ページ指定] でページの範囲を入力します。3ページ目だけを印刷する場合は、[3] から [3] のように指定します。

## Hint テーブルだけを印刷する

テーブルだけを印刷する場合は、印刷するテーブルのいずれかのセルをクリックし、印刷時に [選択したテーブルを印刷] を選択してから印刷します。

**1** 印刷するグラフをクリックして選択し、

**2** [ファイル] タブをクリックします。

**2** [印刷] をクリックします。

**3** グラフの印刷イメージが表示されます。

**4** [部数] を入力し、

**5** [印刷] をクリックします。

**6** グラフだけ大きく印刷されます。

# 第 12 章

# 使い方が広がる
# その他の機能

　この章では、Excelの使い方が広がる機能をいくつか紹介します。Excelを自分好みにカスタマイズして使う方法を知りましょう。また、ファイルをOneDriveというインターネット上のファイル保存スペースに保存して、保存したファイルをスマホで確認する方法などを解説します。

練習用ファイル: 📁 107_出店用メニューリスト.xlsx

**ここで学ぶのは**

▶ 図形

▶ アイコン

▶ 画像

シートには、図形や写真、図など、さまざまなものを追加できます。それらは、Excelで編集することもできます。

ここでは、どのようなものを追加できるのかを見てみましょう。また、図形を追加して表示する方法を紹介します。

## 1 さまざまなオブジェクトを知る

オブジェクトとは、画像や図形などを含む、Excelに追加するさまざまなもののことです。[挿入]タブから追加できます。

図形 ／ 画像 ／ アイコン ／ 地図 ／ SmartArt

### 💡 Hint 3Dモデル

Excel 2019やOffice 365を使っている場合は、立体的な画像を追加して使うこともできます。[挿入]タブ→[図]→[3Dモデル]をクリックすると追加する画像を選べます。

● オブジェクトの種類

| 名前 | 内容 |
|---|---|
| 画像 | 写真などのファイルを追加する |
| オンライン画像 | インターネットから画像を探して追加する |
| 図形 | 図形を追加する |
| SmartArt | ピラミッド図や組織図などの図を追加する |
| スクリーンショット | パソコン画面の画像を追加する |
| ワードアート | 文字飾りの付いた文字を追加する |
| 数式 | 円の面積などのさまざまな数式の図を追加する |
| アイコン<br>(Excel 2019/Office 365) | イラストのようなアイコンを追加する |
| 3Dモデル<br>(Excel 2019/Office 365) | 立体的な画像を追加する |

## 2 図形を追加する

### 解説 図形を描く

図形を描くには、図形の種類をクリックしてからシート上をドラッグします。ほとんどの図形は、中に文字を入力できます。

文字の配置を変えるには、図形をクリックして、[ホーム]タブ→[配置]グループにある[中央揃え][上下中央揃え]などのボタンをクリックします。

**1** [挿入]タブ→[図]→[図形]→描きたい図形の種類をクリックします。

**2** 図形を描く場所をドラッグします。

**3** 図形をクリックして文字を入力し、

### Hint テキストボックス

基本図形の[テキストボックス]や[縦書きテキストボックス]を選択すると、文字を入力するための図形が描けます。テキストボックスを描くと、カーソルがテキストボックスの中に表示されますので、すぐに文字を入力できます。

**4** [ホーム]タブ→[中央揃え]をクリックします。

**5** 文字の配置が変わりました。

**6** いずれかのセルをクリックすると、図形の選択が解除されます。

12

使い方が広がるその他の機能

## 3 図形の位置を整える

### 解説 図形の大きさや位置を変える

図形を選択すると、周囲に白いハンドルが表示されます。図形の大きさを変えるには、白いハンドルにマウスポインターを移動してドラッグします。外側にドラッグすると図形が大きくなります。

また、図形を移動するには、図形の中にマウスポインターを移動してドラッグします。

### Memo 図形の形を変える

図形によっては、図形を選択すると黄色いハンドルが表示されます。黄色いハンドルをドラッグすると図形の形を変えられます。

### Hint 図形の種類を変える

図形の種類自体を変えたい場合は、図形を選択し、[書式] タブ→ [図形の編集] → [図形の変更] から図形を選択します。

**1** 大きさを変える図形をクリックし、

前ページのシートに矢印と角丸四角形の図形を追加しています。

**2** ハンドルをドラッグします。

**3** 図形が大きくなります。

**4** 図形の中にマウスポインターを移動し、ドラッグします。

**5** 図形が移動します。

**6** 上の矢印をドラッグして回転させます。

**7** 図形の大きさや位置、傾きが変わります。

# 4 図形に書式を設定する

## 解説 ▶ 書式の設定

図形を選択し、[書式]タブ→[図形のスタイル]から図形のスタイルを変えます。色や枠線の飾りを個別に指定するには[図形の塗りつぶし][図形の枠線]をクリックして指定します。図形を立体的に表示したりするには、[図形の効果]から指定します。

## Memo ▶ 重なりを変える

図形を重ねて描くと、後から描いた図形が上に重なります。重なり順を変えるには、図形を選択し、[書式]タブ→[前面へ移動]([背面に移動])をクリックします。横の[▼]をクリックすると、[最前面へ移動]([最背面へ移動])などを選択できます。

> 1 重なりを変える図形をクリック

> 2 [書式]タブでメニューをクリック

> 1 スタイルを変える図形をクリックし、

> 2 [書式]タブ→[図形のスタイル]の ▼ をクリックします。

> 3 スタイルの一覧から気に入ったスタイルをクリックします。

> 4 図形のスタイルが変わります。

## Hint ▶ オブジェクトの表示

オブジェクトの表示／非表示を切り替えるには、[ページレイアウト]タブ→[オブジェクトの選択と表示]をクリックします。[選択]作業ウィンドウが表示されるので、オブジェクトの右の 👁 マークをクリックします。

Section

# Section 108

# クイックアクセスツールバーの表示をカスタマイズする

## ここで学ぶのは

▶ カスタマイズ
▶ クイックアクセスツールバー
▶ Excel のオプション

クイックアクセスツールバーには、機能を実行するさまざまなボタンを追加できます。

よく使う機能のボタンを追加しておくと、タブを切り替える手間なく、すぐに機能を実行できて便利です。

## 1 クイックアクセスツールバーにボタンを追加する

### 解説 ボタンを追加する

クイックアクセスツールバーに、機能のボタンを追加します。ここでは一覧から機能を選んで追加します。

クイックアクセスツールバーに、印刷プレビューを表示するボタンを追加します。

**1** クイックアクセスツールバーの横のボタンをクリックし、

**2** [印刷プレビューと印刷] をクリックします。

**3** [印刷プレビューと印刷] ボタンが表示されます。

**4** 追加されたボタンをクリックすると、Backstageビューの [印刷] が表示されます。

### Memo ボタンを削除する

クイックアクセスツールバーに追加したボタンを削除するには、ボタンを右クリックして、[クイックアクセスツールバーから削除] をクリックします。

# 2 追加する機能を一覧から選んで追加する

## 解説 ボタンを追加する

[Excelのオプション] ダイアログでクイックアクセスツールバーに追加するボタンを選べます。[クイックアクセスツールバーのユーザー設定] では、ボタンを追加するブックを選択できます。[すべてのドキュメントに適用（既定）] を選ぶと、どのブックが開いていても常に表示するボタンを追加できます。

## Memo クイックアクセスツールバーをリセットする

クイックアクセスツールバーをリセットして元の状態に戻すには、[Excelのオプション] ダイアログの [クイックアクセスツールバー] を選択し、[クイックアクセスツールバーのユーザー設定] からリセットする対象のブックを選択します。続いて、[リセット] → [クイックアクセスツールバーのみをリセット]をクリックします。

クイックアクセスツールバーに、図形を描くボタンを追加します。

**1** クイックアクセスツールバーの横のボタンをクリックし、

**2** [その他のコマンド] をクリックします。

**2** [コマンドの選択]の[▼]をクリックして分類を選びます。

**3** [クイックアクセスツールバーのユーザー設定]の[▼]をクリックして追加先をクリックします。

**5** 追加するボタンをクリックし、

**6** [追加]をクリックします。

**7** ボタンが表示されます。

**8** [OK]をクリックします。

**9** [図形]ボタンが表示されます。

**12** 使い方が広がるその他の機能

# 109 リボンの表示を カスタマイズする

練習用ファイル：なし

**ここで学ぶのは**

▶ カスタマイズ
▶ リボン
▶ Excel のオプション

リボンに表示するボタンの内容は、カスタマイズして使えます。よく使う機能のボタンをまとめて表示できます。

ボタンを追加するときは、新しくタブやグループを作ったりして、そこにボタンを配置します。

## 1 リボンにタブを追加する

### 解説 タブを追加する

[Excel のオプション]ダイアログを表示してタブを追加します。タブを追加する場所の左のタブを選択してからタブを追加します。

**新しいタブにボタンを追加する**

**1** リボンの上のどこかで右クリックし、

**2** [リボンのユーザー設定]をクリックします。

### Memo タブを移動する

タブの場所を入れ替えるには、移動するタブの項目をクリックし、[▲][▼]をクリックします。

**3** タブを追加する場所の左に位置するタブをクリックし、

### Hint どんなボタンを追加できるの？

リボンのタブに追加できるボタンには、リボンにない操作のボタンや、何かのボタンをクリックすると表示される操作のボタン、また、以前のバージョンの Excel で利用できた機能のボタンなどがあります。よく使う機能がリボンにない場合などは、必要に応じてクイックアクセスツールバーやリボンをカスタマイズして利用するとよいでしょう。

左のMemoを参照

**4** [新しいタブ]をクリックします。

## 解説　ボタンを追加する

[Excelのオプション]ダイアログで、新しいタブのグループに追加するボタンを選びましょう。複数のグループを作るには、グループを作るタブをクリックし、[新しいグループ]をクリックします。

## Memo　タブやグループの名前を変える

追加したタブやグループの名前を変えるには、タブやグループを選択し、[名前の変更]をクリックします。表示されるダイアログで名前を入力して[OK]をクリックします。

## Memo　リボンをリセットする

リボンの設定を元の状態に戻すには、[Excelのオプション]ダイアログ（P.42）の[リボンのユーザー設定]を選択し、[リセット]をクリックします。すべてリセットするには[すべてのユーザー設定をリセット]をクリックします。既存のタブの設定を変えた後、そのタブの設定のみを元に戻す場合は、タブを選択して[選択したリボン タブのみをリセット]をクリックします。

### 新しいタブにボタンを追加する

前ページの続きで、新しいタブにボタンを追加します。

**1** 追加したタブの[新しいグループ(ユーザー設定)]をクリックし、

**2** [コマンドの選択]の[▼]をクリックして分類を選びます。

**3** 追加するボタンをクリックし、

**4** [追加]をクリックします。

左のMemoを参照

**5** 同様にして、ボタンを追加します。

**6** [OK]をクリックします。

**7** 追加したタブにボタンが表示されます。

# 110 Microsoftアカウントで サインインする

練習用ファイル：なし

## ここで学ぶのは

▶ Microsoft アカウント

▶ サインイン

▶ サインアウト

WordやExcelなどのOffice製品のアプリを使うときは、Microsoftアカウントでサインインして使えます。

サインインすると、OneDriveというインターネット上のファイルの保存先から簡単にファイルを開いたり保存したりできます。

## 1 Microsoft アカウントとは？

Microsoftアカウントを取得すると、さまざまなことができます（下表）。本書では、MicrosoftアカウントでOffice製品にサインインして使う方法を紹介します。

すでにMicrosoftアカウントを取得している場合は、新しくMicrosoftアカウントを取得する必要はありません。取得済みのMicrosoftアカウントを使いましょう。

● Microsoft アカウントでできること

| 例 | 内容 |
|---|---|
| パソコンのアカウントとして使う | Windows 10のパソコンを使うときに、パソコンにログインするアカウントとして利用できる |
| メールの利用 | Microsoftアカウントを取得するときに、新しいメールアドレスを取得すると、新しいメールアドレスを使ってメールのやり取りができる |
| OneDriveの利用 | OneDriveというインターネット上のファイルの保存先を利用できる |
| Officeへのサインイン | Office製品のアプリを使うときに、Microsoftアカウントでサインインすると、Excelなどから簡単にOneDriveのファイルの保存先を利用できる |

### Memo Microsoft アカウントを取得する

Microsoftアカウントは、無料で取得できます。Microsoftアカウントを取得するには、ブラウザーで「https://signup.live.com/」のWebページを開いて操作します。普段使っているメールアドレスをMicrosoftアカウントとして登録する場合は、そのメールアドレスを入力して画面を進めます。新しいメールアドレスを取得して、それをMicrosoftアカウントとして使う場合は、[新しいメールアドレスを取得]をクリックして画面を進めます。

### 解説 サインインする

Excel から、Microsoft アカウントにサインインします。一度サインインすると、次に Excel を起動したときも自動的にサインインされます。また、Word などの他の Office 製品を使うときも自動的にサインインされます。

### Memo サインアウトする

Microsoft アカウントでサインインした後、サインアウトするには、Microsoft アカウントのユーザー名をクリックし、[サインアウト]をクリックします。メッセージを確認して[はい]をクリックします。

なお、お使いの環境によって、表示される画面は異なります。

**1** クリック

**2** クリック

**3** クリック

**1** [サインイン]をクリックします。

**2** Microsoft アカウントとして登録したメールアドレスを入力し、

**3** [次へ]をクリックします。

**4** パスワードを入力し、

**5** [サインイン]をクリックします。

**6** 他のアプリなどでもこのアカウントを使うか指定します。ここでは、[Microsoftアプリのみ]をクリックしています。

**7** Microsoftアカウントでサインインしました。

## Section

# 111

# ネット上のファイル共有スペースを使う

### ここで学ぶのは

▶ OneDrive
▶ ブラウザー
▶ スマホアプリ

OneDriveというインターネット上のファイルの保存スペースを使って、ファイルを保存したり開いたりしてみましょう。
Microsoftアカウントで Excelにサインインすると（P.317）、Excelから OneDriveのブックを直接扱えます。

## 1 OneDrive とは？

Microsoftアカウントを取得すると、OneDriveが使えるようになります。OneDriveの利用例は下表のとおりです。本書では、Office製品のアプリからブックを操作する方法と、スマホでMicrosoft Excelアプリを使ってOneDriveに保存したブックを見たりする方法を紹介します。

OneDriveのWebページで、保存したファイルを確認できます。

● OneDrive の利用例

| 例 | 内容 |
|---|---|
| ブラウザーでファイルを操作する | ブラウザーでOneDriveのWebサイトを開いて、パソコン内のファイルをOneDriveにアップロードしたり、OneDriveのファイルをパソコンにダウンロードしたりできる |
| エクスプローラーでファイルを操作する | OneDriveアプリを使って、エクスプローラーからパソコン内のファイルをOneDriveにアップロードしたり、OneDriveのファイルをパソコンにダウンロードしたりできる。また、パソコンの「OneDrive」フォルダーとOneDriveのファイルを自動的に同期することもできる |
| Office製品のアプリからファイルを操作する | Excelなどの Office製品のアプリからOneDriveに直接ファイルを保存したり、OneDriveにあるファイルを開いたりできる |
| 友人とファイルを共有する | OneDriveのファイル共有機能を使って、ファイルを公開できる。友人とファイルを共有して使える |
| ブラウザーでファイルを編集する | Office製品のアプリがインストールされていないパソコンからも、ブラウザーを使ってOneDriveに保存したExcelファイルなどを見たり編集したりできる |
| スマホやタブレットからファイルを編集する | OneDriveアプリを使って、スマホやタブレットからOneDriveに保存したファイルを見られる。また、Microsoft Excelアプリを使って、スマホやタブレットからOneDriveに保存したファイルを見たり編集したりできる。ただし、使っている機器によっては、Office 365のサブスクリプション契約が必要になる場合もある |

# 2 OneDrive にブックを保存する

## 解説 ブックを保存する

Microsoft アカウントでサインインしていると、Excel から OneDrive にブックを直接保存できます。ここでは、OneDrive にある「ドキュメント」フォルダーに保存しています。「ドキュメント」フォルダーは、OneDrive であらかじめ用意されているフォルダーです。

## Memo 無料で使える

Microsoft アカウントを取得すると、誰でも無料で OneDrive を使えます。通常は、5GB の容量を使えますが、サブスクリプション契約で Office を使っている場合などは、1TB の容量を使える場合もあります。また、有料で容量を増やすこともできます。

## Hint OneDrive のブックをブラウザーで開く

ブラウザーで OneDrive にあるブックを開くには、OneDrive の Web サイト（https://onedrive.live.com/about/ja-jp/）にログインし、開くブックを選択し、［開く］→［Excel Online で開く］をクリックします。

---

**1** OneDrive に保存するブックを開いておきます。

**2** ［ファイル］タブをクリックして、Backstage ビューを表示します（P.42）。

**3** ［名前を付けて保存］をクリックし、

**4** ［OneDrive］をクリックして、

**5** ［ドキュメント］をクリックします。

「ドキュメント」が表示されていない場合は、「OneDrive - 個人用」をクリックし、次の画面で保存先のフォルダーを選択します。

**6** ［ファイル名］を入力し、

**7** ［保存］をクリックします。

OneDrive の Web サイト
https://onedrive.live.com/about/ja-jp/

**8** OneDrive にブックが保存されます。

## 3 OneDrive にあるブックを開く

💬 **解説** ブックを開く

Microsoft アカウントでサインインしていると、Excel から OneDrive のブックを簡単に開けます。ここでは、OneDrive にある「ドキュメント」フォルダーに保存したブックを開いています。

**1** [ファイル] タブをクリックして、Backstage ビューを表示します (P.42)。

**2** [開く] をクリックし、 **3** [OneDrive] をクリックします。

**4** [ドキュメント] をクリックします。

**5** 開くブックをクリックします。

**6** OneDrive のブックが Excel で開きます。

**Memo** **サインインしていない場合**

Microsoft アカウントでサインインしていない場合は、ブックを開くときや保存するときに [OneDrive] をクリックすると、右図のような画面が表示されます。[サインイン] をクリックすると、サインインの画面が表示されます。

# 4 OneDrive にあるブックを編集する

## 解説 ブックを編集する

OneDriveのブックは、自分のパソコンに保存しているブックと同じように編集できます。ここでは、ブックを編集して上書き保存しています。

## Hint 自動保存

Office 365のサブスクリプション契約のExcelを使っている場合は、クイックアクセスツールバーの横に [自動保存] が表示されます。[自動保存] をオンにしていると、OneDriveに保存しているブックを自動的に保存することができます。

**1** OneDriveにあるブックを開いておきます。

**2** ブックにデータを入力したり書式を変えたりして編集します。

**3** [上書き保存] をクリックします。

これでOneDriveのブックが上書き保存されます。

## Hint Windows 10 の OneDrive アプリ

Windows 10のOneDriveアプリを使うと、自分のパソコンのOneDriveフォルダーのファイルとOneDrive上のファイルとを、自動的に同期をとることができます。OneDriveフォルダーは、既定では「C:¥Users¥ユーザー名¥OneDrive」にあります。Windows10のOneDriveアプリを使うには、スタートメニューからOneDriveアプリを起動するか、タスクバーにあるOneDriveのアイコンをクリックして設定をします。

# 5 OneDrive にあるブックをスマホで開く

## 解説 ブックを開く

Microsoft Excel アプリのアイコンをタップして、OneDrive に保存しているブックを開きます。Microsoft Excel アプリの起動時に、サインインの画面が表示された場合は、Microsoft アカウントのメールアドレスとパスワードを入力してサインインして操作します。

Microsoft Excelアプリ

## Hint OneDrive アプリ

App Store や Google Play から OneDrive アプリをインストールして、OneDrive アプリを起動すると、OneDrive に保存したブックを表示できます。ブックを編集するときは、Microsoft Excel アプリを使います。

OneDriveアプリ

**1** App StoreやGoogle Playから、Microsoft Excelアプリを入手してインストールしておきます。

**2** [Microsoft Excelアプリ] をタップして起動します。

**3** ホーム画面で [開く] をタップします。

**4** [OneDrive]を タップします。

**5** ブックの保存先のフォルダーをタップします。

**6** 開くブックをタップします。

**7** OneDriveのブックがスマホで開きます。

## 解説 ブックを編集する

Microsoft Excelアプリを使うと、スマホで
Excelブックを操作できます。編集した内容
は、自動的に保存されます。なお、お使い
の機器によっては、編集や保存をするのに
Officeのサブスクリプション契約が必要にな
る場合があります。

**1** セルをダブルタップして文字を編集します。

**2** [✓]をタップします。

**3** 書式を変えたいセルをタップし、

**4** ここをタップします。

**5** 項目をタップして書式を設定します。

## Memo 元に戻る

元の画面に戻るには、いずれかのセルをタッ
プして、[<]をタップします。

## Memo サインアウトする

Microsoft Excelアプリからサインアウトす
るには、[ホーム]画面で画面左上のアカ
ウントのアイコンをタップし、[設定]をタッ
プして[設定]画面を表示します。アカウン
トを選択して、[サインアウト]をタップして、
画面の指示に従ってサインアウトします。

**1** ここをタップし、

**2** [設定]をタップして、

**3** アカウントをタップします。次の画面で[サインアウト]をタップするとサインアウトします。

# 便利なショートカットキー

Excel使用時に知っておくと便利なショートカットキーを用途別にまとめました。たとえば、新規ブックを作成するときに使用する [Ctrl] + [N] とは、[Ctrl] キーを押しながら [N] キーを押すことです。

●ブックの操作

| ショートカットキー | 操作内容 |
|---|---|
| [Ctrl] + [N] | 新規ブックを作成する |
| [Ctrl] + [O] | ブックを開く |
| [Ctrl] + [S] | ブックを上書き保存する |
| [F12] | ［名前を付けて保存］ダイアログを表示する |
| [Alt] + [F4] | ブックを閉じる |

●ウィンドウの表示

| ショートカットキー | 操作内容 |
|---|---|
| [Ctrl] + [F1] | リボンの表示／非表示を切り替える |
| [Ctrl] + [F10]<br>[⊞] + [↑] | ウィンドウを最大化する |
| [Ctrl] + [F10]<br>[⊞] + [↓] | ウィンドウの大きさを元に戻す |
| [Ctrl] + [F9]<br>[⊞] + [↓] | ウィンドウを最小化する |
| [Ctrl] + [F9] キーを何度か押す<br>[⊞] + [↓] キーを何度か押す | 複数のウィンドウを順に最小化する |
| [Ctrl] ＋マウスのホイールを奥に回す | 拡大表示する |
| [Ctrl] ＋マウスのホイールを手前に回す | 縮小表示する |
| [Ctrl] + [F6] | ブックを切り替えて表示する |

●シートの切り替え

| ショートカットキー | 操作内容 |
|---|---|
| [Ctrl] + [PageUp] | 左のシートに切り替える |
| [Ctrl] + [PageDown] | 右のシートに切り替える |

●アクティブセルの移動

| ショートカットキー | 操作内容 |
|---|---|
| Ctrl + Home | セル A1 を選択する |
| ↑ ↓ → ← | 上下左右に移動する |
| Tab | 右隣に移動する |
| Shift + Tab | 左隣に移動する |
| Home | 選択しているセルの A 列に移動する |
| PageUp | 画面単位で上方向にスクロールする |
| PageDown | 画面単位で下方向にスクロールする |
| Alt + PageDown | 画面単位で右方向にスクロールする |
| Alt + PageUp | 画面単位で左方向にスクロールする |
| Ctrl + ↓ | データが入力された範囲の最終セルを選択する |
| Ctrl + ↑ | データが入力された範囲の先頭セルを選択する |
| Ctrl + → | データが入力された範囲の右端セルを選択する |
| Ctrl + ← | データが入力された範囲の左端セルを選択する |
| Ctrl + End | 表やリスト内で表やリストの右下隅のセルを選択する |

●セルの選択

| ショートカットキー | 操作内容 |
|---|---|
| Ctrl + Shift + * （テンキー以外） | アクティブセル領域を選択する |
| Shift + Space | アクティブセルを含む行全体を選択する |
| Ctrl + Space | アクティブセルを含む列全体を選択する |
| Ctrl + Shift + ↓ | データが入力された範囲の最終セルまでを選択する |
| Ctrl + Shift + ↑ | データが入力された範囲の先頭セルまでを選択する |
| Ctrl + Shift + → | データが入力された範囲の右端セルまでを選択する |
| Ctrl + Shift + ← | データが入力された範囲の左端セルまでを選択する |

●文字の変換

| ショートカットキー | 操作内容 |
|---|---|
| F6 | 文字の変換中にひらがなの変換候補を表示する |
| F7 | 文字の変換中にカタカナの変換候補を表示する |
| F8 | 文字の変換中に半角文字の変換候補を表示する |
| F9 | 文字の変換中に全角英字の変換候補を表示する。F9 キーを押すたびに、[小文字][大文字][先頭のみ大文字]の順で変換される |
| F10 | 文字の変換中に半角文字の変換候補を表示する。F10 キーを押すたびに、[小文字][大文字][先頭のみ大文字]の順で変換される |

●文字入力

| ショートカットキー | 操作内容 |
|---|---|
| 半角／全角 | 日本語入力モードのオンとオフを切り替える |
| F2 | セルのデータの末尾にカーソルを移動する |
| Alt + Enter | セル内で改行する |
| Shift + Caps Lock | Caps Lock の状態を切り替える |
| Num Lock | Num Lock の状態を切り替える |
| Fn + Num Lock | |
| Ctrl + ; | 今日の日付を入力する |
| Ctrl + : | 現在の時刻を入力する |
| Ctrl + D | 上のセルと同じ内容を入力する |
| Ctrl + R | 左のセルと同じ内容を入力する |
| Alt + ↓ | 上方向に入力されている項目と同じ入力候補を表示する |
| Ctrl + Enter | アクティブセルを移動せずに文字の入力を確定する |
| F4 | 数式内のセル番地をクリックして F4 キーを押すと、セルの参照方法を絶対参照や複合参照に変換できる |

●コピー・貼り付け

| ショートカットキー | 操作内容 |
|---|---|
| Ctrl + C | 選択している内容をコピーする |
| Ctrl + X | 選択している内容を切り取る |
| Ctrl + V | コピーした内容を貼り付ける |
| Ctrl + Alt + V | [形式を選択して貼り付け] ダイアログを表示する |

●その他の機能の実行

| ショートカットキー | 操作内容 |
|---|---|
| Ctrl + Z | 操作を元に戻す |
| Ctrl + Y | 元に戻した操作を取り消す |
| F4 | 同じ操作を繰り返して行う |
| Ctrl + 1 （テンキー以外） | [セルの書式設定] ダイアログを表示する |
| Ctrl + Shift + F | [セルの書式設定] ダイアログの [フォント] タブを開く |
| Ctrl + F | [検索と置換] ダイアログの [検索] タブを表示する |
| Ctrl + H | [検索と置換] ダイアログの [置換] タブを表示する |
| Ctrl + P | 印刷イメージを表示する |
| Alt + Q | 操作アシストボックスに移動する （Excel 2016 以降） |
| F5 | [ジャンプ] ダイアログを表示する |
| F7 | スペルチェックの機能を実行する |

# 用語集

Excelを使用する際によく使われる用語を紹介しています。すべてを覚える必要はありません。必要なときに確認してみてください。

## アルファベット

**Backstageビュー**

[ファイル] タブをクリックすると表示されます。ブックを開いたり、保存したり、印刷したりと、ブックに関する処理を実行できます。

**Book1**

新規にブックを作成すると、Book1、Book2、Book3のように仮の名前が付いたブックが作成されます。ブック名は後からわかりやすい名前に変更できます。

**CSV**

収集したデータの集まりを保存するときに使用するファイル形式の1つです。フィールドとフィールドが「,」(カンマ) で区切られます。

**[Excelのオプション] ダイアログ**

Excelを使用するときのさまざまな設定を行うダイアログです。

**Microsoftアカウント**

パソコンにログインしたり、OneDriveを使用するサービスを得られたりするアカウントです。インターネット上で取得できます。

**Officeクリップボード**

過去にコピーした情報を貯めておくところです。24個までの内容を保存でき、再利用できます。

**OneDrive**

ファイルを保存するWeb上のスペースです。Microsoftアカウントを取得すると誰でも使用できます。Excelでは、OneDriveに保存したブックを簡単に扱えます。

**Sheet1**

新規にブックを作成すると、新しいワークシートとしてSheet1のような名前のシートが表示されます。また、ワークシートを追加すると、Sheet2、Sheet3のような名前のシートが作成されます。シート名は後からわかりやすい名前に変更できます。

## あ

**アイコンセット**

条件付き書式で、値の大きさに応じたアイコンをセルに表示する機能です。値を簡単に比較したりできます。

**アクティブセル**

現在選択してる太枠で囲まれたセルです。セルをクリックすると、アクティブセルが移動します。

**印刷範囲**

印刷する範囲を登録しておく機能です。印刷範囲を指定しているときに印刷を行うと、印刷範囲の部分が印刷されます。

**インデント**

セル内の文字の配置を少しずつずらしたりするときに使用します。

**ウィンドウ枠の固定**

表をスクロールしても、表の見出しを固定して常に表示するための機能です。

**上書き保存**

一度保存したブックを編集した後に、更新して保存することです。

**エラーインジケーター**

エラー発生の可能性を知らせる緑色の三角のマークです。

**エラーのトレース**

エラーインジケーターが表示されているセルをクリックすると表示されるアイコンです。[エラーのトレース] アイコンをクリックすると、エラー情報が表示されます。

**オートコンプリート**

セルに数文字を入力したときに、上下に隣接するセルに入力されている項目と同じ項目を自動入力する機能です。

**オートフィル**

フィルハンドルをドラッグして、さまざまなデータを自動入力する機能です。

**置換**

検索した文字を別の文字に置き換えたり、検索結果のセルに別の書式を設定したりする機能です。

## か

**改ページ**

印刷するときのページの区切りを指定するものです。

**改ページプレビュー**

改ページの位置を確認したり、変更したりするときに使用すると便利な表示モードです。

**カラースケール**

条件付き書式で、セルの値の大きさに応じてセルを色分けする機能です。値の傾向などを読み取れます。

**関数**

合計や平均など、計算の目的に合わせて用意された公式のようなものです。関数ごとに、計算式の書き方が指定されています。

**関数の挿入**

関数を入力するときに使用すると便利なダイアログです。引数の内容などを確認しながら関数を入力できます。

## クイックアクセスツールバー

ウィンドウの左上の、小さなボタンが並んでいる部分です。ボタンを追加登録して利用できます。

## グラフ

表を基に作成するグラフのことです。Excelでは、さまざまな種類のグラフを作成できます。

## グラフエリア

グラフ全体が表示される場所のことです。グラフエリアを選択すると、グラフ全体が選択されます。

## グラフ要素

グラフを構成するさまざまな要素のことです。グラフを選択し、[書式] タブ→ [グラフ要素] ボックスからグラフ要素を選択できます。

## グループ化

複数の行や列を折りたたんだり、展開したりする機能です。明細行などを折りたたんで表示できます。

## 計算式のコピー

計算式をコピーして入力することです。計算式で指定しているセルの参照方法によって、参照元のセル番地が変わります。

## 形式を指定して貼り付け

セルの内容などをコピーして貼り付けるときに、貼り付ける形式を選択するダイアログです。たとえば、コメント情報のみを貼り付けたり、書式情報のみ貼り付けるなどを選択できます。

## 罫線

セルの上下左右や対角線上に引く線のことです。

## 桁区切りカンマ

数値の桁数がわかりやすいように、3桁ごとにカンマを表示する書式のことです。

## 検索

シートやコメントなどに含まれる文字を探すための機能。指定した書式が設定されたセルを検索することもできます。

## コピー＆ペースト

文字などをコピーして別の場所に貼り付けることです。

## コメント

セルの内容を補足するために添付するメモのようなものです。なお、Office 365サブスクリプション契約でExcelを使用している場合は、コメント機能が新しくなっています。以前のコメント機能は、メモ機能として残っています。

## 作業グループ

複数のシートを同時に選択している状態です。作業グループにしてシートを編集すると、選択しているすべてのシートに同じ編集を行えます。

## シート

計算表を作成するシートのことです。ブックには、複数のシートを追加して利用できます。また、グラフを大きく表示するグラフシートもあります。

## シート保護

シートにある表やグラフをうっかり削除してしまうことがないように、シートを編集できないようにすることです。

## 軸ラベル

グラフの「横（項目）軸」や「縦（値）軸」などの意味を補足するために表示するラベルです。

## 循環参照

数式を入力しているセル番地を参照して数式を作成してしまっている状態です。循環参照をしてしまうと、エラーが発生します。

## 条件付き書式

セルに入力されているデータと指定した条件を比較し、条件に一致するセルに自動的に書式を設定する機能です。

## シリアル値

日付を管理している数値のこと。「1900/1/1」を「1」とし、1日ごとにシリアル値が1ずつ増えます。つまり、「1900/1/2」をシリアル値で示すと「2」になります。

## 数式

Excelで計算式を入力することです。セルに数式を入力すると、セルに計算結果が表示されます。

## 数式バー

Excelのウィンドウの上部に表示されるバーです。アクティブセルの内容が表示されるところです。数式バーでセルの内容を修正したりもできます。

## ズーム

シートの表示倍率を変更する機能です。画面右下のズームスライダーのつまみをドラッグしても表示倍率を変更できます。

## スタイル

セルの塗りつぶしの色や文字の色などの飾りの組み合わせを登録したものです。

## スパークライン

行ごとのセルのデータの推移や、プラスマイナスの推移などを他のセルに視覚的にわかりやすく表示する機能です。表示方法には、縦棒、折れ線、勝敗があります。

## 絶対参照

セルを参照する方法の1つです。絶対参照の方法で参照しているセル番地は、式をコピーしてもセル番地がずれません。

## セル

表やリストを作成するときに、項目名の文字や日付、数値などを入力する枠のことです。セルには、セル番地という住所のようなものが付いています。たとえば、C列の3行目のセルは「セルC3」といいます。

### セルの結合

複数のセルをまとめて1つにすることです。結合したセルを解除することもできます。

### セルの参照

他のセルの値を参照して表示することです。

### セルの書式

セルの背景色や文字の色などの飾りや、データの表示形式、セルの特性などを指定することです。

### 全セル選択ボタン

ワークシートの左上隅のグレーのボタンです。列番号「A」の左、行番号「1」の上にあるボタンです。クリックすると、ワークシート内の全セルが選択されます。

### 操作アシスト

使用する機能を簡単に呼び出したり、わからないことを調べたりできる場所です。Excel 2016以降で使用できます。

### 相対参照

セルを参照する方法の1つです。相対参照の方法で参照しているセル番地は、式をコピーするとセルの位置が相対的にずれます。

### 総ページ数

印刷時に、総ページ数を自動的に表示する機能です。一般的に、ページ番号と組み合わせて指定します。

---

## た

### ダイアログ（ダイアログボックス）

さまざまな設定を行う設定画面です。たとえば、セルに対してさまざまな設定をするには、[セルの書式設定] ダイアログを表示して行います。

### タイトルバー

ウィンドウの一番上に表示されるバーです。ブック名が表示されます。

### タブ

ウィンドウ上部の「ファイル」「ホーム」「挿入」などと表示されているところです。タブをクリックすると、リボンに表示されるボタンが切り替わります。

### データバー

条件付き書式で、セルの値の大きさに応じてセルにバーを表示する機能です。値を簡単に比較できます。

### データラベル

グラフで示す項目名や数値の値などをグラフ内に表示するラベルです。

### テーブル

顧客データや売上明細データなど、リスト形式で集められたデータを、より簡単に活用できるようにする機能です。リストをテーブルに変換すると、列の見出しの横にフィルターボタンが表示されます。

### テーマ

ブックで使用する色の組み合わせやフォントなどのデザインを登録したものです。テーマを選択するだけで、全体のデザインが変わります。

### テンプレート

「納品書」や「請求書」などのレイアウトが決まっている入力フォームです。表をテンプレートとして保存すると、そのテンプレートを開いたときに、テンプレートを基にした新規文書が作成されます。

---

## な

### 名前

セルやセル範囲に付ける名前のことです。数式を作成するときにセルを指定する代わりに名前を使用することもできます。

### 名前ボックス

アクティブセルのセル番地が表示されます。また、名前ボックスで名前を選択してセル範囲を選択したりできます。

### 並べ替え

リスト形式に集めたデータを見やすく並べ替える機能です。並べ替えの基準になるフィールドを選択して、小さい順（昇順）や大きい順（降順）などを指定します。

### 日本語入力モード

パソコンで文字を入力するときに、日本語を入力するときは、日本語入力モードをオンに切り替えます。

### 入力規則

セルに入力できるデータの内容を制限したり、セルを選択したときの日本語入力モードの状態を指定したりする機能です。

---

## は

### パスワード

Excelのパスワードには、「読み取りパスワード」と「書き込みパスワード」があります。ブックを開くためのパスワードを指定するには「読み取りパスワード」を指定します。ブックを編集して上書き保存するためのパスワードを指定するには「書き込みパスワード」を指定します。

### 貼り付けオプション

セルの内容などをコピーして貼り付けたときに、貼り付けた直後に表示されるボタンです。ボタンをクリックして貼り付ける形式を選択できます。

### 凡例

グラフで表している内容の項目名などを示すマーカーのことです。

### 比較演算子

2つのデータを比較した結果を得るために使用する演算子です。値が同じかどうか、大きいかどうかなどを調べられます。

### ピボットグラフ

ピボットテーブルで作成した集計表を、グラフ化する機能です。

### ピボットテーブル

リスト形式のデータを基に、クロス集計表を作成する機能です。

### 表示形式

数値や日付データなどを、どのような形式で表示するかを指定するものです。

### 表示モード

Excelで作業を行うときに使用する表示方法です。[標準] 以外に、[改ページプレビュー] や [ページレイアウト] などがあります。

### フィルター

リスト形式に集めたデータから目的のデータのみ絞り込んで表示するときに使用します。フィルター機能を使用すると、リストの列見出しの横にフィルターボタンが表示されます。

### フィルハンドル

アクティブセルの右下に表示されるハンドルです。オートフィルの機能を使用するときは、フィルハンドルをドラッグします。

### フォント

文字の形の種類のことです。Excel 2016以降では、セルのフォントは「游ゴシック」が選択されています。フォントは変更できます。

### 複合参照

セルを参照する方法の1つです。複合参照では、列だけを固定したり行だけを固定して参照します。

### ブック

Excelで作成したファイルは、ブックともいいます。「ファイル」といっても、「ブック」といってもかまいません。

### フラッシュフィル

隣接するセルにデータを入力するときに、規則性を見つけてデータを自動入力するのを補助する機能です。

### ふりがな

セルに入力した文字のよみがなを表示する機能です。また、関数でふりがな情報を取り出すこともできます。

### プロットエリア

グラフ内のデータが表示される場所のことです。プロットエリアを広げると、グラフエリアの中でグラフの部分が大きく表示されます。

### 分割

シートを垂直や水平に分割する機能です。シートの離れた場所を同時に見たりできます。

### ページ番号

印刷時に、ページ番号を自動的に振る機能です。

### ページレイアウト

ヘッダーやフッターの表示内容を指定したり編集できる表示モードです。ページの区切りを確認しながら表を作成したりできます。

### ヘッダー／フッター

用紙の上余白がヘッダー、下余白がフッターです。日付やページ番号などを追加したりして印刷できます。

## ま

### マーカー

折れ線グラフなどで、数値の値の位置を示すマークのことです。

### 元に戻す

直前に行った操作をキャンセルして元に戻すことです。

## や

### やり直し

直前に行った操作をキャンセルして元に戻した後に、元に戻す前の状態にすることです。

## ら

### リスト

Excelでデータを管理するときに作成するリストのことです。リストの作り方にはルールがあります。

### リボン

Excelのウィンドウの上部のボタンが表示されている部分です。タブをクリックすると、リボンの表示内容が変わります。

### リボンの表示オプション

リボンやタブの表示方法を切り替えるところです。

### 列幅

シートの各列の幅です。列幅は個別に調整できます。文字の長さに合わせて自動調整したりもできます。

### ロック

シートを保護すると、セルのデータを編集できなくなります。ただし、セルのロックを外してからシートを保護すると、ロックが外れているセルは編集が可能になります。

## わ

### ワイルドカード

複数の文字やいずれかの文字を示す記号のことです。文字を検索するときなどに、あいまいな条件で文字を探す場合などに使用します。

### 枠線

セルとセルを区切る線です。枠線は、通常は印刷されません。表に線を引くにはセルに罫線を引きます。

# 索 引

## 注意事項

- ●本書に掲載されている情報は、2020年2月3日現在のものです。本書の発行後にExcelの機能や操作方法、画面が変更された場合は、本書の手順どおりに操作できなくなる可能性があります。
- ●本書に掲載されている画面や手順は一例であり、すべての環境で同様に動作することを保証するものではありません。読者がお使いのパソコン環境、周辺機器、スマートフォンなどによって、紙面とは異なる画面、異なる手順となる場合があります。
- ●読者固有の環境についてのお問い合わせ、本書の発行後に変更されたアプリ、インターネットのサービス等についてのお問い合わせにはお答えできない場合があります。あらかじめご了承ください。
- ●本書に掲載されている手順以外についてのご質問は受け付けておりません。
- ●本書の内容に関するお問い合わせに際して、編集部への電話によるお問い合わせはご遠慮ください。

**本書サポートページ** **https://isbn2.sbcr.jp/04837/**

## 著者紹介

**門脇 香奈子**（かどわき かなこ）

企業向けのパソコン研修の講師などを経験後、マイクロソフトで企業向けのサポート
業務に従事。現在は、「チーム・モーション」でテクニカルライターとして活動中。

●チーム・モーション　ホームページ
https://www.team-motion.com

| | |
|---|---|
| カバーデザイン | 西垂水 敦（krran） |
| 本文デザイン | リブロワークス |
| 本文DTP | クニメディア株式会社 |
| 編集 | 友保 健太 |

# Excel 2019 やさしい教科書
## [Office 2019/Office 365対応]

2020年　2月28日　初版第1刷発行

| | |
|---|---|
| 著　者 | 門脇 香奈子 |
| 発行者 | 小川 淳 |
| 発行所 | SBクリエイティブ株式会社 |
| | 〒106-0032 東京都港区六本木2-4-5 |
| | https://www.sbcr.jp/ |
| 印　刷 | 株式会社シナノ |

落丁本、乱丁本は小社営業部（03-5549-1201）にてお取り替えいたします。
定価はカバーに記載されております。
Printed in Japan　ISBN978-4-8156-0483-7